#시험대비
#핵심정복

7일 끝
중간고사
기말고사

Chunjae
Makes
Chunjae

▼

개발총괄	김덕유
편집개발	박유리, 우영은
조판	대진문화(구민범, 권재원)
제작	황성진, 조규영

발행일	2021년 3월 15일 초판 2021년 3월 15일 1쇄
발행인	(주)천재교육
주소	서울시 금천구 가산로9길 54
신고번호	제2001-000018호
고객센터	1577-0902
교재 내용문의	(02)3282-1718

7일 끝으로 끝내자!

7

고등 문학

BOOK 1

중간고사대비

이 책의 구성과 활용

일차별 시험 공부

생각 열기

본격적인 공부에 앞서 만화를 살펴보며 학습할 내용을 가볍게 짚고 넘어갈 수 있습니다.

❶ 생각 열기 | 질문과 만화를 살펴보며 학습할 내용 떠올리기
❷ 배울 내용 | 단원에서 배울 중요한 학습 요소 확인하기

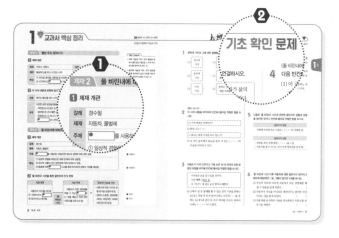

교과서 핵심 정리 + 기초 확인 문제

시험 전 꼭 알아야 할 교과서 핵심 내용을 살펴보고, 기초 확인 문제를 풀면서 내용을 제대로 이해했는지 확인할 수 있습니다.

❶ 빈칸을 채우며 핵심 내용 체크하기
❷ 기초 확인 문제를 풀며 핵심 내용을 이해했는지 확인하기

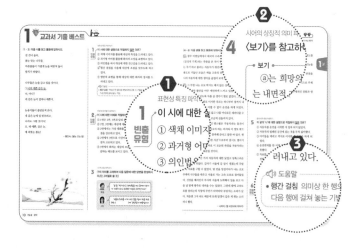

교과서 기출 베스트

기출문제를 분석하여 엄선한 빈출 유형의 문제를 집중적으로 풀며 기본 실력을 탄탄하게 다질 수 있습니다.

❶ 빈출 유형을 통해 출제 빈도가 높은 문제 유형 익히기
❷ 다양한 유형의 주관식 문제 익히기
❸ 도움말을 보며 문제 해결의 힌트 확인하기

시험 공부 마무리 테스트

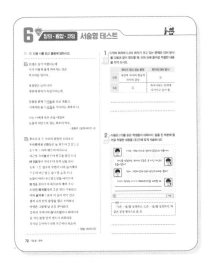

누구나 100점 테스트

아주 쉬운 예상 문제로 100점에 도전하여 내신
자신감을 키울 수 있습니다.

창의·융합·코딩 서술형 테스트

다양한 유형의 서술형 문제를 풀며 사고력과
서술형 문제에 대한 적응력을 높일 수 있습니다.

중간/기말고사 기본 테스트

실제 시험과 비슷한 예상 문제를 풀며 실전에
대비할 수 있습니다.

시험 직전까지 챙겨야 할 부록

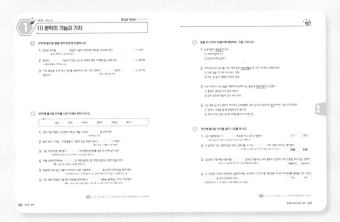

◈ 필수 어휘 모아 보기

단원별 필수 어휘의 의미와 쓰임을 간단한 문제를 통해 확인하며 어휘력을 기를
수 있습니다.

◈ 핵심 정리 총집합 카드

제재별 핵심 내용만을 모아 카드 형식으로 수록하였습니다.
쉽게 분리하여 이동할 때나 시험 직전에 활용할 수 있습니다.

이 책의 차례

우리 학교 시험 범위 확인

교과서 단원		본 교재
1. 문학과 삶	(1) 문학의 기능과 가치	☐ BOOK 1 1일, 6일 1회, 7일
	(2) 자아 성찰과 타자 이해	☐ BOOK 1 2일, 6일 1회, 7일
2. 문학의 수용과 생산	(1) 문학 작품의 구성 원리와 수용	☐ BOOK 1 3일, 6일 1회, 7일
	(2) 문학과 인접 분야, 문학과 매체	☐ BOOK 1 4일, 6일 2회, 7일
3. 한국 문학의 갈래와 흐름	(1) 서정 갈래의 흐름	☐ BOOK 1 4일·5일, 6일 2회, 7일
	(2) 서사 갈래의 흐름	☐ BOOK 2 1일·2일, 6일 1회, 7일
	(3) 극 갈래의 흐름	☐ BOOK 2 3일, 6일 1회, 7일
	(4) 교술 갈래의 흐름	☐ BOOK 2 2일, 6일 1회, 7일
4. 한국 문학의 과거와 현재 그리고 미래	(1) 한국 문학의 개념과 범위	☐ BOOK 2 4일, 6일 2회, 7일
	(2) 한국 문학의 특성	☐ BOOK 2 5일, 6일 2회, 7일

1일 (1) 문학의 기능과 가치

생각 열기 문학은 우리 삶에 어떤 가치가 있는가?

너무 어려워.
문학은 왜 공부해야 하는 거야?
문학이 밥 먹여 주는 것도 아닌데 말이야.

쯧쯧, 모르는 소리.
문학을 통해 얻을 수 있는 긍정적인
기능이 얼마나 많은데.

우리는 문학을 통해 아름답다, 추하다,
비장하다, 조화롭다, 우스꽝스럽다 등과
같이 다양한 정서를 느낄 수 있어.

봄눈 녹아 흐르는
옥 같은 / 물에

사슴은 / 암사슴
발을 씻는다.

– 박목월, 〈산도화〉

정말이네.
봄을 맞은 자연의 풍경이
아름답게 느껴져.

제재 1 **봄눈 오는 밤**(황인숙)

1 제재 개관

갈래	자유시, 서정시	성격	심미적, 감각적, 서정적
제재	봄날에 눈을 맞고 서 있는 나무	주제	봄눈을 맞는 나무의 ❶⬜⬜⬜
특징	① 의인법, 중의법, 영탄법 등 다양한 표현 방법을 사용하여 대상을 묘사함. ② 시각적이고 ❷⬜⬜⬜인 이미지를 사용하여 대상을 묘사함.		

2 이 시의 내용과 표현에 담긴 미적 기능과 가치

내용	화자는 봄눈을 맞는 나무의 아름다움에 ❸⬜⬜하고 있음.
표현	다양한 표현 방법을 활용하여 나무의 아름다움을 나타냄. • 의인법 📝 네 감은 눈이 얼마나 예쁜지 • 중의법 📝 너의 예쁜 감은 눈('감각 기관', '싹'을 의미함.) • 돈호법 📝 너, 아니? / 네 감은 눈이 얼마나 예쁜지 • ❹⬜⬜⬜ 📝 나라도 그럴 것이다! / 오, … 봄눈!

➡ **미적 기능과 가치**

시의 내용과 표현에서 아름다움을 느끼게 함.

제재 2 **풀 비린내에 대하여**(나희덕)

1 제재 개관

갈래	경수필	성격	일상적, 성찰적, 생태적
제재	자동차, 풀벌레		
주제	❺⬜⬜⬜를 사용하는 바람직한 태도와 생태주의에 대한 성찰		
특징	① 일상적 경험을 바탕으로 생태 문제에 대해 성찰함. ② 하나의 사물이 지닌 양면성에 대해 살펴보고 있음. ③ 통념에 대한 ❻⬜⬜⬜ 사고를 통해 독자에게 성찰의 기회를 제공함.		

2 '풀 비린내' 사건을 통한 글쓴이의 인식 변화

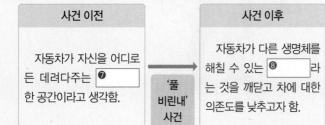

사건 이전		사건 이후		윤리적 기능과 가치
자동차가 자신을 어디로든 데려다주는 ❼⬜⬜한 공간이라고 생각함.	'풀 비린내' 사건	자동차가 다른 생명체를 해칠 수 있는 ❽⬜⬜라는 것을 깨닫고 차에 대한 의존도를 낮추고자 함.	➡	• 자동차에 대한 의식과 생활 방식을 성찰하게 함. • 생명의 소중함, 생명체를 대하는 바람직한 자세에 대해 생각하게 함.

개념 Catch

• **미적 기능과 가치**: 문학 활동을 통해 아름다움과 쾌감을 느끼게 하고 정서를 풍부하게 하는 것.

• **윤리적 기능과 가치**: 문학 활동을 통해 독자에게 삶의 의미를 깨닫게 하고 윤리적 성찰로 이끄는 것.

❶ 아름다움

❷ 역동적

❸ 감탄

❹ 영탄법

❺ 자동차

❻ 비판적

❼ 안락

❽ 무기

정답과 해설 **90**쪽

1 문학적 가치와 그에 대한 설명을 바르게 연결하시오.

(1) | 인식적 가치 | •

(2) | 윤리적 가치 | •

(3) | 미적 가치 | •

• ㉠ | 문학은 독자가 삶의 의미를 깨닫게 한다.

• ㉡ | 문학은 아름다움과 쾌감을 느끼게 한다.

• ㉢ | 문학은 인간과 세계에 대한 이해를 돕는다.

〈봄눈 오는 밤〉

2 이 시의 내용을 파악하여 빈칸에 들어갈 적절한 말을 쓰시오.

(1) 시적 배경은 언제인가?

❱ 봄눈 오는 (ㅂ)

(2) 화자는 현재 무엇을 하고 있는가?

❱ 길 건너 숲속에서 봄눈을 맞고 서 있는 (ㄴㅁㄷ)의 모습을 바라보고 있다.

3 다음은 이 시의 2연이다. ㉠에 쓰인 '눈'의 의미와 표현 방법의 유형을 파악해 빈칸에 들어갈 적절한 말을 쓰시오.

나무들은 눈을 감고 있을 것이다.
너의 예쁜 ㉠감은 눈.
너, 아니? / 네 감은 눈이 얼마나 예쁜지.

❱ ㉠에서 '눈'은 물체를 볼 수 있는 감각 기관을 뜻하는 눈[目], 새로 막 터져 돋아나려는 나무의 (ㅆ)을 뜻하는 눈[芽]과 같이 두 가지 의미를 지닌다. 따라서 ㉠에는 (ㅈㅇㅂ)이 쓰였다.

〈풀 비린내에 대하여〉

4 다음 빈칸에 들어갈 적절한 말을 쓰시오.

(1) 이 글은 글쓴이가 일상적 경험을 통해 (ㅈㄷㅊ)를 비롯한 문명의 이기에 대한 태도를 성찰하고 있는 수필이다.

(2) 제목에 쓰인 '풀 비린내'는 문명의 이기에 의해 파괴되고 죽음에 이른 (ㅅㅁㅊ) 혹은 자연의 처참한 모습을 의미한다.

(3) 이 글에서 편리함과 자신만의 공간을 제공하는 자동차의 속성을 빗댄 표현은 '아늑한 (ㅈㄱ)'이다.

5 다음은 '풀 비린내' 사건과 관련한 글쓴이의 경험과 성찰을 정리한 것이다. 빈칸에 들어갈 적절한 말을 쓰시오.

글쓴이의 경험
차체에 부딪혀 죽은 수많은 (ㅍㅂㄹ)의 잔해를 봄.

↓

글쓴이의 성찰
• 생명을 죽인 것에 대한 (ㅈㅇㅅ)을 느낌. • 자동차를 몰고 다니는 것이 살생 행위임을 알게 됨.

6 '풀 비린내' 사건 이후 자동차에 대한 글쓴이의 생각이나 태도에 해당하면 ○표, 그렇지 않으면 ✕표를 하시오.

(1) 자신의 의도와 다르게 자동차가 다른 생명체를 해칠 수 있음을 알게 되었다. (   )

(2) 자동차가 자신을 어디로든 데려다주는 편리한 수단이라는 것을 알게 되었다. (   )

(3) 자동차를 유지하되 사용을 최소화하고 의존도를 낮추기로 하였다. (   )

[1~3] 다음 시를 읽고 물음에 답하시오.

길 건너 숲속,

봄눈 맞는 나무들.

마른풀들이 가볍게 눈을 떠받쳐 들어

발치가 하얗다.

나무들은 눈을 감고 있을 것이다.

㉠너의 예쁜 감은 눈.

너, 아니?

네 감은 눈이 얼마나 예쁜지.

눈송이들이 줄달음쳐 온다.

네 감은 눈에 입 맞추려고.

나라도 그럴 것이다!

오, 네 예쁜, 감은 눈,

에 퍼붓는 봄눈!

– 황인숙, 〈봄눈 오는 밤〉

표현상 특징 파악하기

1 이 시에 대한 설명으로 적절하지 <u>않은</u> 것은?

빈출유형

① 색채 이미지를 활용해 대상의 특성을 드러내고 있다.

② 과거형 어미를 활용해 화자의 소망을 표현하고 있다.

③ 의인법을 써서 대상에 대한 친근감을 드러내고 있다.

④ 행간 걸침을 사용해 대상에 초점을 맞추도록 하고 있다.

⑤ 영탄적 표현을 통해 대상에 대한 화자의 정서를 드러내고 있다.

🔊 도움말

• **행간 걸침** 의미상 한 행으로 배열되어야 할 시 구절을 의도적으로 다음 행에 걸쳐 놓는 기법.

시상의 전개 방식 파악하기

2 이 시에 대한 이해로 적절하지 <u>않은</u> 것은?

빈출유형

① 1연은 2연, 3연과 달리 화자가 실제로 본 풍경이다.

② 2연, 3연에는 대상에 대한 화자의 정서가 드러난다.

③ 2연에서는 가상 대화를 통해 화자와 대상 간의 유사점을 강조하고 있다.

④ 2연에서 3연으로 시상이 전개되면서 화자의 정서가 점차 고조되고 있다.

⑤ 3연에서 화자는 대상의 모습에 의미를 부여하며 공감하는 태도를 보이고 있다.

시구의 의미 파악하기

3 ㉠의 의미를 고려하여 다음 질문에 대한 답변을 완성하시오.(단, 2어절로 쓸 것.)

학생: '눈'을 '싹'이라고 해석했을 때, ㉠에서 화자가 '예쁜'이라고 표현한 까닭은 무엇인가요?

시인: 겨울의 추위를 이겨 내고 봄을 맞아 싹을 틔우려는 ( )에 감탄했기 때문입니다.

[4~6] 다음 글을 읽고 물음에 답하시오.

가 광주 비엔날레에서 태국의 수라시 꾸솔웡이라는 작가의 〈감성적 기계〉라는 작품을 본 적이 있다. 〈중략〉 흔히 '달리는 무기'라고 불리는 자동차가 완전히 해체됨으로써 새로운 용도로 거듭난 모습은 예술 고유의 전복성을 보여 줄 뿐 아니라 자동차에 대한 생각을 곱씹어 보게 했다.

나 그 무렵 나는 초보 딱지도 떼지 않은 상태여서 자동차가 주는 편리와 불안을 아주 예민하게 느끼고 있었다. 면허를 따 놓고 오 년이 넘도록 차를 살 생각이 별로 없었다. 그런데 아이들을 데리고 객지로 이사한 후로는 하나부터 열까지 내 손으로 해결해야 했고, 어쩔 수 없이 운전을 하게 되었다. 〈중략〉 누구의 방해도 받지 않고 나를 어디로든 데려다줄 수 있는 밀폐된 공간에 그렇게 조금씩 길들여져 갔다.

스웨덴의 생태학자인 에민 텡스룀은 자동차라는 물건이 "자기 자신의 영토 안에 머물고자 하는 의지와 이 영토 밖으로 움직일 필요성"을 동시에 충족해 준다고 말한 바 있다. 현대인들이 자동차라는 '아늑한 자궁'으로부터 잠시도 떨어지고 싶어 하지 않는 것도 바로 이 모순된 욕망을 자동차라는 공간이 해결해 주기 때문일 것이다.

다 하지만 얼마 안 가서 자동차에 대한 낯설고 당혹스러운 경험을 하게 되었다. 갑자기 서울에 갈 일이 생겼는데 주말이라 차표를 구할 수 없었다. 몇 번을 망설이다가 나는 초보 주제에 식구들을 태우고 서울로 가는 고속 도로로 접어들었다. 긴장을 해서인지 무사히 서울에 도착해서 일을 보고 다음 날 밤에 광주로 내려올 수는 있었다. 그런데 밤에 고속도로를 달리는데 차창에 무언가 타닥타닥 부딪치는 소리가 났다. 처음엔 그저 속도 때문에 모래 알갱이 같은 게 튀는 소리려니 했다.

– 나희덕, 〈풀 비린내에 대하여〉

4 이 글에 대한 설명으로 가장 적절한 것은?

빈출유형

① 다른 사람의 경험을 인용하여 글쓴이의 삶의 태도를 성찰하고 있다.

② 대상에 대해 기존의 통념에서 벗어나 새로운 기능을 발견하고 있다.

③ 객관적 정보를 제시하며 대상에 대한 긍정적 관점을 강화하고 있다.

④ 대상에 대한 다양한 관점을 소개하는 방식으로 주제 의식을 형상화하고 있다.

⑤ 글쓴이가 대상과 관련된 자신의 구체적인 경험과 생각을 진솔하게 드러내고 있다.

5 이 글의 '나'에 대한 설명으로 적절하지 않은 것은?

① 자동차를 운전을 시작한 지 얼마 되지 않았다.

② 자동차의 밀폐된 공간에 있는 것을 무척 싫어했다.

③ 아이들을 데리고 객지로 이사한 후 운전을 하게 되었다.

④ 운전면허를 딴 이후 한동안 차의 필요성을 느끼지 못했다.

⑤ 차표를 구하지 못해 어쩔 수 없이 서울까지 차를 운전한 경험이 있다.

6 이 글에서 자동차를 빗대어 표현한 말 중, 다음 '나'의 생각과 관련이 깊은 표현을 찾아 2어절로 쓰시오.

빈출유형

자동차에 많은 풀벌레들이 부딪혀 죽은 사건은 충격 그 자체였어. 그 일로 자동차가 다른 생명을 해칠 수 있다는 것을 깨닫게 되었어.

나(글쓴이)

1 교과서 기출 베스트

[7~9] 다음 글을 읽고 물음에 답하시오.

가 다음 날 아침 출근을 하려는데 유리창은 물론이고 앞 범퍼에 푸르죽죽한 것들이 잔뜩 엉겨 있었다. 그것은 흙먼지가 아니라 수많은 풀벌레들이 달리는 차체에 부딪혀 죽은 잔해였다. 〈중략〉 운전대를 잡을 때마다 ㉠풀 비린내는 몸서리치는 기억으로 남았고, 나는 손을 씻고 또 씻었다.

시속 100킬로미터 정도의 속력에 그렇게 많은 풀벌레가 짓이겨졌다는 것도 믿기 어려웠지만, 이런 ⓐ살상의 경험을 모든 운전자들이 초경처럼 겪었으리라는 사실이야말로 나에게는 ⓑ예상치 못한 충격이었다. 인간에게 안락한 공간이 다른 생명을 해칠 수 있다는 자각이 그제서야 찾아왔다.

나 옛날 티베트의 승려들은 입을 열어 말을 할 때마다 공기 중의 미생물을 죽이게 될까 봐 얼굴에 일곱 겹의 천을 두르고 다녔다고 한다. 그걸 생각하면 자동차를 몰고 다니는 것 자체가 엄청난 살생 행위라고도 말할 수 있을 것이다. 그렇다고 하루아침에 차를 없앨 수도 없는 형편이어서 나는 자동차에 대한 태도를 정리할 필요를 느꼈다. 차를 유지하되 사용을 최소화하고 의존도를 낮추는 선에서 타협할 수밖에 없었다. 〈중략〉

운전을 시작하기 전까지 나는 걷기 예찬자였고, 인공적인 공간보다는 자연 속에 머물기를 누구보다 좋아했다. 그러나 차를 소유하고부터는 생태적인 어떤 발언도 할 자격이 없다는 생각이 들곤 한다. 차를 소유하되 그에 종속되지 않는다는 것, 이런 아슬아슬한 줄타기가 앞으로 얼마나 지속될 수 있을지 모르겠다. 다만 그날 아침의 풀 비린내가 ⓒ원죄 의식처럼 운전대를 잡은 내 손에 남아 있을 따름이다.

– 나희덕, 〈풀 비린내에 대하여〉

글쓴이의 중심 생각 파악하기

7 다음은 이 글을 읽은 후 글쓴이와 가상으로 인터뷰하는 장면이다. 글쓴이의 대답으로 가장 적절한 것은?
빈출유형

현재 자동차를 자주 이용하시는 편이신가요?

기자　글쓴이

① 누구의 방해도 받지 않고 어디든 갈 수 있기 때문에 자주 이용해요.
② 운전을 하면 할수록 제 운전 솜씨가 부족한 걸 느껴서 웬만하면 운전을 하지 않아요.
③ 자동차는 양면성을 지니고 있기 때문에 앞으로는 절대 자동차를 타지 않을 생각이에요.
④ 의도치 않게 생명체를 해칠 수 있으니 꼭 필요한 경우가 아니라면 되도록 운전을 피하려 해요.
⑤ 자동차는 사람을 게으르게 만드니까, 건강을 위해서라도 운전보다 걷기를 더 많이 할 생각이에요.

구절의 의미 파악하기

8 ㉠이 가리키는 것이 무엇인지 이 글에서 찾아 쓰시오.
빈출유형

_____

글의 세부 내용 이해하기

9 ⓐ~ⓒ에 대한 설명으로 적절하지 <u>않은</u> 것은?
① ⓐ는 글쓴이가 예상치 못한 결과와 관련이 있다.
② ⓐ로 인해 형성된 ⓒ가 현재까지 지속되고 있다.
③ ⓑ는 ⓐ를 통해 글쓴이가 느낀 심정에 해당한다.
④ ⓑ는 글쓴이의 인식 변화를 유도하는 역할을 하고 있다.
⑤ ⓒ를 통해 글쓴이는 ⓑ의 상태를 극복하고 있다.

정답과 해설 **90쪽**

[10~12] 다음 글을 읽고 물음에 답하시오.

⑦ 옛날 티베트의 승려들은 입을 열어 말을 할 때마다 공기 중의 미생물을 죽이게 될까 봐 얼굴에 일곱 겹의 천을 두르고 다녔다고 한다. 그걸 생각하면 자동차를 몰고 다니는 것 자체가 엄청난 살생 행위라고도 말할 수 있을 것이다. 그렇다고 하루아침에 차를 없앨 수도 없는 형편이어서 나는 자동차에 대한 태도를 정리할 필요를 느꼈다. 차를 유지하되 사용을 최소화하고 의존도를 낮추는 선에서 타협할 수밖에 없었다. 그리고 그 감성적 기계 의 편안함에 길들여지려는 순간마다 그것이 풀 비린내뿐 아니라 피비린내를 불러올 수도 있다는 자각을 잊지 않으려고 한다.

운전을 시작하기 전까지 나는 걷기 예찬자였고, 인공적인 공간보다는 자연 속에 머물기를 누구보다 좋아했다. 그러나 차를 소유하고부터는 생태적인 어떤 발언도 할 자격이 없다는 생각이 들곤 한다. 차를 소유하되 그에 종속되지 않는다는 것, 이런 아슬아슬한 줄타기가 앞으로 얼마나 지속될 수 있을지 모르겠다. 다만 그날 아침의 풀 비린내가 원죄 의식처럼 운전대를 잡은 내 손에 남아 있을 따름이다.

— 나희덕, 〈풀 비린내에 대하여〉

④ "무릇 피[血]와 기운[氣]이 있는 것은 사람으로부터 소·말·돼지·양·벌레·개미에 이르기까지 모두가 한결같이 살기를 원하고 죽기를 싫어합니다. 어찌 큰 놈만 죽기를 싫어하고 작은 놈만 죽기를 좋아하겠습니까? 그런즉 ⓐ개와 이의 죽음은 같은 것입니다. 그래서 ㉠예를 들어 큰 놈과 작은 놈을 적절히 대조한 것이지 당신을 놀리기 위해서 한 말은 아닙니다. 당신이 내 말을 믿지 못하겠으면 당신의 열 손가락을 깨물어 보십시오. ⓑ엄지손가락만이 아프고 그 나머지는 아프지 않습니까? 〈중략〉

하물며 각기 기운과 숨을 받은 자로서 어찌 저놈은 죽음을 싫어하고 이놈은 좋아할 리가 있겠습니까? 당신은 물

러가서 눈 감고 고요히 생각해 보십시오. 그리하여 ⓒ달팽이의 뿔을 ⓓ쇠뿔과 같이 보고, 메추리를 ⓔ대붕(大鵬)과 동일시하도록 해 보십시오. 연후에 나는 당신과 함께 도(道)를 이야기하겠습니다." / 라고 했다.

— 이규보, 〈슬견설〉

두 작품의 공통적인 주제 파악하기

10 **(가)와 (나)에 나타난 글쓴이의 공통적인 생각으로 가장 적절한 것은?**
빈출유형
① 기계 문명은 생명 존중과 양립할 수 없다.
② 자연으로부터 깨달음을 얻을 수 있어야 한다.
③ 겉모습만 보고 상대방을 평가해서는 안 된다.
④ 모든 생명체의 생명을 소중하게 여겨야 한다.
⑤ 인간에게 해를 끼치지 않는 생명은 보호해야 한다.

글쓴이의 의도 파악하기

11 **글쓴이가 자동차를 '감성적 기계'라고 말한 이유로 가장 적절한 것은?**
① 운전자에게 자기 자신만의 독립된 공간을 제공해 주기 때문이다.
② 운전자를 어디로든 편리하게 데려다줄 수 있는 기계이기 때문이다.
③ 운전자에게 안락함을 주는 동시에 비생명적 속성을 지니고 있기 때문이다.
④ 운전자를 포함하여 모든 생명체에게 심각한 피해를 끼칠 수 있기 때문이다.
⑤ 운전자를 편안함에 길들여지게 하여 인공적인 공간에 종속되게 만들기 때문이다.

소재의 의미 파악하기

12 **㉠을 고려할 때, ⓐ~ⓔ 중 가리키는 바가 나머지와 다른 것은?**
① ⓐ   ② ⓑ   ③ ⓒ   ④ ⓓ   ⑤ ⓔ

| 제재 3 | 19세(이순원) |

1 제재 개관

갈래	현대 소설, 장편 소설, 성장 소설	성격	자전적, 회고적, 고백적
배경	• 시간: (교과서 수록 부분) 주인공의 17세~19세		• 공간: 강원도 강릉과 대관령
시점	1인칭 ❶[　　　] 시점	주제	한 소년의 꿈과 방황을 통한 성장
특징	① 한 인물의 성장 과정을 그림. ② 사건이 ❷[　　　]의 흐름에 따라 진행됨.		

개념 Catch

• **문학의 인식적 기능과 가치**: 문학 활동을 통해 독자를 인간과 세계에 대해 새롭게 이해하도록 이끄는 것.

❶ 주인공

❷ 시간

2 '나'와 '아버지'의 갈등

나
빨리 어른이 되고 싶은 마음에 학교를 그만두고 ❸[　　　]를 짓고자 함.

⇔

아버지
'나'에게 그 나이 때 하지 않으면 안 되는 일이 있다고 말하며 ❹[　　　]함.

❸ 농사

❹ 반대

3 농사짓기에 대한 '나'의 생각 변화와 성장 과정

'나'가 생각하는 어른의 조건
❺[　　　]을 가지는 것, 자율적인 삶

❺ 자기 일(경제권)

⬇

농사를 짓기 전	농사를 지음.	농사짓기를 그만둠.
빨리 어른이 되고 싶은 바람을 실현할 수 있는 기회임.	어른이 된 기분에 오토바이를 사서 타는 등 어른처럼 행동함.	자신이 한 것은 어른 노릇이 아니라 ❻[　　　]였음을 깨달음.

❻ 어른놀이

⬇

'나'가 경험을 통해 잃은 것과 얻은 것
또래들이 때에 맞게 제 할 일을 하고 있을 때 '나'는 그 시간을 허비했으나, 긴 안목에서 자신의 삶에 대해 ❼[　　　]하게 됨.

❼ 성찰

4 이 글에 나타난 문학의 인식적 기능과 가치

주인공의 경험과 성찰을 간접 경험하고 이를 자신의 관점에서 비판적으로 수용하는 과정을 통해 우리의 ❽[　　　]과 세계를 더 잘 이해할 수 있음.

❽ 삶

1 다음은 〈춘향전〉을 감상한 내용이다. 이와 밀접한 관련이 있는 문학의 가치를 〈보기〉에서 골라 ○표를 하시오.

> 춘향과 몽룡의 사랑은 여러 가지 장애에 막히고 눌려 우여곡절을 겪어. 이를 통해 우리는 이 세계가 인간을 억압하는 폭력적 속성을 지니고 있다는 것을 이해할 수 있어.

┌─ 보기 ─────────────────────┐
│ 인식적 가치   윤리적 가치   미적 가치 │
└──────────────────────────┘

〈19세〉

2 다음은 인물 간의 갈등을 정리한 것이다. 빈칸에 들어갈 적절한 말을 쓰시오.

나
공부에 취미가 없어 하루빨리 (ㄴㅅ)를 지어 돈을 벌고자 함.

↕

아버지
그 나이 때 하지 않으면 안 되는 일이 있기 때문에 (ㅎㄱ)를 그만두는 것을 반대함.

3 '어른의 조건'과 관련한 '나'의 생각을 바르게 연결하시오.

(1) 어른 같은 아이 · · ㉠ 나이가 들었어도 스스로 돈을 벌지 못하는 사람

(2) 아이 같은 어른 · · ㉡ 나이는 어리더라도 자기 경제권을 가지고 있는 사람

4 다음은 아버지가 농사짓기를 허락하면서 '나'에게 요구한 두 가지 약속을 정리한 것이다. 빈칸에 들어갈 적절한 말을 쓰시오.

- 첫 번째 약속: 첫해 지은 농사가 실패하면 다음 해 군소리 없이 다시 (ㅎㄱ)로 갈 것.
- 두 번째 약속: 학교 공부는 하지 않더라도 아버지가 보내 주는 (ㅊ)들을 다 읽을 것.

5 농사짓기를 전후로 '나'의 생각의 변화를 다음과 같이 정리할 때, 빈칸에 들어갈 적절한 말을 쓰시오.

농사를 짓기 전
• 빨리 어른이 되고 싶음. • 농사를 지어 자기 (ㄱㅈㄱ)을 가져야 어른이 된다고 생각함.

↓

학교를 그만두고 농사를 지음.

↓

농사를 지은 후
• 자기 (ㄴㅇ)에 맞는 일을 하지 못하고 있다고 생각함. • 그동안 자신이 했던 것은 어른 노릇이 아니라 어른놀이였음을 깨달음.

6 이 글의 내용이 맞으면 ○표, 틀리면 ×표를 하시오.

(1) 대관령에서 본 '빨간 지붕의 별장'은 '나'가 동경하는 대상을 의미한다. ( )

(2) '나'의 친구 '승태'는 농사를 짓기로 한 '나'의 행동에 대하여 부정적으로 생각하였다. ( )

(3) '나'는 농사일을 그만두고 학교로 돌아가겠다는 결심을 실행하기 위해 오토바이를 팔아 치웠다. ( )

교과서 기출 베스트

[1~3] 다음 글을 읽고 물음에 답하시오.

가 어느 하루는 종아리에서 피가 튀도록 아버지한테 매를 맞기도 했다. 그러나 나는 죽었으면 죽었지 학교로는 가지 않겠다고 말했다. 나중엔 아버지가 이런저런 말로 달래도 그 고집만은 꺾지 않았다. 그러니까 제발 나를 대관령으로 보내 달라고.

방학 전에도 1주일가량 무단결석을 하고, 개학이 되어서도 내가 학교로 나오지 않자 선생님이 집으로 친구들을 보냈다. 학급 실장과 이웃 동네에 살고 있는 용문이었다. 그 두 친구에게도 나는 이제 학교를 다니지 않을 거라고, 그러니까 앞으로 우리 집에 찾아오지 말라고 말했다. 〈중략〉

그리고 그날 저녁부터 밤까지 다시 아버지와 길고 긴 줄다리기 싸움을 했다. / 결국, 그 겨울의 길고 긴 줄다리기 끝에 그해 봄 나는 대관령으로 갈 수 있었다.

나 나는 거기에 ㉠어른의 조건을 한 가지 더 추가했다. 어른은 나이와 상관없이 일로써 자기 경제권을 가진 사람이라고. 겨울이 되면 어른들이 어느 집 사랑이나 뒷방에 모여 묵 내기나 담배 내기 화투를 칠 때가 있다. 그때에도 자기 경제권을 가지고 있는 아이 같은 어른은 그 판에 낄 수 있어도 어른 같은 아이는 그 판에 낄 수 없는 것이다. 예를 든다면 다음 해 겨울 형과 내 경우가 그랬다. 대관령에 올라가 농사를 짓는 동안 나는 어른들과 당당하게 그런 내기 화투를 칠 수 있어도 형은 군에서 마지막 휴가를 나오던 때에도 그랬고, 제대 후 다시 학교를 다니던 때에도 어른들의 그런 놀이판에 끼고 싶어도(하기야 그러고 싶어 할 사람도 아니지만) 낄 수가 없는 것이었다. 왜냐하면 스물몇 살이 되어도 형은 아직 집에서 돈을 물어가는 아이지 돈을 버는 어른이 아니기 때문이다. 그게 농경 사회에서의 아이와 어른의 구분이었다.

– 이순원, 〈19세〉

---

1 **빈출유형** 이 글의 서술상 특징으로 가장 적절한 것은?

① 장면에 따라 서술자를 교체하며 사건을 입체적으로 서술하고 있다.
② 작품 밖 서술자가 인물들의 심리나 생각까지 자세하게 서술하고 있다.
③ 작품 속 서술자가 관찰한 다른 인물의 말과 행동을 주로 서술하고 있다.
④ 작품 속 서술자가 자신이 경험했던 사건과 생각을 중심으로 서술하고 있다.
⑤ 작품 속 서술자가 다른 인물에게 전해 들은 사건을 요약적으로 서술하고 있다.

2 **빈출유형** 이 글의 '나'의 특성으로 적절하지 <u>않은</u> 것은?

① 자신의 의지에 따라 단호하게 행동한다.
② 마음먹은 것은 꼭 하고 싶어 하는 성격이다.
③ '어른'에 대한 주관이 비교적 뚜렷하다.
④ 다른 사람의 말에 쉽게 설득을 당한다.
⑤ 학교를 그만두고 대관령에 가고 싶어 한다.

3 ㉠이 가리키는 구체적인 내용을 (나)에서 찾아 쓰시오.

[4~5] 다음 글을 읽고 물음에 답하시오.

가 나 대신 학교에 다녀온 다음 아버지는 마지막 허락을 하기에 앞서 그렇게 농사를 짓고 싶으면 강릉에서 집안의 농사를 도맡아 지으라고 했다. 그러나 나는 대관령으로 가 고랭지 채소를 하고 싶다고 말했다. 〈중략〉

아버지는 두 가지 약속을 하라고 했다.

첫 약속은 만약 내가 대관령에 올라가 짓는 농사가 첫해로 실패하고 말면 다음 해 군소리 없이 다시 학교로 갈 것.

나는 그렇게 하겠다고 말했다.

두 번째 약속은 대관령에 가 있는 동안 학교 공부는 하지 않더라도 아버지가 보내 주는 책들을 다 읽을 것.

그것도 나는 그렇게 하겠다고 말했다.

나 "어쩌면 이게 니 학업의 마지막이 될지 몰라서 하는 얘기야. 나중에 커 보면 안다. 사람이 세상을 살아가는 데 공부 많이 한 사람과 적게 한 사람의 차이는 그렇게 나지 않는다. 잘한 사람과 못한 사람의 차이도 그렇고. 그렇지만 책을 많이 읽은 사람과 적게 읽은 사람의 차이는 몇 마디 얘기만 나눠 봐도 금방 눈에 보인다. 니가 대관령에 가서 농사를 짓든 뭘 하든 애비가 보내 주는 책만 제대로 챙겨 읽는다면 학교 공부 손을 놓는다 해도 어디 가서 무식하다는 소리는 듣지 않을 게다." / "예, 명님(명념) 할게요."

"니두 이다음 자식 키워 봐라. 부모가 돼서 이렇게 하기가 쉬운지. 학교 다니기 싫다고 제 손으로 책에 불을 지르긴 했다만, 지금은 그렇다 해도 나중에라도 니가 니 갈 길을 잘 찾아갈 거라는 걸 애비가 믿기 때문에 보내는 게야. 학문이든 뭐든 세상 살며 한두 해 무얼 늦게 시작한다고 해서 마지막 서는 자리까지 뒤처지는 것도 아니고. 이 말이 무슨 말인지도 늘 생각하고."

– 이순원, 〈19세〉

4 이 글에 나타난 '아버지'의 생각과 일치하지 <u>않는</u> 것은?

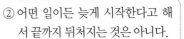

① 책을 많이 읽은 사람과 적게 읽은 사람은 금방 표가 난다.

② 어떤 일이든 늦게 시작한다고 해서 끝까지 뒤처지는 것은 아니다.

③ 책을 많이 읽으면 사람들로부터 무식하다는 소리를 듣지 않게 된다.

④ 아버지로서 자식이 학교를 그만두도록 허락하는 것은 쉬운 일이 아니다.

⑤ 공부를 많이 한 사람은 그렇지 않은 사람보다 세상을 편하게 살아갈 수 있다.

5 이 글에 나타난 인물 간의 갈등 양상을 다음과 같이 정리할 때, 내용이 적절하지 <u>않은</u> 것은?

빈출유형

갈등의 원인	'나'는 아버지의 뜻과 다르게 학교를 그만두고 농사를 짓겠다고 함. ······①

↓

갈등의 전개	• '나'는 자신의 뜻을 관철하기 위해 책을 불태우기도 함. ·······② • 아버지가 '나'에게 강릉에서 집안의 농사를 지을 것을 제안함. ·······③

↓

갈등의 결과	아버지는 두 가지 조건을 걸고 '나'의 농사일을 허락함. – 첫해 농사가 실패하면 다시 학교로 갈 것 ·······④ – 농사일을 하는 틈틈이 학교 공부를 할 것 ·······⑤

[6~7] 다음 글을 읽고 물음에 답하시오.

가 그해 배추 농사는 지지난해 석중이 아저씨의 일을 도와주러 왔을 때처럼 그만그만했다. 크게 이익이 난 것도 없었고, 손해를 본 것도 없었다. 감자 농사는 같은 땅에 지난해보다 수확이 다섯 가마나나 더 많았다.

그 수확을 마치고, 제일 처음 한 것이 강릉에 내려와 시내에서부터 경포대까지 최고 속도로 달려 보고 다시 시내로 들어와 오토바이를 팔아 치운 것이었다.

그것으로 나는 다음 해에 펼칠 내 뜻을 아버지에게 말했다. 아버지가 그러길 바라서가 아니라 나중에 다시 농사를 짓더라도 어떤 일에는 다 때가 있는 것이 아닐까 하는 생각을, 지난 시간에 대한 두려움처럼 두 번째 여름과 가을 사이에 했던 것이다. 지난 초여름 내 오토바이 뒤에 타고 함께 대관령에 갔던 승태 누나도 나의 그런 생각을 도왔고, 그동안 아버지한테 받은 숙제처럼, 그리고 나중엔 거기에 내가 더 깊이 빠져 한 권 두 권 읽기 시작해 커다란 서가 하나를 채우고 남을 정도에 이른 책들도 나의 그런 생각을 도와주었을 것이다.

나 그 무렵 무엇보다 나를 우울하게 했던 것은 지난 이태 동안의 내 삶에 대한 나 스스로의 생각이었다. 〈중략〉 지난해와 마찬가지로 이번 해에도 배추 농사에서 큰돈을 만졌다 하더라도 지난여름 어느 날 갑자기 들기 시작한 그 생각만은 변함없을 것 같았다. 같은 나이의 다른 아이들이 하지 못하고 있는 무언가를 내가 하고 있다는 것이 아니라 같은 나이의 다른 아이들이 다 하고 있는 어떤 것을 나만 하지 못하고 있다는 생각이 뒤늦게야 어떤 후회나 소외감처럼 조금씩 내 가슴에 스며들어 오던 것이었다.

오토바이를 팔았다고 했을 때, 그리고 그 돈을 남아 있는 통장과 함께 고스란히 아버지 앞에 내놓았을 때 아버지는 이렇게 말했다.

　　　　　　　　　　　　　　　　　－ 이순원, 〈19세〉

글의 세부 내용 이해하기

6 이 글의 내용과 일치하지 **않는** 것은?

빈출유형

① '나'는 농사를 그만두고 학교로 돌아가기로 결심하였다.

② '나'는 아버지와의 약속을 지키기 위해 책을 많이 읽었다.

③ 농사를 그만두기로 한 '나'의 결정에는 승태 누나의 영향도 있었다.

④ '나'는 농사에서 큰돈을 벌 수 있다면 계속해서 농사를 지을 생각이었다.

⑤ '나'는 또래들이 다 하고 있는 것을 자기만 하지 못한다는 생각을 하게 되었다.

글의 세부 내용 이해하기

7 다음은 '나'가 친구와 나눈 SNS 대화를 가정한 것이다. 내용 중 적절하지 **않은** 것은?

승태: 내년에 복학하기로 했다며?

나: 어, ① 올해 농사를 망쳐서 손해가 컸거든. 또 ② 지난 두 해 동안 내 삶을 돌아봤을 때 어떤 후회와 소외감이 조금씩 느껴졌어.

승태: 그랬구나. 처리할 게 많지?

나: ③ 마지막으로 오토바이를 타고 신나게 달리고 나서 오토바이를 팔아 치웠어. 그리고 ④ 남은 돈은 통장과 함께 아버지께 드렸어.

승태: 이태 동안 농사를 지으면서 뭐 좀 배운 게 있냐?

나: ⑤ 어떤 일이든 다 때가 있다는 걸 알게 되었어.

[8~10] 다음 글을 읽고 물음에 답하시오.

가 나는 하루라도 빨리 그런 어른이 되고 싶었다. 그래서 마음대로 화투를 칠 수 있는 어른이 아니라 내 손으로 내 경제를 가진 어른이 되고 싶었던 것이다. 만약 집에서 장사를 했다면 나도 보고 배운 게 그것밖에 없으니까 어린 나이에 장사를 하고 싶어 환장을 했을지도 모른다. 그러나 열일곱 살이 될 때까지 내가 보고 배운 것은 농사밖에 없었다. 농사가 좋아 환장을 했던 것이 아니라 하루라도 빨리 어른이 되고 싶어 환장했던 것이고, 비록 몸은 고되고 힘들다 하더라도 그 길이 바로 내겐 농사였던 것이다.

나 오토바이를 팔았다고 했을 때, 그리고 그 돈을 남아 있는 통장과 함께 고스란히 아버지 앞에 내놓았을 때 아버지는 이렇게 말했다.

"그래, 그동안 니가 지은 건 농사가 아니다. 운이 좋아 남이 만지지 못한 돈을 만지긴 했어도 ㉠그거야 농사랄 것도 없이 노름이고 장난인 거지. 너는 그걸로 무얼 벌었다고 생각했을지 모르겠다만 더 크게 잃은 것도 있을 게다. 하지만 그냥 허송세월을 한 시간만은 아닐 게다. 그건 앞으로 니가 하기 나름인 게지." 〈중략〉

"그래, 늦기는 했지만 믿었다 애비는. 니 이렇게 제자리로 올 줄."

그러나 전학은 가지 않을 거라고 말했다. 다시 학교로 돌아가야 한다는 생각은 했지만, 여전히 대학에 가서 공부를 하는 것은 겁을 내고 있었다. 지난해 대관령으로 올 때의 내 생각이 성급했다는 것은 느꼈지만 그러나 아주 먼 훗날 그때를 다시 돌아봤을 때, 지난번 승희 누나와 함께 대관령에 왔던 일처럼 ㉡그 시기의 성급한 일탈 역시 내 성장의 한 과정으로 아름답게 추억되었으면 좋겠다고 생각했다.

– 이순원, 〈19세〉

인물들의 인식 차이 파악하기

8 ⓐ와 ⓑ에 들어갈 인물들의 생각으로 적절하지 <u>않은</u> 것은?

나	→	'나'의 농사짓기	←	아버지
	ⓐ		ⓑ	

① ⓐ: 어른이 되는 확실한 방법이다.
② ⓐ: 내 힘으로 학비를 마련할 것이다.
③ ⓑ: 진정한 농사라고 보기 어렵다.
④ ⓑ: '나'가 언젠가는 농사를 그만두고 학교로 돌아갈 것이다.
⑤ ⓑ: '나'가 농사를 통해 잃는 것도 있겠지만 얻는 것도 있을 것이다.

인물의 의도 파악하기

9 아버지가 ㉠과 같이 말한 이유를 추측한 것으로 가장 적절한 것은?

① '나'가 농사짓는 법도 제대로 모르고 시작했기 때문에
② '나'가 농사를 짓느라 집안에 경제적인 손해를 끼쳤기 때문에
③ 아버지의 도움을 받지 않고 '나'가 혼자서 벌인 일이었기 때문에
④ '나'가 농사를 통해 얻은 것보다 잃은 것이 많다고 생각했기 때문에
⑤ '나'의 농사가 청소년 시절의 방황으로 선택한 일이라고 생각했기 때문에

중심 사건 파악하기

10 ㉡이 가리키는 구체적인 사건을 쓰시오.

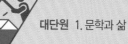

2일 (2) 자아 성찰과 타자 이해

생각 열기 문학 활동을 통해 우리는 어떤 삶의 태도를 배울 수 있는가?

작품 속 인물의 삶과 생각을 이해하고 평가하는 과정에서 제 자신을 성찰하게 되었습니다. 그리고 중요한 가치가 먼지, 바람직한 삶이란 어떤 것인지 등을 깊이 생각해 보게 되었죠.

이제 저는 자신 있게 말할 수 있습니다. 부조리한 현실에 맞서 저만의 목소리를 적극적으로 낼 수 있는 사회 운동자가 되고 싶습니다.

제재 1 **쉽게 씌어진 시**(윤동주)

1 제재 개관

갈래	자유시, 서정시	성격	저항적, 성찰적, 미래 지향적
제재	현실 속의 자신의 삶(시가 쉽게 씌어지는 것에 대한 부끄러움)		
주제	어두운 시대 현실에서 비롯된 **❶** 와 자기 성찰		
특징	① 상징적 시어를 대비하여 시적 의미를 강화함. ② 두 자아의 대립과 **❷** 를 통해 시상을 전개함.		

❶ 고뇌

❷ 화해

2 시적 화자의 태도 변화

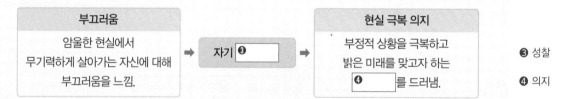

❸ 성찰

❹ 의지

부끄러움: 암울한 현실에서 무기력하게 살아가는 자신에 대해 부끄러움을 느낌. ➡ 자기 **❸** ➡ **현실 극복 의지**: 부정적 상황을 극복하고 밝은 미래를 맞고자 하는 **❹** 를 드러냄.

제재 2 **보리타작**(정약용)

1 제재 개관

갈래	한시, 행(行)	성격	사실적, 성찰적
제재	보리타작하는 농민		
주제	농민들의 건강한 **❺** 과, 농민의 이해를 통한 자기 삶의 성찰		
특징	① 일상적 언어를 사용함으로써 생동감과 현장감을 강화함. ② 시각적, **❻** 적 이미지를 적절하게 사용하여 동적 이미지를 강화함.		

❺ 노동

❻ 청각

2 이 시의 시상 전개

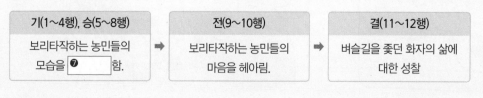

기(1~4행), 승(5~8행): 보리타작하는 농민들의 모습을 **❼** 함. ➡ 전(9~10행): 보리타작하는 농민들의 마음을 헤아림. ➡ 결(11~12행): 벼슬길을 좇던 화자의 삶에 대한 성찰

❼ 관찰

❽ 벼슬길

3 시어의 의미: 낙원(몸과 마음이 조화로운 삶) ↔ **❽** (화자가 좇던 세속적 욕망)

1 문학 활동의 의의와 관련하여 다음 설명에 해당하는 것을 바르게 연결하시오.

(1) 다양한 사람이 살고 있다는 것, 모든 인간은 복잡한 존재라는 것 등을 알게 된다. · · ㉠ 자아 성찰

(2) 타자의 삶과 비교하여 자신이 바르게 살고 있는지, 자신의 가치관은 바람직한지 등을 돌아보고 살필 수 있다. · · ㉡ 타자 이해

〈쉽게 씌어진 시〉

2 이 시의 화자가 처한 상황을 파악하여 빈칸에 들어갈 적절한 말을 쓰시오.

- 밤비가 내리는 때에 (ㅇㅊㅂ)이라는 일본식 작은 방에 있음.
- (ㅈㄱ)을 잃은 암울한 시대 상황에서 일본 유학 중임.
- 현재 자신의 삶에 대해 (ㅂㄲㄹㅇ)을 느끼고 있음.

3 다음 시어의 상징적 의미를 찾아 바르게 연결하시오.

(1) 등불 · · ㉠ 일제 강점기의 현실

(2) 어둠 · · ㉡ 두 자아의 화해

(3) 아침 · · ㉢ 현실 극복의 의지

(4) 악수 · · ㉣ 조국의 광복

〈보리타작〉

4 이 시에 대한 설명이 맞으면 ○표, 틀리면 ×표를 하시오.

(1) 기승전결의 구조로 시상을 전개하였다. ( )

(2) 화자는 보리타작을 하는 농민들의 모습을 긍정적인 시선으로 바라보고 있다. ( )

(3) 10행 '마음이 몸의 노예 되지 않았네'는 화자 자신의 상황을 나타낸 것이다. ( )

(4) 일하는 도중에 농민들이 먹는 '막걸리'와 '보리밥'은 농민들의 소박한 삶을 상징적으로 나타낸다. ( )

5 다음은 농민들의 모습을 본 화자가 성찰한 내용이다. 빈칸에 들어갈 적절한 말을 쓰시오.

농민들의 모습
몸은 힘들지만 (ㅅㅁ) 나는 태도로 즐겁게 노동함.

↓

화자의 성찰
(ㅅㅅㅈ) 욕망을 좇으며 살았던 과거의 삶을 반성함.

6 다음 시구에서 농민들의 모습을 형상화한 방식을 〈보기〉에서 찾아 쓰시오.

┌ 보기 ─────────────────────
㉠ 청각적 형상화   ㉡ 후각적 형상화
㉢ 시각적 형상화   ㉣ 촉각적 형상화
└──────────────────────────

(1) 검게 탄 두 어깨 햇볕 받아 번쩍이네 ( )

(2) 옹혜야 소리 내며 발맞추어 두드리니 ( )

[1~4] 다음 시를 읽고 물음에 답하시오.

창밖에 **밤**비가 속살거려
육첩방(六疊房)은 남의 나라,

시인이란 슬픈 천명(天命)인 줄 알면서도
한 줄 시를 적어 볼까,

땀내와 사랑내 포근히 품긴
보내 주신 학비 봉투를 받아

대학 노─트를 끼고
늙은 교수의 강의 들으러 간다.

생각해 보면 어린 때 동무를
하나, 둘, 죄다 잃어버리고

나는 무얼 바라
나는 다만, 홀로 침전(沈澱)하는 것일까?

인생은 살기 어렵다는데
시가 이렇게 쉽게 씌어지는 것은
부끄러운 일이다.

육첩방은 남의 나라
창밖에 밤비가 속살거리는데,

등불을 밝혀 어둠을 조금 내몰고,
시대처럼 올 **아침**을 기다리는 최후의 나,

ⓐ나는 ⓑ나에게 작은 손을 내밀어
눈물과 위안으로 잡는 최초의 악수.

─ 윤동주, 〈쉽게 씌어진 시〉

이 시의 표현상 특징으로 적절하지 않은 것은?

① 명사로 시상을 마무리해 여운을 주고 있다.
② 반어법을 써서 화자의 의지를 부각하고 있다.
③ 의문문을 사용해 자기 성찰 과정을 드러내고 있다.
④ 상징적 시어를 대비해 시적 의미를 강화하고 있다.
⑤ 특정 연을 반복·변주하여 화자의 태도 변화를 나타내고 있다.

화자의 태도 파악하기

2 **이 시에 나타난 화자의 태도로 가장 적절한 것은?**

① 절대적 존재에 의지하려 하고 있다.
② 현재의 삶을 지속적으로 유지하려 하고 있다.
③ 자신의 삶을 긍정적으로 인식하고 달관하고 있다.
④ 자신의 삶을 숙명으로 받아들이며 좌절하고 있다.
⑤ 무기력한 삶을 성찰하며 이를 극복하려 하고 있다.

외적 준거에 따라 작품 감상하기

3
빈출
유형
〈보기〉를 참고하여 이 시를 감상한 내용으로 적절하지 않은 것은?

> **보기**
>
> 윤동주는 적극적으로 항일 운동을 한 시인이 아니었음에도 그가 저항 시인으로 손꼽히는 이유는 진지한 자아 성찰을 통해 일제 강점기 현실에서 소극적으로 살아가는 자신의 삶을 돌아보고, 암울한 현실을 돌파하고자 하는 점 때문이다.

① '밤'은 일제 강점기의 암울한 현실을 나타낸다.
② 화자는 '한 줄 시'를 통해 적극적으로 항일 운동에 나서고자 한다.
③ '부끄러운 일'은 화자가 자신의 무기력한 삶에 대한 성찰을 드러낸 것이다.
④ '등불'을 밝히는 것은 화자가 처한 부정적인 현실을 돌파하고자 하는 자세를 드러낸 것이다.
⑤ '아침'은 화자가 바라는 조국의 광복을 의미한다.

시어의 상징적 의미 파악하기

4 〈보기〉를 참고하여 '악수'가 의미하는 바를 쓰시오.

> ● 보기 ●
>
> ⓐ는 희망의 시대를 위해 작은 것이나마 실천하려는 내면적 자아를, ⓑ는 암담한 시대 상황에서 무기력한 삶을 사는 현실적 자아를 의미한다.

시의 특징 파악하기

5 이 시에 대한 설명으로 가장 적절한 것은?

① 대상의 특성을 화자의 삶과 대비하여 주제를 드러내고 있다.

② 대상 간의 정서적 교감을 통해 화자의 만족감을 부각하고 있다.

③ 인간과 대조되는 자연의 특성을 보며 성찰하는 태도를 드러내고 있다.

④ 대상의 모습을 묘사하며 속세의 삶에 대해 낙관적으로 인식하고 있다.

⑤ 시간의 흐름에 따라 대상에 대한 화자의 인식이 부정적으로 변하고 있다.

[5~7] 다음 시를 읽고 물음에 답하시오.

새로 거른 ㉠막걸리 젖빛처럼 뿌옇고
新篘濁酒如湩白
신 추 탁 주 여 동 백

큰 사발에 보리밥 높기가 한 자로세
大碗麥飯高一尺
대 완 맥 반 고 일 척

밥 먹자 도리깨 잡고 마당에 나서니
飯罷取耞登場立
반 파 취 가 등 장 립

㉡검게 탄 두 어깨 햇볕 받아 번쩍이네
雙肩漆澤飜日赤
쌍 견 칠 택 번 일 적

㉢옹헤야 소리 내며 발맞추어 두드리니
呼邪作聲擧趾齊
호 야 작 성 거 지 제

삽시간에 보리 낟알 온 사방에 가득하네
須臾麥穗都狼藉
수 유 맥 수 도 랑 자

주고받는 ⓐ노랫가락 점점 높아지는데
雜歌互答聲轉高
잡 가 호 답 성 전 고

보이느니 ㉣지붕까지 날으는 보리 티끌
但見屋角紛飛麥
단 견 옥 각 분 비 맥

그 기색 살펴보니 즐겁기 짝이 없어
觀其氣色樂莫樂
관 기 기 색 락 막 락

마음이 ㉤몸의 노예 되지 않았네
了不以心爲形役
료 불 이 심 위 형 역

낙원이 먼 곳에 있는 게 아닌데
樂園樂郊不遠有
락 원 락 교 불 원 유

무엇하러 고향 떠나 ⓑ벼슬길에 헤매리오
何苦去作風塵客
하 고 거 작 풍 진 객

– 정약용, 〈보리타작[打麥行]〉

시어나 시구의 의미 이해하기

6 ㉠~㉤에 대한 이해로 적절하지 않은 것은?

빈출유형

① ㉠: 농민들의 소박한 음식을 나타낸다.

② ㉡: 노동으로 단련된 건강한 농민들의 몸을 나타낸다.

③ ㉢: 노동요를 부르며 열심히 일하는 농민들의 모습을 나타낸다.

④ ㉣: 농민들의 역동적인 움직임을 짐작하게 한다.

⑤ ㉤: 농민들과 대조되는 화자의 늙고 병든 상태를 암시한다.

시어의 의미와 기능 파악하기

7 ⓐ와 ⓑ에 대한 이해로 가장 적절한 것은?

① ⓐ는 ⓑ를 성취한 화자의 자긍심을 돋보이게 한다.

② ⓐ는 ⓑ를 추구했던 화자의 삶을 성찰하도록 한다.

③ ⓐ는 ⓑ를 통해 화자가 이루고자 하는 삶을 상징한다.

④ ⓐ는 이상적 사회의 모습을, ⓑ는 현실적 문제 상황을 상징한다.

⑤ ⓐ는 꿈을 간직했던 과거의 삶을, ⓑ는 꿈을 상실한 현재의 삶을 상징한다.

제재 3 | **비 오는 날이면 가리봉동에 가야 한다**(양귀자)

1 제재 개관

갈래	단편 소설, 연작 소설		성격	사실적, 비판적, 성찰적
배경	• 시간: 1980년대 • 공간: 경기도 부천시 ❶ [　　]			
제재	욕실 바닥 공사			
주제	❷ [　　]로 인한 타자와의 갈등과 타자 이해를 통한 화해			
특징	① 실제 공간을 배경으로 소시민의 삶을 사실적으로 그림. ② 등장인물의 대화와 행동을 중심으로 사건을 전개함. ③ 등장인물인 '그'의 입장에서 사건을 전달함.			

❶ 원미동

❷ 오해

2 '그'와 '아내'의 태도 변화와 주제 의식

• 일을 더디게 하는 임 씨를 못미더워하고 ❸ [　　]함. • 임 씨가 견적보다 더 많은 금액을 요구할까 봐 긴장함.

→

임 씨가 성실하게 일을 끝내고, 견적보다 낮은 금액을 청구함.

→

• 임 씨가 열심히 일하고도 견적서보다 낮은 금액을 청구한 것에 ❹ [　　]을 느낌. • 임 씨를 의심했던 것에 대해 부끄러움을 느낌.

❸ 의심

❹ 미안함

↓

작가가 말하고자 하는 바(주제 의식)

• 외모나 복장 따위의 겉모습을 보고 사람에 대해 ❺ [　　]을 가져서는 안 됨.
• 타자를 제대로 알기 전에 벽을 미리 세워 두고 있는 소시민의 모습과 자기반성

❺ 선입견

3 '임 씨'의 처지를 통해 비판하는 당시 세태

'임 씨'의 처지와 모습	**'임 씨'가 비 오는 날 가리봉동에 가는 이유**
• 연탄 배달과 집수리를 하며 사는 도시 빈민 • 가난하지만 정직하고 ❻ [　　]하게 일함.	비가 와서 일이 없는 날, 스웨터 공장 사장에게 떼인 ❼ [　　]을 받기 위해 가리봉동에 감.

❻ 성실

❼ 연탄값

↓

작가가 비판하는 당시의 세태

• 정직하고 성실한 사람이 제대로 대우받지 못하는 사회의 모습
• 남의 돈을 떼먹고 호의호식하는 ❽ [　　]한 부유층의 모습

❽ 부도덕

정답과 해설 92쪽

〈비 오는 날이면 가리봉동에 가야 한다〉

1 이 글의 서술상 특징에 해당하는 내용을 괄호 안에서 골라 ○표를 하시오.

(1) 작품 밖 서술자가 인물의 행동뿐만 아니라 심리까지 서술하는 (3인칭 관찰자, 3인칭 전지적) 시점의 소설이다.

(2) 주로 등장인물인 '(그, 아내, 임 씨)'의 입장에서 사건이 서술되고 있다.

2 '임 씨'에 대한 설명으로 적절한 것에 모두 ✓표를 하시오.

```
ㄱ. 고향은 부천시 원미동이다. ····················· ☐
ㄴ. 본업은 겨울에 연탄을 파는 일이다. ········· ☐
ㄷ. '그'보다 나이가 어리다. ·························· ☐
ㄹ. 지하실 단칸방에서 어렵게 산다. ············· ☐
ㅁ. 공사비를 실제보다 더 많이 요구하였다. ····· ☐
```

3 다음 행동에 나타난 '임 씨'의 성격을 바르게 연결하시오.

(1) 노모의 덕담을 무릎을 꿇고 들었다. • • ㉠ 배려심이 있음.

(2) 시간이 오래 걸려도 꼼꼼하게 일하였다. • • ㉡ 책임감이 강하고 성실함.

(3) 공사가 오래 걸리자 '그'의 부부에게 미안해했다. • • ㉢ 공손하고 공경심이 있음.

4 다음은 '임 씨'에 대한 '그'와 '아내'의 생각 변화를 정리한 것이다. 빈칸에 들어갈 적절한 말을 쓰시오.

임 씨가 욕실 공사를 진행할 때
일을 더디게 하는 것을 못미더워하며 자신들을 속이고 공사비를 많이 받으려 한다고 (ㅇㅅ)함.

↓

임 씨가 성실하게 일을 끝내고, 견적보다 낮은 금액을 청구함.

↓

이후
임 씨를 (ㅇㅎ)한 것에 대해 부끄러움을 느낌.

5 이 글의 내용과 일치하면 ○표, 일치하지 않으면 ✕표를 하시오.

(1) 임 씨가 수정한 견적서의 금액을 보고 '그'와 아내는 만족스러움을 느꼈다. ( )

(2) 임 씨가 비 오는 날이면 가리봉동에 가는 이유는 스웨터 공장 사장에게 떼인 돈을 받기 위해서이다. ( )

6 다음은 이 글에서 얻을 수 있는 교훈에 대해 대화한 내용이다. 빈칸에 들어갈 적절한 말을 쓰시오.

겉모습만 보고 그 사람에 대해 (ㅅㅇㄱ)을 가져서는 안 돼.

타인과 원만한 관계를 맺으려면 그 사람을 제대로 (ㅇㅎ)하려는 태도가 필요해.

[1~2] 다음 글을 읽고 물음에 답하시오.

가 임 씨가 시키는 대로 계량기의 꼭지를 비틀고 돌아와 보니 아닌 게 아니라 그 자리에서 물줄기가 솟아오르고 있었다.

"보세요. 요걸로 한 번만 내리치면 완전 분수처럼 솟구칠 테니까."

임 씨가 옆에 놓여 있던 흙손으로 파이프를 살짝 내리치자마자 이내 감당할 수 없을 만큼 물이 터져 나오기 시작했다.

"완전 삭았어요. 사장님, 어서 계량기 잠그세요. 터진 데 찾았으니 일은 다한 거나 마찬가지라구요." 〈중략〉

㉠"지물포 주 씨가 칭찬하던 대로 일을 잘하시네요."

그는 슬쩍 사내를 치켜세웠다. 인간이란 칭찬 앞에 약한 법이다. 하물며 저 단순한 육체 노동자야말로 이런 귀 간지러운 말에 자신의 온 힘을 바치지 않겠는가. 그는 자신의 한마디가 잘 계산하여 내놓은 작품임을 은근히 자만하였다. 한데 임 씨의 반응은 계산과는 다르게 빗나갔다.

"뭘입쇼. 누가 와서 일해도 마찬가지니까요. 목욕탕 하자 공사는 순서가 있어요."

"그래도……." 그래도, 하고 입막음을 하려다 말고 그는 할 말이 마땅치 않아 주춤거렸다.

나 "사모님, 오늘 일이야 하자 없이 잘해 드릴 테니 겨울 연탄은 저희 집 것을 때세요. 저야 뭐 연탄장수 아닙니까."

이야기가 이쯤에 이르면 그는 더욱 할 말이 없어진다. 되려 임 씨의 자기선전 앞에서 스스로의 대답이 궁색해졌다. 아내 또한 딱히 연탄을 맡기겠다는 대답도 없이 웬일인지 굳어진 표정이었다. / "고향이 어디요?"

아무려면 머리 굴리는 거야 임 씨보다 못하랴 싶어서 그는 말꼬리를 돌려 보았다. 어딘가에는 반드시 임 씨를 달뜨게 할 함정이 있을 것이다. 부드러운 말로 꽉 움켜잡아야 일에 정성을 쏟아 완벽한 공사를 해 줄 게 아닌가.

"고향요?" / 임 씨는 반문하고서 쓰게 웃었다.

"고향이 어디냐고 묻지 말라고, 뭐 유행가 가사가 있잖습니까. 고향 말하면 기가 막혀요. 벌써 한 칠팔 년 돼 가네요. 경기도 이천 농군이 도시 사람 돼 보겠다고 땅 팔아 갖고 나와서 요 모양 요 꼴입니다. 그 땅만 그대로 잡고 있었어도……."

– 양귀자, 〈비 오는 날이면 가리봉동에 가야 한다〉

인물의 특성 파악하기

1 이 글을 바탕으로 하여 '임 씨'를 소개하는 인물 카드를 만들려고 할 때, 내용이 적절하지 <u>않은</u> 것은?
빈출유형

임○○
• 겨울에는 연탄 장사를 한다. ‥‥‥‥‥ ⓐ
• 과거에는 경기도 이천에서 농사를 지었다. ‥‥‥‥‥‥‥‥‥ ⓑ
• 현재 도시 생활에 만족하며 살고 있다. ‥‥ ⓒ
• 자신이 맡은 일에 책임감이 무척 강하다. ‥‥‥‥‥‥‥‥‥ ⓓ
• 자신이 하는 일에 전문적 식견을 지니고 있다. ‥‥‥‥‥‥‥‥‥‥ ⓔ

① ⓐ   ② ⓑ   ③ ⓒ   ④ ⓓ   ⑤ ⓔ

인물의 심리 파악하기

2 ㉠에 담긴 '그'의 속마음을 추측한 것으로 가장 적절한 것은?
빈출유형

① 주 씨와 내가 친하다는 사실을 자랑해야겠어.
② 임 씨가 다시는 나를 속이지 못하도록 해야겠어.
③ 임 씨를 기분 좋게 만들어 수리비를 좀 깎아야겠어.
④ 임 씨가 일을 더 열심히 할 수 있도록 부추겨야겠어.
⑤ 임 씨와 앞으로 친하게 지내고 싶다는 뜻을 전달해야겠어.

[3~5] 다음 글을 읽고 물음에 답하시오.

"비가 오면 또 다른 별이가 있어요?"

"비 오는 날엔 아침부터 가리봉동에 가야 합니다."

"가리봉동에?"

"예, 사장님은 몰라도 됩니다요. 암튼 비가 오면 난 가리봉동으로 갑니다."

임 씨가 잠시 일손을 멈추고 알 수 없는 표정을 언뜻 지었다. 이렇게 힘든 일을 매일같이 계속했으면 비 오는 날 하루쯤은 쉬어야 할 게 아닌가, 하고 말해 주려다가 그는 입을 다물었다. 누군들 쉬고 싶지 않을 거냐는, 하루에 두 끼는 라면으로 배를 채우는 식구들을 거느린 가장으로서 어찌 비 오는 날이라 하여 아랫목에서 뒹굴기만 하겠느냐는 데 생각이 미쳤던 까닭이었다.

간단하게 여겼던 옥상의 공사는 의외로 시간을 끌었다. 홈통으로 물이 잘 빠질 수 있도록 경사면을 맞춰야 하는 것도 시간을 더디게 했고 깨 놓은 자리와 기왕의 자리의 이음새 사이로 물이 새지 않도록 면을 고르다 보니 조금씩 더 깨부쉬야 하는 추가 부담도 잇따랐다. 이미 밤은 시작된 것이나 진배없어 이웃집들의 창문에 하나둘 불이 밝혀졌다. 그런데도 임 씨는 만족하다 싶을 때까지는 일손을 놓고 싶지 않은 모양이었다. 이리 재고 저리 재고, 그러고도 모자라 이왕 덮어 놓은 곳을 한 번에 으깨어 버리고 또 새로 흙손질을 거듭하곤 했다. 옆에서 보고 있자니 임 씨는 도무지 시간 가는 줄을 모르는 사람 같았다.

몇 번씩이나 옥상에 얼굴을 디밀고 일의 진척 상황을 살피던 아내도 마침내 질렸다는 듯 입을 열었다.

"대강 해 두세요. 날도 어두워졌는데 어서들 내려오시라구요."

"다 되어 갑니다, 사모님. 하던 일이니 깨끗이 손봐 드려얍지요."

— 양귀자, 〈비 오는 날이면 가리봉동에 가야 한다〉

3 이 글에 대한 설명으로 가장 적절한 것은?

빈출유형

① 간결한 문장을 주로 사용하여 사건을 긴박하게 전개하고 있다.

② 서술자가 특정 인물의 시선을 빌려 작중 상황을 전달하고 있다.

③ 인물 간의 대화를 통해 갈등 상황을 직접적으로 드러내고 있다.

④ 액자식 구성을 통해 인물의 과거 행적을 구체적으로 보여 주고 있다.

⑤ 서술자의 논평을 통해 인물의 성격이 변화하는 양상을 설명하고 있다.

🔊 도움말
• **액자식 구성** 이야기 속에 하나 또는 그 이상의 또 다른 이야기가 들어 있는 구성.

인물의 태도와 관련된 속담 찾기

4 이 글에서 일을 대하는 '임 씨'의 태도를 나타내기에 가장 적절한 속담은?

① 소 잃고 외양간 고치기

② 우물에 가 숭늉 찾는다.

③ 바늘 도둑이 소도둑 된다.

④ 모로 가도 서울만 가면 된다.

⑤ 급하면 바늘허리에 실 매어 쓸까.

인물의 특성 파악하기

5 이 글에서 '임 씨'의 경제적 형편을 짐작할 수 있는 구절을 찾아 쓰시오.

[6~8] 다음 글을 읽고 물음에 답하시오.

"그래요? 나는 토끼띠지요. 서로 동갑이군요."

아내가 기가 막힌다는 표정으로 그를 쳐다보았지만 그는 아랑곳하지 않고 동갑 기념이라고 또 한 잔의 술을 그의 잔에 넘치도록 부었다. 한 살 정도만 보태는 것으로 거짓말의 양을 줄일 수 있는 것이 몹시 다행스러웠다.

"토끼띠 남자들이 원래 팔자가 드센 편 아닙니까요? 여자 토끼띠는 잘 사는데 요상하게 우리 나이 토끼띠 남자들은 신수가 고단터라 이 말씀입니다. 헌데 사장님은 용케 따시게 사시니 복이 많으십니다."

저런, 그는 속으로 머쓱했다.

토끼띠가 어쩌고 해 쌓는 게 아무래도 아슬아슬했던지, 아니면 준비한 술이 바닥나는 게 보였던지 아내가 단호하게 지갑을 열었다.

"돈 드려야지요. 그런데……."

아내는 뒷말을 못 잇고 그의 얼굴을 말끄러미 올려다보았다. ㉠그는 술잔을 들어 올리며 짐짓 아내를 못 본 척했다. 역시 여자는 할 수 없어. 옥상 일까지 시켜 놓고 돈을 다 내주기가 아깝다는 뜻이렷다. 그는 아내가 제발 딴소리 없이 이십만 원에서 이만 원이 모자라는 견적 금액을 다 내놓기를 대신 빌었다. 그때 임 씨가 먼저 손을 휘휘 내젓고 나섰다.

"사모님, 내 뽑아 드린 견적서 좀 줘 보세요. 돈이 좀 틀려질 겁니다."

아내가 손에 쥐고 있던 ㉡견적서를 내밀었다. 인쇄된 정식 견적 용지가 아닌, 분홍 밑그림이 아른아른 내비치는 유치한 편지지를 사용한 그것을 임 씨가 한참씩이나 들여다보았다. 그와 그의 아내는 임 씨의 입에서 나올 말에 주목하여 잠깐 긴장하였다.

– 양귀자, 〈비 오는 날이면 가리봉동에 가야 한다〉

글의 세부 내용 이해하기

6 이 글의 내용과 일치하지 **않는** 것은?

빈출 유형

① 임 씨는 '그'의 처지를 부러워하였다.

② 아내는 '그'가 말실수를 할까 봐 화제를 돌렸다.

③ 아내는 임 씨에게 공사비를 더 지불하려 하였다.

④ '그'는 임 씨의 기분을 고려하여 일부러 나이를 속여 말하였다.

⑤ 아내는 토끼띠라고 거짓말한 '그'를 보며 어이없다는 반응을 보였다.

인물의 심리나 의도 파악하기

7 '그'가 ㉠과 같은 행동을 한 이유를 추측한 것으로 가장 적절한 것은?

① 아내가 저지른 잘못을 모른 척해 주고 싶어서

② 아내가 갑자기 뜬금없는 화제를 꺼내어 당황해서

③ 아내와 마찬가지로 돈 이야기를 꺼내는 게 싫어서

④ 조금이라도 돈을 아끼려는 아내를 응원하고 싶어서

⑤ 돈을 깎으려는 아내의 행동에 민망한 생각이 들어서

소재의 역할 파악하기

8 ㉡의 역할에 대한 설명으로 가장 적절한 것은?

① 임 씨의 불안과 걱정을 드러내고 있다.

② '그'와 임 씨의 갈등을 해소해 주고 있다.

③ '그'와 아내의 속물근성을 부각하고 있다.

④ '그'와 아내 사이의 갈등을 심화시키고 있다.

⑤ 아내에 대한 '그'의 불신을 증폭시키고 있다.

[9 ~ 10] 다음 글을 읽고 물음에 답하시오.

임 씨가 볼펜심으로 쿡쿡 찔러 가며 조목조목 남는 것들을 설명해 갔지만 그의 귀에는 제대로 들리지 않았다. 뭔가 단단히 잘못되었다는 기분, 이게 아닌데, 하는 느낌이 어깨의 뻐근함과 함께 그를 짓누르고 있을 뿐이었다.

"그렇게 해서 모두 칠만 원이면 되겠습니다요."

선언하듯 임 씨가 분홍 편지지를 아내에게 내밀었다. 놀란 것은 그보다 아내 쪽이 더 심했다. 그녀는 분명 칠만 원이란 소리가 믿기지 않는 모양이었다.

"칠만 원요? 그럼 옥상은……."

"옥상에 들어간 재료비도 여기에 다 들어 있습니다. 그거야 뭐 몇 푼 되나요."

"그럼 우리가 너무 미안해서……."

아내가 이번에는 호소하는 눈빛으로 그를 쳐다보았다. 할 수 없이 그가 끼어들었다.

"계산을 다시 해 봐요. 처음에는 십팔만 원이라고 했지 않소?"

"이거 돈을 더 내시겠다 이 말씀입니까? 에이, 사장님도. 제가 어디 공일 해 줬나요. 조목조목 다 계산에 넣었습니다요. 옥상 일한 품값은 지가 써비스로다가……."

"써비스?" / 그는 아연해서 임 씨의 말을 되받았다.

"그럼요. 저도 써비스할 때는 써비스도 하지요."

그는 입을 다물어 버렸다. 뭐라 대꾸할 말이 없었다.

"토끼띠면서도 사장님이 왜 잘사는가 했더니 역시 그렇구만요. 다른 집에서는 노임 한 푼이라도 더 깎아 보려고 온갖 트집을 다 잡는데 말입니다. 제가요, 이 무식한 노가다가 한 말씀 드리자면요, 앞으로 이 세상 사시려면 그렇게 마음이 물러서는 안 됩니다요. 저는요, 받을 것 다 받은 거니까 이따 겨울 돌아오면 우리 연탄이나 갈아 주세요."

– 양귀자, 〈비 오는 날이면 가리봉동에 가야 한다〉

외적 준거에 따라 작품 감상하기

9 이 글을 읽은 독자들의 반응 가운데 〈보기〉의 관점과 가장 가까운 것은?

> **• 보기 •**
> 우리는 문학 작품을 통해 이 세상에는 성격, 취향, 삶의 방식, 가치관 등 여러 가지 면에서 정말 다양한 사람이 살고 있다는 것, 누구의 삶에나 기쁨과 슬픔이 함께 깃들어 있다는 것, 모든 인간은 여러 가지 얼굴을 갖고 있는 복잡한 존재라는 것 등을 알게 되면서 다른 사람을 이해할 수 있다.

① 도윤: 다른 친구들은 이 작품을 읽고 어떤 느낌을 받았는지 궁금해.

② 서아: 돈 문제와 관련해서는 '아내'처럼 나도 당당하다고 말할 수 없을 것 같아.

③ 서준: 소시민들의 삶의 모습을 사실적으로 그려 낸 작가는 어떤 사람인지 알아봐야겠어.

④ 하윤: '임 씨'가 원래 견적보다 더 많은 비용을 요구했다면 사건이 어떻게 전개되었을지 상상해 봐야겠어.

⑤ 은우: '임 씨'를 통해 경제적으로 어려운 상황에서도 정직하고 성실하게 사는 사람들이 있다는 것을 알게 되었어.

인물의 태도 변화 파악하기

10 다음은 임 씨에 대한 '아내'의 심리나 태도를 정리한 것이다. 빈칸에 적절한 내용을 쓰시오.
빈출유형

'임 씨'의 행동	'아내'의 심리나 태도
늦은 시각까지 옥상 방수 공사를 함.	옥상 공사비까지 더하여 무리한 비용을 요구할 것이라고 의심함.
처음 견적서에 적힌 비용보다 훨씬 적은 비용을 청구함.	

3일

(1) 문학 작품의 구성 원리와 수용

생각 열기 문학 작품을 어떻게 감상해야 할까?

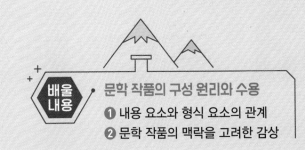

제재 1　**산유화**(김소월)

1　제재 개관

갈래	자유시, 서정시	성격	민요적, 전통적, 관조적
제재	산에 피어 있는 꽃	주제	존재의 근원적 **❶**[　　]과 대자연의 섭리
특징	① 1연과 4연이 내용과 구조 면에서 서로 대응하는 **❷**[　　]구조로 이루어짐. ② '–네'라는 종결 어미를 반복하여 각운의 효과를 얻고, 감정의 절제를 보여 줌. ③ **❸**[　　]음보를 여러 행에 걸쳐 배열하거나 한 행에 배열함.		

2　작품의 내용과 형식의 관계

내용	꽃이 피고 지는 모습을 **❹**[　　]태도로 바라봄.	생성과 소멸을 거듭하는 자연의 섭리를 드러냄.
형식	종결 어미 '–네'의 반복	1연, 4연의 변형된 수미상관 구조

제재 2　**속미인곡**(정철)

1　제재 개관

갈래	가사(서정 가사, 양반 가사)	성격	서정적, 충신연주지사
제재	임금에 대한 그리움(연군지정)	주제	임(임금)에 대한 그리움과 재회에 대한 염원
특징	① '서사 – 본사 – 결사'의 짜임으로 이루어짐. ② 두 여성 화자의 **❺**[　　](으)로 구성되어 있으며, 순우리말의 구사가 돋보임. ③ 3(4)·4조를 기본으로 한 **❻**[　　]음보 연속체로 구성됨.		

2　본문 구성

서사	• **갑녀의 질문**: 을녀에게 어디 가는 길인지 물어봄. • **을녀의 대답**: 자신의 잘못으로 임과 헤어졌다고 대답함.
본사	• **갑녀의 위로**: 그리 생각하지 말라고 위로함. • **을녀의 사설**: – 임이 잘 지내는지 **❼**[　　]함. 　– 임의 소식을 알기 위해 산과 강을 헤매고 다님. 　– 임을 만나는 꿈을 꾼 후 슬픔에 잠김.
결사	• **을녀의 사설**: 차라리 죽어서 '낙월(멀리서 임을 바라보다 사라지는 존재)'이 되겠다고 함. • **갑녀의 맺음말**: '낙월' 대신 '**❽**[　　](임에게 가까이 가 닿을 수 있는 존재)'나 되라고 함.

개념 Catch

• **작품의 내용과 형식**: 내용 요소에는 사건, 배경, 주제, 인물의 말과 행동, 가치관 등이 있고, 형식 요소에는 구성, 문체, 시점, 연과 행, 운율, 표현 기법 등이 있음.

❶ 고독

❷ 수미상관

❸ 3

❹ 관조적

❺ 대화/문답

❻ 4

❼ 걱정

❽ 구준비(궂은비)

3일

1 문학 작품 감상의 맥락과 그에 대한 설명을 바르게 연결하시오.

(1) 작가 맥락 · · ㉠ 다른 작품과의 관계

(2) 사회·문화적 맥락 · · ㉡ 작가의 삶과 작품의 관계

(3) 문학사적 맥락 · · ㉢ 문학사의 흐름에서 작품이 갖는 위상

(4) 상호 텍스트적 맥락 · · ㉣ 작품이 다루었거나 생산·수용되는 당시 상황과의 관계

〈산유화〉

2 다음 상징적 의미를 지닌 시어를 〈보기〉에서 찾아 쓰시오.

┌ 보기 ┐
꽃   산   새
└─────┘

(1) 꽃이 피고 지는 공간적 배경으로, 자연의 세계를 상징한다. ( )

(2) 꽃이 좋아 산에서 사는 존재로, 화자의 외로움이 이입된 고독한 존재이다. ( )

(3) 저만치 혼자 피어 있는 고독한 존재로, 생성하고 소멸하는 모든 자연물을 상징한다. ( )

3 다음은 이 시의 내용과 형식의 관계를 정리한 것이다. 빈칸에 들어갈 적절한 말을 쓰시오.

내용	꽃을 관조적 태도로 바라봄.	생성과 소멸을 거듭하는 대자연의 섭리
형식	종결 어미 '-(ㄴ)'의 반복	1연, 4연의 (ㅅㅁㅅㄱ) 구조

〈속미인곡〉

4 이 글의 내용과 일치하면 ○표, 일치하지 않으면 ×표를 하시오.

(1) 두 명의 여성 화자가 대화하는 방식으로 내용을 전개하고 있다. ( )

(2) 을녀는 임과 헤어지게 된 원인이 임의 잘못에 있다고 생각한다. ( )

(3) 을녀는 꿈에서 임을 잠깐 만나지만, 하고 싶은 말을 하지 못하고 닭 소리에 잠을 깨고 만다. ( )

(4) 을녀는 죽어서 '구즌비(궂은비)'가 되어서라도 임을 만나고 싶어 한다. ( )

5 다음은 을녀의 공간 이동을 정리한 것이다. 빈칸에 들어갈 적절한 말을 쓰시오.

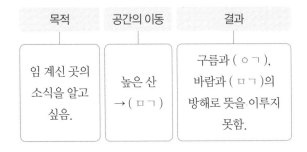

목적	공간의 이동	결과
임 계신 곳의 소식을 알고 싶음.	높은 산 → (ㅁㄱ)	구름과 (ㅇㄱ), 바람과 (ㅁㄱ)의 방해로 뜻을 이루지 못함.

6 〈보기〉는 창작 당시 작가의 처지와 시대 상황에 대한 글이다. 이를 고려할 때, '임'과 화자가 가리키는 사람이 누구인지 각각 쓰시오.

┌ 보기 ┐
정철은 1583년(조선 선조 16년) 48세 때 예조 판서가 되었으나 동인(東人)의 탄핵을 받아 1585년에 관직을 잃고 창평으로 돌아가 4년간 은거 생활을 했다. 이 시기에 가사 〈사미인곡〉과 〈속미인곡〉을 지었다.
└─────┘

(1) 임

(2) 화자(을녀)

교과서 기출 베스트

[1~5] 다음 시를 읽고 물음에 답하시오.

가 ㉠산에는 꽃 피네

꽃이 피네

㉡갈 봄 여름 없이 / 꽃이 피네

산에 / 산에

피는 꽃은

㉢저만치 혼자서 피어 있네

산에서 우는 작은 새요

꽃이 좋아

산에서 / 사노라네

산에는 꽃 지네

꽃이 지네

갈 봄 여름 없이 / 꽃이 지네

– 김소월, 〈산유화〉

나 꽃이 / 피는 건 힘들어도

지는 건 잠깐이더군

골고루 쳐다볼 틈 없이

임 한번 생각할 틈 없이

아주 잠깐이더군

㉣그대가 처음 / 내 속에 피어날 때처럼

잊는 것 또한 그렇게 / 순간이면 좋겠네

㉤멀리서 웃는 그대여

산 넘어가는 그대여

꽃이 / 지는 건 쉬워도

잊는 건 한참이더군 / 영영 한참이더군

– 최영미, 〈선운사에서〉

표현상의 공통점 파악하기

1 **(가)와 (나)의 표현상 공통점으로 가장 적절한 것은?**

빈출유형

① 원경에서 근경으로 화자의 시선이 이동하고 있다.

② 음성 상징어를 활용하여 시적 상황을 생생하게 나타내고 있다.

③ 역설적 표현을 활용하여 대상에 대한 새로운 인식을 드러내고 있다.

④ 종결 어미를 반복적으로 사용하여 화자의 정서나 태도를 드러내고 있다.

⑤ 3음보를 여러 행에 걸쳐 배열하거나 한 행에 배열하여 운율을 형성하고 있다.

🔊 도움말
• **음성 상징어** 의성어와 의태어를 아울러 부르는 말. '깡총깡총', '졸졸' 등이 이에 해당함.

화자의 태도 파악하기

2 **(가)의 화자에 대한 설명으로 가장 적절한 것은?**

① 대상과 대결하려는 태도를 보이고 있다.

② 대상을 비판하려는 태도를 보이고 있다.

③ 대상에 대한 관조적 태도를 보이고 있다.

④ 대상과 일체가 되려는 의지를 보이고 있다.

⑤ 대상을 딱하게 여기는 마음을 보이고 있다.

대상에 이입된 화자의 정서 파악하기

3 **(가)의 '작은 새'와 〈보기〉의 '사슴의 무리'의 차이점을 대상에 이입된 화자의 정서와 관련지어 쓰시오.**

┌ 보기 ─────────────
붉은 해는 서산마루에 걸리었다.
사슴의 무리도 슬피 운다.
떨어져 나가 앉은 산 위에서
나는 그대의 이름을 부르노라.   – 김소월, 〈초혼〉
└─────────────────

내용과 형식 간의 관계 파악하기

4
빈출
유형
〈보기〉를 참고하여 (가), (나)를 이해한 것으로 적절하지 않은 것은?

▶ 보기 ◀

수미상관은 운문 문학에서 첫 번째 연이나 행을 마지막 연이나 행에 다시 반복하는 것을 말한다. 수미상관을 활용하면 시의 구조를 안정되게 만들며 운율을 형성하고 의미를 강조하는 효과가 있다. 일반적으로는 첫 번째 연과 행이나 마지막 연이나 행이 동일하나, 일부 시어가 변형되기도 한다.

① (가)와 (나)는 모두 첫 연과 마지막 연이 비슷한 형태를 띠는 수미상관 구조를 이룬다.

② (가)는 동일한 통사 구조를 통해 존재의 생성과 소멸의 순환적 질서를 드러내고 있다.

③ (가)는 1연과 4연에서 꽃이 피고 지는 연속성을 보여 줌으로써 주제를 효과적으로 드러내고 있다.

④ (나)는 꽃이 피고 지는 현상을 사랑의 시작과 이별에 대응하여 화자의 정서를 드러내고 있다.

⑤ (나)는 피었다가 지고 졌다가 다시 피는 꽃을 통해 화자의 새로운 사랑이 시작될 것임을 드러내고 있다.

시어나 시구의 의미 파악하기

5 ㉠~㉤에 대한 설명으로 적절하지 않은 것은?

① ㉠: 모든 자연물이 생성되는 공간으로 화자가 바라는 이상향을 상징한다.

② ㉡: '가을'을 '갈'로 줄여 표현한 시적 허용을 통해 시적 간결성과 운율을 형성하고 있다.

③ ㉢: 존재가 지니는 근원적인 고독감을 드러내고 있다.

④ ㉣: 비유적 표현을 사용해 화자의 정서를 구체화하고 있다.

⑤ ㉤: 공간적 거리감을 통해 이별의 상황을 암시하고 있다.

[6~11] 다음 글을 읽고 물음에 답하시오.

뎨 가는 뎌 각시 본 듯도 ᄒᆞ뎌이고
天텬上샹 白ᄇᆡ玉옥京경을 엇디ᄒᆞ야 離니別별ᄒᆞ고
ᄒᆡ 다 뎌 져믄 날의 눌을 보라 가시ᄂᆞᆫ고
어와 네여이고 이내 ᄉᆞ셜 드러 보오
내 얼굴 이 거동이 님 괴얌즉 ᄒᆞᆫ가마ᄂᆞᆫ
엇딘디 날 보시고 네로다 녀기실ᄉᆡ
나도 님을 미더 군ᄠᅳ디 젼혀 업서
이리야 교틱야 어ᄌᆞ러이 ᄒᆞ돗던디
반기시ᄂᆞᆫ ᄂᆞᆺ비치 녜와 엇디 다ᄅᆞ신고
누어 ᄉᆡᆼ각ᄒᆞ고 니러 안자 혜여ᄒᆞ니
내 몸의 지은 죄 뫼ᄀᆞ티 ᄡᅡ혀시니
하ᄂᆞᆯ히라 원망ᄒᆞ며 사ᄅᆞᆷ이라 허믈ᄒᆞ랴
ⓐ셜워 플텨 혜니 造조物믈의 타시로다
글란 ᄉᆡᆼ각 마오 ᄆᆡ친 일이 이셔이다
님을 뫼셔 이셔 님의 일을 내 알거니
믈ᄀᆞᄐᆞᆫ 얼굴이 편ᄒᆞ실 적 몃 날일고
春츈寒한 苦고熱열은 엇디ᄒᆞ야 디내시며
秋츄日일 冬동天텬은 뉘라셔 뫼셧ᄂᆞᆫ고
粥쥭무早조飯반 朝됴夕셕 뫼 녜와 ᄀᆞᆺ티 셰시ᄂᆞᆫ가
기나긴 밤의 ᄌᆞᆷ은 엇디 자시ᄂᆞᆫ고
ⓑ님다히 消쇼息식을 아므려나 아쟈 ᄒᆞ니
오ᄂᆞᆯ도 거의로다 ᄂᆡ일이나 사ᄅᆞᆷ 올가
내 ᄆᆞᄋᆞᆷ 둘 ᄃᆡ 업다 어드러로 가쟛 말고
잡거니 밀거니 ㉠놉픈 뫼희 올라가니
구룸은 ᄏᆞ니와 안개는 므스 일고
山산川쳔이 어둡거니 日일月월을 엇디 보며
咫지尺쳑을 모ᄅᆞ거든 千쳔 里리ᄅᆞᆯ ᄇᆞ라보랴
출하리 ㉡믈ᄀᆞ의 가 빅길히나 보랴 ᄒᆞ니
ᄇᆞ람이야 믈결이야 어둥졍 된뎌이고

3 일 교과서 기출 베스트

샤공은 어듸 가고 븬 비만 걸렷ᄂ고

江강天텬의 혼자 셔셔 디ᄂ 히ᄅᆯ 구버보니

님다히 消쇼息식이 더옥 아득ᄒᆞ뎌이고

ⓒ茅모簷쳠 춘 자리의 밤듕만 도라오니

半반壁벽靑청燈등은 눌 위ᄒᆞ야 ᄇᆞᆯ갓ᄂ고

ⓒ오ᄅᆞ며 ᄂᆞ리며 헤뜨며 바자니니

져근덧 力녁盡진ᄒᆞ야 픗ᄌᆞᆷ을 잠간 드니

精졍誠셩이 지극ᄒᆞ야 ᄭᅮᆷ의 님을 보니

玉옥 ᄀᆞᄐᆞᆫ 얼구리 **半반이 나마 늘거셰라**

ⓓᄆᆞ옴의 머근 말ᄉᆞᆷ 슬ᄏᆞ장 ᄉᆞᆸᄌᆞ ᄒᆞ니

눈믈이 바라 나니 말ᄉᆞᆷ인들 어이ᄒᆞ며

情졍을 못다ᄒᆞ야 목이조차 몌여 ᄒᆞ니

오뎐된 鷄계聲셩의 ᄌᆞᆷ은 엇디 ᄭᅢ돗던고

어와 虛허事ᄉᆞ로다 이 님이 어듸 간고

결의 니러 안자 窓창을 열고 ᄇᆞ라보니

ⓔ어엿븐 그림재 날 조ᄎᆞᆯ ᄲᅡᆫ이로다

[A] ┌ 출하리 싀여디여 落낙月월이나 되야이셔
    │ 님 겨신 窓창 안히 번드시 비최리라
    └ 각시님 ᄃᆞᆯ이야ᄏᆞ니와 **구ᄌᆞᆫ비**나 되쇼셔

– 정철, 〈속미인곡〉

표현상 특징 파악하기

6 이 글에 대한 설명으로 가장 적절한 것은?

① 과장된 진술을 통해 대상의 속성을 예찬하고 있다.

② 반어적 표현을 통해 화자의 현실 비판적 태도를 강조하고 있다.

③ 자연물에 인격을 부여하여 화자의 정서를 이입하여 표현하고 있다.

④ 계절의 변화에 따른 화자의 정서 변화를 순차적으로 드러내고 있다.

⑤ 의문형 어미를 활용하여 화자의 안타깝고 답답한 심정을 드러내고 있다.

외적 준거에 따라 작품 감상하기

7
빈출
유형
〈보기〉를 참고하여 이 글을 이해한 것으로 적절하지 <u>않은</u> 것은?

> • 보기 •
>
> 정철은 1583년(조선 선조 16년) 48세 때 예조 판서가 되었으나 동인(東人)의 탄핵을 받아 1585년에 관직을 잃고 창평으로 돌아가 4년간 은거 생활을 했다. 이 시기에 가사 〈사미인곡〉과 〈속미인곡〉을 지었다.
>
> • 동인 조선 시대에, 붕당 가운데 김효원과 유성룡 등을 중심으로 하여 서인과 대립한 당파. 또는 그 당파에 속한 사람.

① '白빅玉옥京경'은 정철이 탄핵을 받아 4년간 은거 생활을 했던 창평을 가리키는군.

② '군ᄠᅳ디 젼혀 업서'라는 구절은 동인들의 모함에 대해 정철 자신은 결백하다는 것을 강조한 것이겠군.

③ '구롬'과 '안개'는 선조와 정철 사이를 가로막는 동인을 빗대어 표현한 대상들이겠군.

④ '半반이 나마 늘거셰라'는 선조를 걱정하는 표현으로 정철의 연군지정의 마음을 잘 보여 주는군.

⑤ 선조와 정철의 관계를 직접 드러내지 않고 정철은 임을 잃은 여인의 심리에 의탁해서 하소연하고 있군.

외적 준거에 따라 작품 평가하기

8 〈보기〉를 참고할 때 이 글이 지니는 문학적 가치로 가장 적절한 것은?

> ─ 보기 ─
>
>
> ● 김만중
>
> 지금 우리나라의 시문은 자기 말을 버려두고 다른 나라의 말을 배워서 표현하므로, 설령 아주 비슷하다 하더라도 이는 단지 앵무새가 사람의 말을 하는 것에 불과하다. 민간의 나무하는 아이나 물 긷는 아낙네들이 소리 내어 서로 주고받는 노래가 비록 비루하다 할지라도, 그 참과 거짓을 논한다면, 정녕 학사 대부들의 이른바 시부(詩賦)와는 동격에 두고 논할 수 없다.
>
> – 김만중, 《서포만필》

① 학사 대부들이 지은 시부(詩賦)를 대표하는 작품이다.
② 당시 민중들이 즐겨 불렀던 노래의 형식을 따른 작품이다.
③ 내용이 비록 속되다 할지라도 진정성을 담고 있는 작품이다.
④ 민간의 아이나 아낙네들의 보편적인 정서를 노래한 작품이다.
⑤ 고유한 우리말의 묘미를 살려 정서를 진솔하게 표현한 작품이다.

구절의 의미 파악하기

9 ⓐ~ⓔ의 현대어 풀이로 적절하지 <u>않은</u> 것은?
① ⓐ: 서러워 생각하니 조물주의 탓이로다
② ⓑ: 임 계신 곳 소식을 어떻게든 알자 하니
③ ⓒ: 오르며 내리며 헤매며 서성대니
④ ⓓ: 마음에 먹은 말씀 실컷 사뢰려니
⑤ ⓔ: 아름다운 그림자가 날 따를 뿐이로다.

작품을 종합적으로 이해하기

10 ㉠~㉢에 대한 설명으로 가장 적절한 것은?

> ㉠ 높픈 뫼 → ㉡ 믈ㄱ → ㉢ 茅모簷쳠 츤 자리

① ㉠과 ㉡에서 화자가 느낀 절망감이 ㉢에서 완전히 해소된다.
② ㉠과 달리 ㉡에서는 임과의 재회에 대한 기대가 성취된다.
③ ㉠, ㉡과 달리 ㉢에는 임의 소식을 전해 주는 새로운 인물이 등장한다.
④ ㉠에서 ㉡을 거쳐 ㉢으로 이동하는 동안 화자의 슬픔이 점차 완화된다.
⑤ ㉠과 ㉡에서 이루지 못한 임과의 재회가 ㉢에서 불완전하게나마 이루어진다.

구절의 의미 파악하기

11 다음은 [A]에 쓰인 갑녀와 을녀의 말을 풀어 표현한 것이다. '구준비'의 의미를 고려하여 갑녀의 말을 완성하여 쓰시오.

을녀: 차라리 죽어서 지는 달이 되어 멀리서 잠깐 동안이나마 임을 바라보고 싶어요.

갑녀: 각시님, 차라리 궂은비가 되어서 _____

제재 3 유자소전(이문구)

1 제재 개관

갈래	단편 소설	성격	풍자적, 해학적, 사실적, 비판적
제재	유자(유재필)의 일생	주제	유자의 훌륭한 ❶
특징	① 실존했던 인물을 주인공으로 한 실명(實名) 소설임. ② 전통적 '전(傳)'의 형식을 취함으로써 한국 문학의 전통을 계승함. ③ ❷ 을 사용해 향토적 정서를 드러내고 비속어를 사용하여 풍자의 효과를 나타냄.		

2 이 글의 서술 구조 – 전(傳) 양식의 계승

전(傳) 양식	인정 기술 ▶	행적 ▶	❸
〈유자소전〉의 서술 구조	출생과 성장 과정, 인품에 대한 서술	어린 시절부터 장년까지 유자의 인품을 알 수 있는 ❹ 제시	유자의 사망 후 '이제 찬한다'고 하며 유자에 대한 주변 인물들과 서술자의 평가 제시

3 유자의 인품

- 말재주가 좋고 비범하여 주변 인물들에게 선명한 ❺ 을 남김.
- 스스로 갖추어진 ❻ 와 나름껏 이루어진 주견으로 갈피 있는 태도를 고수함.
- 사고를 낸 운전수의 어려운 형편을 보고 도움을 주는 자상하고 따뜻한 심성을 지님.
- 봉변을 당하지 않고 업무를 처리할 방법을 고안하여 상황에 대처함.

↓

'유재필'을 '유자'라고 칭해 그의 남다른 품성과 생애에 대한 ❼ 을 드러냄.

4 이 글에 나타난 판소리 사설 투 서술

편집자적 논평	유자에 대한 서술자의 평가를 독자에게 직접 전달함. 예 그러나 여느 사람처럼 … 허릅숭이는 아니었다. / 체취는 그윽하고 … 사내였다.
만연체 문장	유자의 성품에 대한 설명을 상세하고 ❽ 하게 전달함. 예 그는 어려서부터 … 삶을 살게 된 바탕이었다. / 그러므로 주변머리 없이 … 소홀함이 없었다.

개념 Catch

- **전(傳)**: 한 인물의 생애와 업적을 기록하고 평가를 덧붙인 것으로 전통 서사 양식의 하나이다. 주인공의 성격을 잘 보여 주는 이야기들을 들어 그 인물의 평생을 그리고, 서술자의 평가를 덧붙인다.

❶ 인품

❷ 방언

❸ 논찬

❹ 일화

❺ 족적

❻ 줏대

❼ 존경심

❽ 장황

1 문학 작품의 수용 방법과 그에 대한 설명을 바르게 연결하시오.

(1) 공감적 수용 · · ㉠ 새롭게 해석하거나 재구성하는 활동을 하며 수용하는 것.

(2) 비판적 수용 · · ㉡ 작품의 주제와 작가의 가치관 등에 공감하며 수용하는 것.

(3) 창의적 수용 · · ㉢ 자신의 관점에서 옳고 그름을 따지면서 수용하는 것.

〈유자소전〉

2 이 글의 특징에 해당하는 내용을 괄호 안에서 골라 ○표를 하시오.

(1) 서술자 '나'가 주인공인 '유재필'의 일생을 구체적 일화와 함께 요약적으로 서술한 (1인칭 주인공, 1인칭 관찰자) 시점의 소설이다.

(2) 어떤 사람의 독특한 행적을 기록하고 여기에 평가를 덧붙이는, 한문 문체의 하나인 (설, 전)의 형식을 취하고 있다.

3 '유재필'에 대한 설명으로 적절한 것에 모두 ✓표를 하시오.

ㄱ. 홍성군 광천에서 태어났다. ················ ☐

ㄴ. 불우한 환경 속에서 성장하였다. ··········· ☐

ㄷ. 어려서부터 총기와 숫기가 두드러졌다. ····· ☐

ㄹ. 매사에 생각이 깊고 침착하였다. ··········· ☐

ㅁ. 널리 듣지 않고 직접 겪은 것만 믿었다. ····· ☐

4 다음 빈칸에 들어가기에 적절한 말을 쓰시오.

이 글에서 서술자는 유재필의 남다른 품성과 삶을 높이 평가하여 그를 '유가'가 아닌 '유자'라고 말하면서 그에 대한 (ㅈㄱㅅ)을 드러내고 있다. 그리고 이러한 유재필의 일생을 통해 우리 사회의 병폐인 몰인정한 세태와 (ㅁㅈ ㅁㄴㅈㅇ)를 비판하고 있다.

5 다음은 일화를 통해 알 수 있는 '유재필'의 특성을 정리한 것이다. 빈칸에 들어가기에 적절한 말을 쓰시오.

일화	·····	유재필의 특성
사고를 낸 운전수 집에 가서 어려운 형편을 보고 자신의 주머니를 털어 도움을 줌.	·····	• 어려운 사람들을 돕는 데 망설임이 없음. • (ㅈㅅ)하고 따뜻한 심성을 지님.
사고 피해자의 빈소에서 봉변을 당했으나 곧 예방책을 마련하여 봉변을 피함.		• 위기 상황을 슬기롭게 극복하는 지혜를 지님. • 유가족의 아픔에 (ㄱㄱ)할 줄 앎.

6 이 글의 내용과 일치하면 ○표, 일치하지 않으면 ×표를 하시오.

(1) 유재필은 유가족에게 도움을 주기 위해 침놓는 법과 풍수지리, 수맥을 배웠다. ( )

(2) 총수는 유재필의 능력을 높이 평가하여 그를 과장으로, 그리고 다음 해에는 부장으로 승진시켰다. ( )

3일 교과서 기출 베스트

[1~2] 다음 글을 읽고 물음에 답하시오.

그의 이름은 유재필(兪哉弼)이다. 1941년 홍성군 광천에서 태어나 보령군 대천에 와서 자라고 배웠다. 그리고 그 나머지는 서울에서 살았다. 그는 어려서부터 타고난 총기와 숫기로 또래에서 별쭝맞고 무리에서 두드러진 바가 있어, 비색한 가운과 불우한 환경 속에서도 여러모로 일찍 터득하고 앞서 나아감에 따라 소년 시절은 장히 숙성하고, 청년 시절은 자못 노련하고, 장년에 들어서서는 속절없이 노성하였으니, 무릇 이것이 그가 보통 사람 가운데서도 항상 깨어 있는 삶을 살게 된 바탕이었다.

그의 생애는 풀밭에서 뚜렷하고 쑥밭에서 우뚝하였다.

그는 애초에 심성이 밝고 깔끔하였다. 매사에 생각이 깊고 침착하였으며, 성품이 곧고 굳은 위에 몸소 겪음한 바와 힘써 널리 보고 애써 널리 들은 것을 더하여, 스스로 갖추어진 줏대와 나름껏 이루어진 주견으로 갈피 있는 태도를 흐트리지 아니하였다.

그러므로 주변머리 없이 기대거나 자발머리없이 나대어서 남을 폐롭히거나 누를 끼치는 자는 반드시 장마에 물걸레처럼 쳐다보기를 한결같이 하였고, 분수없이 남을 제치거나 밟고 일어서서 섣불리 무엇인 척하고 으스대는 자는 《삼국지》에서 조조 망하기를 기다리듯 미워하여 매양 속으로 밑줄을 그어 두기에 소홀함이 없었다. 또 모름지기 세상의 일에 알면 아는 대로 힘지게 말하고, 모르면 모르는 대로 숫지게 말하여 마땅한 자리임에도 불구하고 어딘지 떳떳지 못하게 주눅부터 들어서 좌우의 눈치에 딱 부러지게 흑백을 하지 못하는 자가 있으면, 마치 말만 한 딸을 서울 가게 하는 데에 힘입어 그날로 이자 돈을 놓는 매몰스러운 구두쇠를 보듯이 으레 가래침을 멀리 뱉기에 이력이 난 터이었다. 〈중략〉

"이간감? 나 유가여."

그가 내게 전화를 할 때마다 매번 거르지 않던 첫마디였다. 그렇지만 유가는 이미 다른 사람을 이르는 말이었다. 그는 유자(兪子)였다.

– 이문구, 〈유자소전〉

글의 세부 내용 이해하기

1 이 글에서 '그(유재필)'가 부정적으로 여겼던 사람들의 부류에 속하지 <u>않는</u> 것은?
① 가볍게 행동하여 남에게 누를 끼치는 사람
② 분수없이 남을 밟고 일어서서 으스대는 사람
③ 눈치 없이 남에게 기대어 성가시게 하는 사람
④ 남을 의식하지 않고 자신의 의견을 말하는 사람
⑤ 옳고 그름에 대해 떳떳하게 말하지 못하는 사람

인물에 대한 서술자의 평가 파악하기

2 **빈출유형** 다음을 참고하여 서술자가 '그(유재필)'를 '유자'라고 지칭한 이유를 〈조건〉에 맞게 서술하시오.

표준국어대사전		찾기

-가(哥) '그 성씨 자체' 또는 '그 성씨를 가진 사람'의 뜻을 더하는 접미사. 예 김가, 이가, 박가

-자(子) ((일가(一家)의 학설을 세운 사람의 성(姓)을 나타낸 명사 뒤에 붙어)) '높임을 받는 사람'의 뜻을 더하는 접미사.
예 공자, 맹자, 노자

─ 조건 ─
'그'에 대한 서술자의 평가를 반영하여 쓸 것.

_____

_____

[3~5] 다음 글을 읽고 물음에 답하시오.

그가 다루는 사건도 태반이 가해자의 운전 윤리 마비증이 자아낸 것이었다. 그렇지만 가해자가 그룹 내의 동료 운전수라 하여 ㉠팔이 들이굽는다는 식의 적당주의를 취한 적은 거의 없었다.

다만 사건 처리에 필요한 서류를 갖추기 위해 신상 기록 대장에 있는 주소를 찾아가 보면 일쑤 비탈진 산꼭대기에 더뎅이 진 무허가 주택에서 근근이 셋방살이를 하는 축이 많았고, 더욱이 인건비를 줄이느라고 임시로 쓰던 스페어 운전수들이 사는 꼴이 말이 아닐 때는, 그 운전자의 자질 여부를 떠나서 현실적인 딱한 사정에 괴로워하지 않을 수가 없었던 것이다.

스페어 운전수는 대체로 벌이가 시답지 않아 결혼도 못 한 채 늙고 병든 홀어미와 단칸 셋방을 살고 있거나, 여편네가 집을 나가 버려 어린것들만 있는 경우가 적지 않았고, 들여다보면 방구석에 먹던 봉지 쌀이 남은 대신 연탄이 떨어지고, 연탄이 있으면 쌀이 없거나 밀가루 포대가 비어 있어, 한심해서 들여다볼 수가 없고 심란해서 돌아설 수가 없는 집이 허다한 것이었다. / 그는 결국 주머니를 털었다. 스페어 운전수의 사고에는 업무 추진비 명색도 차례가 가지 않아 자신의 용돈을 털게 되는 것이었다. 식구가 단출하면 쌀을 한 말 팔아 주고, 식구가 많은 집은 밀가루를 두 포대 팔아 주고, 그리고 연탄을 백 장씩 들여놓아 주는 것이 그가 용돈에서 여툴 수 있는 한계였다. 〈중략〉

도로 산비탈을 기어올라 가서 굴비 두름을 개 안 닿게 고양이 안 닿게 야무지게 내달아 주면서

"뷔에 제우 지랑뱅이 옳으니 뱁이구 수제비구 건건이가 있으야 넘어가지유. 탄불에 궈 자시던지 뱁솥에 쪄 자시던지 하면, 생긴 건 오죽잖어두 뇌인네 입맛에 그냥저냥 자셔 볼 만헐규."

— 이문구, 〈유자소전〉

글의 특징 파악하기

3 이 글에 대한 설명으로 적절하지 **않은** 것은?
빈출
유형
① 실존했던 인물을 주인공으로 한 실명 소설이다.
② 방언을 사용하여 향토적인 정서를 자아내고 있다.
③ 구체적 일화를 통해 인물의 인품을 드러내고 있다.
④ 전(傳)의 형식을 취하여 인물의 일대기를 다루고 있다.
⑤ 작품 속 서술자가 자신의 행적을 요약하여 서술하고 있다.

인물의 특성 파악하기

4 다음과 같이 이 글에 나타난 '그'를 평가할 때 빈칸에 들어갈 내용으로 가장 적절한 것은?
빈출
유형

사고를 낸 스페어 운전수의 집에 갔을 때 '그(유자)'가 한 행동으로 보아, '그'는 _____ 인 것 같아.

① 매사에 생각이 깊고 침착한 사람
② 널리 보고 널리 듣기 위해 노력하는 사람
③ 어려서부터 타고난 총기와 숫기를 드러낸 사람
④ 남의 어려운 형편을 딱하게 여기고 도움을 주는 선한 사람
⑤ 스스로 갖춘 주견으로 갈피 있는 태도를 흩트리지 않는 사람

관용적 표현 이해하기

5 ㉠과 바꿔 쓰기에 가장 적절한 속담은?
① 가재는 게 편
② 수박 겉 핥기
③ 땅 짚고 헤엄치기
④ 방귀 뀐 놈이 성낸다
⑤ 고양이 목에 방울 달기

[6~7] 다음 글을 읽고 물음에 답하시오.

그가 노선 상무로 나간 초기에는 피해자 가족들에게 속절없이 봉변을 당하기가 바빴다.

사망자가 난 사고에서는 더욱 그러하였다. 운전수가 연행되어 조사를 받고 있거나 아예 달아나 버려서 분풀이를 하고 싶어도 상대가 없어서 앙앙불락하던 차에, 사고를 낸 회사에서 사고 처리반이 나왔다고 하면 대개는 옳거니, 때맞추어 잘 만났다 하고 떼거리로 달려들어 덮어놓고 멱살을 잡으며 주먹부터 휘두르고 보는 것이 예사였다. 나중에는 사람을 잘못 알고 실수했노라고 사과하고, 일을 처리하는 데도 싹싹하고 상냥하게 협조하는 위인일수록 처음에는 흥분을 가누지 못해 사납게 부르대고 날뛰는 편이었다.

"야, 너, 흥부는 놀부같이 잘사는 형이라도 있어서 매품을 팔고 살았다지만 너는 뭐냐, 뭐여. 못사는 운전수를 동료라구 둔 값에 매품이나 팔며 살거라, 그거여? 너야말루 군사 정변이 나서 구정권의 거물 비서 자격으루 끌려가서두 볼탱이 한 대 안 줘백히고 니 발루 걸어 나온 물건인디 말여. 그런디 이제 와서 냄의 영안실이나 찌웃그리메 장삼이사헌티 놈 짜 소리 듣는 것두 과만해서 주먹질에 자빠지구 발길질에 엎어지구 허니, 니가 그러구 댕긴다구 상무 전무가 아까징끼값을 물어 주데, 사장 회장이 떨어져 밟힌 단춧값을 보태 주데? 사대부 가문을 자랑허시던 할아버지가 너버러 이냥 냄의 아랫도리루만 돌며 살라구 가르치셨네, 동경 유학 출신의 아버지가 동네북으로 공매나 맞구 살라구 널 나 놓셨네? 너두 처자가 있는 뭠이 이게 뭐라네? 뭐여? 니 신세두 참……."

그는 봉변을 당하고 나면 자기를 저만치 떼어 놓고 바라보며 그런 허희탄식으로 시간 가는 줄을 몰랐다.

— 이문구, 〈유자소전〉

6 이 글의 내용으로 적절하지 않은 것은?

① '그'는 군사 정변 이전에 구정권의 거물 비서로 일하기도 하였다.

② '그'는 자신의 조상들 탓에 자신이 어려움을 겪는다고 생각하였다.

③ 유가족들은 사고를 낸 운전수에게 못한 화풀이를 '그'에게 하였다.

④ '그'는 봉변을 당한 후 자신의 처지가 흥부보다 못하다며 탄식하였다.

⑤ '그'는 자신의 잘못이 아닌 일로 봉변을 당한 것을 억울하게 생각하였다.

7 〈보기〉의 밑줄 친 방법에 따라 이 글을 감상한 것에 해당하는 것은?
**빈출
유형**

> • 보기 •
>
> 공감적 수용, 비관적 수용을 바탕으로 하여 문학 작품을 창의적으로 수용할 수도 있다. 새로운 해석을 내놓을 수도 있고, 재구성 활동을 할 수도 있으며, 작품에 들어 있지 않은 새로운 것을 발견하거나 깨우침을 얻을 수도 있다.

① '그'가 길게 탄식하는 내용을 보니 '그'의 처지에 안타까움을 느끼게 돼.

② 자신의 잘못이 아닌데도 폭행을 당했다면 나라도 '그'처럼 무척 억울했을 것 같아.

③ '그'가 유가족들의 폭력에 똑같이 폭력으로 대응했다면 사건이 어떻게 펼쳐졌을지 궁금해.

④ 교통사고로 인해 사랑하는 가족이 죽은 상황에서 피해자 가족들이 크게 화를 낸 것이 이해가 돼.

⑤ 화가 난다 해도 사고와 무관한 사람에게 폭력을 행사하는 피해자 가족들의 행동은 바람직하지 않아.

[8~10] 다음 글을 읽고 물음에 답하시오.

㉠그가 찾아낸 예방책은 그가 먼저 선수를 쳐서 저쪽의 예봉을 피하자는 것이었다. / 그는 실천을 하였다.

사망자의 빈소가 있는 병원의 영안실에 가면 처음부터 신분을 밝히지 않았다.

그는 빈소의 형식이 불교색인지 기독교색인지도 살피지 않았다. 우선 고인의 영정에 절부터 재래종으로 하고 꿇어앉아, 손수건으로 눈자위를 눌러 가며 눈시울을 훔쳤다. 눈물 같은 건 비칠 생각도 않던 눈도 그렇게 거듭 귀찮게 하면 진짜로 눈물이 있었던 것처럼 보이기가 쉬웠다. 〈중략〉

"에이 쥐일 늠덜…… 암만 운전질이나 해 처먹구 사는 막된 것덜이래두 그렇지, 워쩌자구 이런 짓을 허는겨. 이에 쥐일 늠덜 ……."

천연스럽게 운전수를 나무라며 두툼하게 장만해 간 부의를 하고 물러나면, 아까 어깨를 흔들어 달래던 사람이 술상으로 안내를 하였고, 또 대개는 그 사람이 마주 앉아 술을 권하는 것이었다. / 서로 잔을 건네고 담뱃불을 나누고 하면서 서너 순배쯤 하고 나면 궁금한 쪽은 그쪽이라

"실렙니다만, 망인하고는 어떻게 되시는지……."

하고 신분을 먼저 묻는 것이었다. / 그는 그제야 앉음새를 고치면서 정중하게 명함을 내밀었다. 〈중략〉

빈소에 드나들다 보면 망자의 가족 가운데 담이 들거나 풍기가 있어서 몸을 제대로 추스르지 못하는 노인이 많았다. 그런 사람을 보아주려고 ㉡침놓는 법을 배웠다.

― 이문구, 〈유자소전〉

8

빈출유형

이 글에 대한 설명으로 가장 적절한 것은?

① 장면을 빠르게 전환하여 긴장감을 높이고 있다.

② 주인공을 ˚희화화하여 그의 부당한 태도를 비판하고 있다.

③ 과거와 현재 사건을 교차하여 사건의 진상을 밝히고 있다.

④ 비현실적인 사건을 제시하여 인물의 영웅적 면모를 강조하고 있다.

⑤ 방언과 비속어를 사용하여 인물의 특성을 생생하게 제시하고 있다.

〕) 도움말
• **희화화하다** 어떤 인물의 외모나 성격, 또는 사건을 의도적으로 우스꽝스럽게 묘사하거나 풍자하다.

글의 세부 내용 이해하기

9 **㉠의 구체적인 의미를 〈조건〉에 맞게 쓰시오.**

┌ **조건** ┄┄┄┄┄┄┄┄┄┄┄┄┄┄┄┄┄┄┄┄
│ '…하기 위한 방법'의 형식으로 쓸 것
└┄┄┄┄┄┄┄┄┄┄┄┄┄┄┄┄┄┄┄┄┄┄┄┄┄

소재의 기능 파악하기

10 **㉡의 서사적 기능으로 가장 적절한 것은?**

① 자기 직업에 대한 '그'의 자부심을 드러낸다.

② '그'와 유가족 사이에 새로운 갈등을 유발한다.

③ '그'와 유가족의 갈등이 최고조에 이르렀음을 나타낸다.

④ 유가족을 도우려는 '그'의 따뜻한 마음씨를 짐작하게 한다.

⑤ 유가족으로부터 봉변을 피하려는 '그'의 지혜를 보여 준다.

3일

생각 열기 문학 작품을 좀 더 폭넓게 이해하려면 어떻게 해야 할까?

도전! 문학 골든벨

다음 세 작품의 공통점이 <u>아닌</u> 것은?

가 ▲ 작자 미상, 〈춘향전〉

나 ▲ 임권택 감독, 〈춘향뎐〉 (2000)

다 ▲ 국립무용단, 〈춤, 춘향〉 (2013)

① 주제 ② 예술 분야 ③ 표현 매체

이번 문제는 짝과 함께 푸는 문제입니다.
짝과 상의해서 정답을 외쳐 주세요.
제한 시간 3분입니다.

①은 너무 쉽다.

맞아. 세 작품 모두
춘향이와 몽룡이의 사랑이
주제잖아.

②는 나한테 맡겨!
(가)는 문학이고, (나)는 영화,
(다)는 무용이야. 따라서 모두
예술 분야에 해당된다고
볼 수 있지.

그렇지, 문학도
언어 예술이니까.
②도 오답!

마지막으로 문학은
언어로 표현하고,
영화는 영상으로 표현해.

그리고 무용은
인간의 몸으로
표현하지.

정답은
③입니다!

정답입니다!
문학이 다양한 예술 분야,
매체와 밀접한 관계를 맺고
있다는 것을 보여 주는
문제였습니다.

참고로 문학은 예술 분야 외에도
인문 분야, 사회 분야와도 밀접한 관련을
맺고 있기도 합니다.

우리는 인간의 삶을 탐구하지.

문학 = 인문 분야

우리는 인간을 둘러싼 시대 상황을 반영하지.

문학 = 사회 분야

문학은 정말
핵인싸인가 봐.

제재 1 **세일에서 건진 고흐의 별빛**(황동규)

1 제재 개관

갈래	자유시, 서정시	성격	회화적, 감각적
제재	화가 고흐의 그림	주제	소외된 존재들에 대한 애정
특징	① 현재형 시제를 사용하여 고흐 그림의 이미지를 **❶** 으로 묘사함. ② 열거와 **❷** 을 통해 주제 의식을 강조함.		

❶ 동적

❷ 반복

2 화자의 질문에 나타난 이 시의 주제 의식

> 저 별들이 왜 환하게 노래하고 있지요? / 세상에 노래하지 않는 별이 어디 있소?

• 형식: **❸**   적 의문

• 의미: '세상의 모든 별들은 **❹**   .' → '세상의 모든 존재들은 저마다의 사상과 감정을 지닌 고유한 개체이다.'라는 시적 화자의 생각을 강조함.

❸ 설의

❹ 노래한다

제재 2 **뿌리 깊은 나무**(김영현·박상연 극본, 이정명 원작)

1 제재 개관

갈래	시나리오, 드라마 대본	성격	사실적
배경	• 시간: 조선 태종 ~ **❺** 때 • 공간: 주로 조선 초기 궁궐 및 반촌	제재	훈민정음 창제와 반포를 둘러싼 갈등
주제	① 설득과 소통을 통해 새로운 정치를 하고자 하는 왕 이도의 의지 ② 훈민정음 창제와 반포에 담긴 **❻** 사상		
특징	① 역사적 사실을 바탕으로, 왕과 대립하던 가상의 비밀 조직을 등장시켜 보는 재미를 더함. ② 이도의 성장 과정과 고뇌, 열정을 개성적으로 형상화하여 임금의 인간적 면모를 부각함.		

❺ 세종

❻ 애민(愛民)

2 이 작품에 드러난 드라마 대본의 특징

① 드라마 방영을 목적으로 동명 소설을 각색한 드라마 대본임.

② **❼**   을 기본 단위로 하고 짧게 분절되어 있는 장면들이 모여 인물의 성격과 특징, 사건의 진행을 나타냄.

③ 시간과 공간, 등장인물의 수에 제약이 적어 배경을 조선 시대의 **❽**   로 설정하고, 시위하는 유생들의 모습을 화면에 구현하라는 지시문을 사용함.

④ S#, cut, 몽타주 등과 같이 촬영을 고려한 특수 용어를 사용함.

❼ 장면(S#)

❽ 궁궐

정답과 해설 **95**쪽

4일

1 다음 문학의 특징과 관련 있는 분야를 〈보기〉에서 찾아 쓰시오.

보기
ㄱ 사회 분야   ㄴ 예술 분야   ㄷ 인문 분야

(1) 언어 예술임.　　　　　　　　　　　(　　　)
(2) 인간의 삶을 탐구하는 활동임.　　　(　　　)
(3) 인간을 둘러싼 시대 상황을 반영함.　(　　　)

〈세일에서 건진 고흐의 별빛〉

2 이 시에 대한 설명이 맞으면 ○표, 틀리면 ×표를 하시오.

(1) 고흐의 그림 속 풍경을 묘사하고 있다.　(　　　)
(2) 시적 화자의 시선은 그림의 시계 방향으로 이동하고 있다.　(　　　)
(3) 시적 화자는 그림 속 인물과의 상상의 대화를 통해 주제 의식을 강조하고 있다.　(　　　)

3 밑줄 친 시어들의 공통점으로 가장 적절한 것은?

・빛나라, 별들이여, 빛나라, 편백나무여
・빛나라, 보리밭이여, 빛나라 외로운 별이여

① 강인한 존재　　　② 모순적 존재
③ 부정적 존재　　　④ 특별한 존재
⑤ 평범한 존재

4 다음 시구를 통해 화자가 말하고자 하는 바를 한 문장으로 쓰시오.

저 별들이 왜 환하게 노래하고 있지요?
세상에 노래하지 않는 별이 어디 있소?

〈뿌리 깊은 나무〉

5 이 글의 갈래상 특성으로 알맞지 <u>않은</u> 것은?

① 장면(S#)을 기본 단위로 한다.
② 영상 매체의 특성이 반영된다.
③ 촬영을 고려한 특수 용어가 사용된다.
④ 서술, 묘사, 대화 등으로 내용을 표현한다.
⑤ 인물의 동작, 효과음 등을 나타내는 지시문이 쓰인다.

6 '이도'를 중심으로 한 갈등 양상을 다음과 같이 정리할 때, 빈칸에 들어갈 적절한 말을 쓰시오.

(2) 유생들
새 글자를 쓰는 것은 (ㅇㅎ)의 도를 버리는 것이다.

(1) 이도
글자가 있어야 백성들과 (ㅅㅌ) 할 수 있다.

관리들
사랑은 글로 교화하기 어렵고, 백성들과 소통하려면 관리의 수를 늘리면 된다.

(3) 가리온
모든 백성들이 글자를 쓰게 되면 조선의 (ㅈㅅ)가 무너질 것이다.

7 다음에서 설명하는 시나리오 용어를 괄호 안에서 찾아 ○표를 하시오.

・카메라가 한 번의 연속 촬영으로 찍은 장면.
・각 장면의 구분점 또는 단순히 화면과 화면을 붙임으로써 한 화면에서 다른 화면으로 빠르게 전환하는 편집 방식.

→ (컷cut, 몽타주montage)

[1~4] 다음 시를 읽고 물음에 답하시오.

방금 세일에서 건진 고흐의 복사화
〈별 빛나는 하늘 아래 편백나무 길〉
한가운데 편백나무 두 줄기가
서로 얼싸안고 하나로 붙어 서 있는
밀밭 앞길로
위태한 마차 한 대 굴러오고,
하나는 삽을 메고
하나는 주머니에 두 손 찌른 채
농부 둘이 걸어오고 있다.
하늘 위에 별이라곤
왼편 귀퉁이에 희미한 것 하나만 박혀 있고
(별나라엔들 외로운 별 없으랴)
나머지는 모두 모여 해와 달이 되어 빛나고 있다.
빛나라, 별들이여, 빛나라, 편백나무여,
세상에 빛나지 않는 게 어디 있는가.
있다면, 고흐가 채 다녀가지 않았을 뿐.
농부들을 붙들고 묻는다,
'저 별들이 왜 환하게 노래하고 있지요?'
'세상에 노래하지 않는 별이 어디 있소?'
빛나라, 보리밭이여, 빛나라, 외로운 별이여,
빛나라, 늘 걷는 길을 걷다
이상한 사람 만난 농부들이여.
          – 황동규, 〈세일에서 건진 고흐의 별빛〉

표현상 특징 파악하기

1 이 시의 표현상 특징으로 적절하지 않은 것은?

빈출
유형

① 유사한 시구를 반복하여 의미를 강조하고 있다.
② 설의적 표현을 통해 주제 의식을 강조하고 있다.
③ 시간의 흐름에 따른 대상의 변화를 나타내고 있다.
④ 특정 대상의 모습을 주관적으로 해석하여 표현하고
    있다.
⑤ 현재형 시제를 사용하여 그림 속 이미지를 동적으로
    묘사하고 있다.

화자의 특성 파악하기

2 이 시의 화자에 대한 설명으로 적절하지 않은 것은?

① 복사된 고흐의 그림을 구입해서 보고 있다.
② 그림 속 마차가 위태롭다고 생각하고 있다.
③ 그림 속 농부들과의 대화를 상상하고 있다.
④ 그림 속 별이 외로운 존재라고 생각하고 있다.
⑤ 그림 속 농부들이 이상한 사람이라고 생각하고 있다.

시어의 의미 파악하기

3 다음은 한 학생이 시어의 의미를 친구들에게 설명한 내용
이다. ㉠, ㉡에 들어갈 적절한 말을 각각 쓰시오.

빈출
유형

'별들', '편백나무', '보리밭',
'외로운 별', '농부들'은 화자가
"(㉠)"라고 말한 대상이야.
이들은 모두 특별할 것 없는
(㉡) 존재라는 공통점이 있어.

참고 자료와 관련지어 시 내용 이해하기

4 다음은 위 시의 제재가 된 그림이다. 이와 연관 지어 위 시를 이해한 내용으로 적절하지 <u>않은</u> 것은?

🔺 고흐, 〈밤의 프로방스 시골길〉

① ⓒ → ⓓ → ⓔ → ⓐ → ⓑ의 순서로 묘사하고 있다.
② ⓐ는 하늘 위 왼쪽 귀퉁이에 있는 희미한 별이다.
③ ⓑ는 별들이 모여 빛나고 있는 달이다.
④ ⓒ는 두 줄기가 하나로 붙어 서 있는 편백나무이다.
⑤ ⓔ는 늘 걷는 길을 걷고 있는 농부들이다.

[5 ~ 7] 다음 글을 읽고 물음에 답하시오.

S# 13 **광화문 앞 (낮)**

cut. 이도의 괘도에 크게 쓰여 있는 '武(무)' 자. 앞엔 혜강이 있다.

혜강 ㉠<u>중국의 한자는 그냥 글자가 아니옵고…… 그 자체로 유학의 도이며, 개념이옵니다.</u> (화면은 '무' 자 보이며) 보시 옵소서. 싸울 무 자에는 '창'과 '그치다'라는 두 개의 글자 가 들어 있사옵니다. 〈중략〉

혜강 전하의 글자는 이것을 표현할 수가 있사옵니까?

채윤 (보는데)

이도 아니오, 없소.

혜강 (그럼 그렇지.) 헌데 어찌 유학을 버리는 것이 아니라 하 시옵니까?

이도 허면 말이오. (하며 괘도로 간다.)

cut. 괘도에 "作開言路 達四聰"이라 써 있고, 앞엔 이도가 서 있다.

이도 ㉡<u>작개언로 달사총, 즉 언로를 틔워 사방 만민의 소리 를 들으라. 이것은 유학에서 임금에게 가장 강조하는 덕목 이오.</u>

혜강 예, 전하. ㉢<u>백성의 소리를 들으시면 되옵니다.</u>

이도 (무시하고) ㉣삼봉 정도전의 《경제문감》에 이르기를.

혜강 (멈칫) / **모두** (멈칫)

이도 요순 3대에는 간관이라는 관리가 없었음에도 언로는 넓 었으나 진나라 때 모든 비방을 금지한 뒤, 한나라에 이르러 언로를 터 주기 위해 간관을 만들었으나 간관이라는 관리 가 생기면서 언로는 더욱 막히었다. 이런 말이 있지요?

채윤 (보는데) / **혜강** …….

이도 이는 말이오. 한자를 아는 자가 관료가 된 시기와 정확 히 맞아떨어지오. (점점 강한 목소리로) ㉤<u>한자가 어렵기 에, 백성이 그들의 말을 임금께 올리려면 관료를 거칠 수 밖에 없었고!</u>

채윤 (보는데)

이도 그 관료들은 백성의 소리를 왜곡, 편집하여 올린 것이 오! 하여 언로가 막혔다 쓴 것이오! 삼봉은!

혜강 …….

이도 난 유학에서 가장 중시하는 덕목, 언로를 틔워 주고 싶 고, 하여 백성의 글자가 필요하다 판단하였소. 내가 어찌 유학을 버린 것이오?

채윤 (보는 데서 cut.)

– 김영현·박상연 극본, 〈뿌리 깊은 나무〉

갈래상 특성 파악하기

5 이 글을 통해 알 수 있는 드라마 대본의 특징으로 적절하지 <u>않은</u> 것은?

빈출유형

① 'S# 13'과 같이 장면(S#)을 기본 단위로 한다.

② '(화면은 '무' 자 보이며)'와 같은 지시문이 쓰인다.

③ 'cut'을 통해 한 화면에서 다른 화면으로 빠르게 전환할 수 있다.

④ 조선 시대 궁궐을 배경으로 설정한 것으로 보아 시간이나 공간의 제약이 적다.

⑤ '이도의 괘도에 크게 쓰여 있는 '武(무)' 자. 앞엔 혜강이 있다.'와 같이 서술자의 서술을 통해 사건이 전개된다.

글의 세부 내용 이해하기

6 ㉠~㉤에 대한 이해로 적절하지 <u>않은</u> 것은?

① ㉠: 혜강은 한자에 유학의 도가 들어 있다고 생각하고 있다.

② ㉡: 이도와 혜강이 모두 긍정적으로 생각하는 가치를 담고 있는 말이다.

③ ㉢: 혜강이 이도의 글자를 긍정적으로 생각하게 되었음을 드러내고 있다.

④ ㉣: 이도의 생각을 뒷받침하는 근거에 해당한다.

⑤ ㉤: 이도가 새 글자를 만들게 된 배경과 관련 있다.

갈등 양상 파악하기

7 다음은 인물들 간의 갈등을 정리한 것이다. ⓐ, ⓑ에 들어갈 적절한 말을 쓰시오. (ⓐ는 2어절, ⓑ는 1어절로 쓸 것.)

빈출유형

혜강

이도

새로운 글자를 창제하는 것은 한자에 담긴 (ⓐ)를 버리는 일과 같습니다. ↔ 백성의 글자를 만드는 것은 유학에서 가장 중시하는 (ⓑ)를 틔워 주기 위함이오.

[8~10] 다음 글을 읽고 물음에 답하시오.

가 S# 55 반촌 한구석 (낮)

한가 놈 (자기도 믿지 않아) 개파이는 자기 이름을 쓰고, 연두는 ㉠이 글자로 문장을 쓰고 있습니다.

가리온 (쿵!) ……! / **한가 놈** 이틀 만입니다!

가리온 (쿵! 천천히 개파이에게 다가가 이름 쓴 걸 가리키며) 이게 뭐냐. / **개파이** 내…… 이름이다.

가리온 어떻게…… 읽는 것이냐?

개파이 (한 글자씩 짚으며) 카…… 르…… 페…… 이…….

가리온 진정…… 이틀 사이에……?

하는데 연두, 옆에서 뭔가를 쓰고 있다. 가리온 고개 돌려, 연두가 쓴 것을 보는데, 바닥에 있는 글자는 다음과 같다.

"진정 이틀 사이에" 한가 놈도 보고 놀란다.

한가 놈 (경악하여) 아니, 이럴 수가…….

가리온 어찌 그러는가? / **한가 놈** 지금 본원이 하신 말을 그대로 쓴 것입니다. '진정…… 이틀…… 사이에'.

가리온 (충격과 경악) ……! (쨍! 하는 효과음이나 음악)

한가 놈 (놀라움으로 글자와 본원 번갈아 보면)

가리온 (놀라움으로) 말한 것을 그대로 쓸 수 있고, 쓴 것을 그대로 읽을 수 있다?

나 S# 56 반촌 내 도축소 (낮)

가리온 (멍하게 놀라움에) 모든 사람이…… 글자를 쓰는 세상에 대해 생각해 본 적이 있는가? / **한가 놈** 예?

가리온 (멍하게 놀라움에) 그것은 어떤 세상일까?

한가 놈 글쎄요, 한 번도 상상해 보지 못했던 일이라.

가리온 글자는 무기다. 칼보다, 창보다, 유황보다 무서운 무기다. 사대부가 사대부인 이유는! 양반집에 태어나서가 아니라, 그런 혈통 때문이 아니라, 글을 알기 때문에 사대부인 것이야. / **한가 놈** 예, 물론입니다.

가리온 그게 사대부의 권력이요, 힘의 근거다. 헌데 이 글자라면, 모두가 글자를 읽고 쓰는 세상이 온다면…… 조선의 모든 질서가 무너질 것이다. 세상은 혼돈에 가득 차고…… 이 조선의 뿌리인 사대부가 무너질 것이야!

한가 놈 어찌해야 합니까?

가리온 (결연하게) 막아야지. 이 글자를 막는 것이, 무엇보다 우선해야 한다!

한가 놈 (떠오른 듯) 허나……! 이미 오늘! 이신적이 거래를 하기로 하지 않았습니까! / **가리온** (쿵!) ……!

다 S# 59 반촌 내 도축소 (낮)

S# 56 연결.

가리온 (위기감 가득한 얼굴로 벌떡 일어나며) 이도와 거래를 해서는 안 된다. 이신적을 막아야 해! 당장 중지시키거라, 당장!

웃으며 가는 이도와 심각한 가리온에서 엔딩.

– 김영현·박상연 극본, 〈뿌리 깊은 나무〉

글의 세부 내용 이해하기

8 (가)를 통해 알 수 있는 ㉠의 특징 두 가지를 〈조건〉에 맞게 쓰시오.

> ┌─ 조건 ─
> 인물의 대사를 활용하여 쓸 것

등장인물의 특성 파악하기

9
빈출
유형
이 글에 등장하는 '가리온'에 대한 설명으로 적절하지 <u>않은</u> 것은?

① 새 글자가 반포되어서는 안 된다고 생각한다.
② 이신적과 이도의 거래가 성사되는 것을 막으려 한다.
③ 새 글자가 가진 강력한 힘을 알고 나서 큰 충격을 받았다.
④ 모든 백성들이 글자를 읽고 쓰는 세상이 오기를 염원하고 있다.
⑤ 사대부가 가진 권력의 근원이 글자를 아는 것에 있다고 생각한다.

드라마 대본의 갈래상 특성 적용하기

10
빈출
유형
이 글을 바탕으로 하여 드라마를 촬영할 때 감독의 요구 사항으로 적절하지 <u>않은</u> 것은?

① S# 55에서 개파이와 연두가 땅바닥에 글자를 쓰며 노는 장면을 촬영해 주세요.
② S# 55에서 개파이와 연두가 쓴 글자가 화면에 크게 보이도록 클로즈업해 주세요.
③ S# 55에서 가리온이 받은 심적 충격을 부각할 수 있는 효과음을 준비해 주세요.
④ S# 56에서 가리온은 새 글자의 실체에 놀라 멍한 상태임을 행동과 표정으로 잘 드러내 주세요.
⑤ S# 59는 '반촌 내 도축소'에서 이도와 가리온이 마주 보면서 상반된 표정을 짓는 모습을 촬영해 주세요.

제재 **3**　서경별곡(작자 미상)

개념 Catch

• **고려 속요**: 고려 시대 평민들이 부르던 민요적 시가로 고려 가요(高麗歌謠), 여요(麗謠)라고도 함.

1 제재 개관

갈래	고려 속요		성격	서정적, 서민적
제재	임과의 이별			
주제	임에 대한 변함없는 사랑을 다짐하면서도 떠난 임을 원망함.			
특징	① **❶**　　　이고 솔직한 어조가 나타남. ② 비유법, 설의법 등을 사용함. ③ 슬픔, 사랑, 원망 등 연마다 다른 정서를 드러냄. ④ 3음보 율격을 지니며, 후렴구와 여음구가 사용됨.			

❶ 적극적

2 이 작품에 나타난 고려 속요의 특징

① 3연으로 구성된 **❷**　　　임.

② 3음보의 율격을 지님. 예 닷곤 디∨쇼셩경∨고외마른∨

③ **❸**　　　를 반복하여 운율을 형성함. 예 위 두어렁셩 두어렁셩 다링디리

④ 악률을 맞추거나 흥을 돋우기 위한 **❹**　　　를 사용함. 예 아즐가, 나는

❷ 분연체

❸ 후렴구

❹ 여음구

3 각 연에 나타난 소재의 의미와 화자의 태도

	소재의 의미	화자의 태도
1연	• **셔경(西京)**: 화자가 삶의 터전을 닦은 곳으로 애정을 갖고 있는 곳 • **질삼뵈**: 화자의 **❺**	임과의 사랑을 위하여 삶의 터전과 생업을 버릴 수 있다고 하며 이별을 거부하는 적극적 태도를 보임.
2연	• **구슬**: 화자와 임 사이의 관계 • **바회(바위)**: 화자와 임을 헤어지게 하는 시련과 고난 • **긴(끈)**: 화자와 임 사이의 사랑, 믿음	임에 대한 변함없는 **❻**　　　을 다짐함.
3연	• **대동강**: **❼**　　　의 공간(화자와 임을 갈라놓는 장소) • **곶(꽃)**: 화자의 질투를 유발하는 다른 여인	• 임 대신 애꿎은 사공을 원망하여, 떠나는 임에 대한 **❽**　　　을 드러냄. • 임이 대동강 건너편으로 가면 다른 여인을 만날 것이라는 질투의 마음을 드러냄.

❺ 생업

❻ 사랑

❼ 이별

❽ 원망

4일

1 다음은 서정 갈래의 특성을 정리한 것이다. 빈칸에 들어갈 적절한 말을 순서대로 쓰시오.

> • (ㅎㅈ)를 통해 작가의 생각과 정서를 주관적으로 표현함.
> • 비유와 상징 등을 사용하여 (ㅇㅊㅈ)인 언어로 표현함.
> • (ㅇㅇ)을 통해 리듬감 있는 언어로 표현함.

↓

'노래하기'의 갈래

2 서정 갈래의 하위 갈래와 그에 대한 설명을 바르게 연결하시오.

(1) 향가 •

(2) 한시 •

(3) 고려 속요 •

(4) 시조 •

(5) 현대 시 •

• ㉠ 향찰로 기록된 차자 문학임.

• ㉡ 분연체이며, 후렴구나 여음구가 사용됨.

• ㉢ 1910년대 중반에 등장한 자유로운 형식의 시임.

• ㉣ 고려 말에 성립하여 조선 시대에 크게 융성한 정형 시가임.

• ㉤ 고려 시대와 조선 시대의 지식인이 한문으로 창작하고 향유함.

〈서경별곡〉

3 다음은 고려 속요의 갈래상 특성을 정리한 메모이다. ⓐ~ⓔ 중, 이 시와 거리가 먼 것은?

> • 내용: ⓐ남녀 간의 사랑과 이별, 농경 생활을 바탕으로 한 효심, ⓑ자연에 대한 동경 등 다양함.
> • 형식: ⓒ3음보의 율격, 분연체 구성, ⓓ여음구 또는 후렴구 사용
> • 표현: 아름다운 우리말 사용, ⓔ꾸밈없는 생활 감정 표출

① ⓐ   ② ⓑ   ③ ⓒ   ④ ⓓ   ⑤ ⓔ

4 각 연에 나타난 화자의 태도를 다음과 같이 정리할 때, ㉠~㉤에 들어갈 말로 적절하지 <u>않은</u> 것은?

1연	삶의 터전인 (㉠)와/과 (㉡)하던 베를 버리고서라도 임을 따라가려 함.
2연	구슬, (㉢)에 빗대어 임에 대한 변함없는 (㉣)을 다짐함.
3연	이별을 안타까워하며 간접적으로 (㉤)에 대한 원망을 드러냄.

① ㉠: 서경   ② ㉡: 길쌈
③ ㉢: 끈   ④ ㉣: 사랑
⑤ ㉤: 사공

5 다음 고어 표현의 현대어 풀이가 맞으면 ○표, 틀리면 ×표를 하시오.

(1) 즈믄 히: 저문 해   (   )
(2) 고외마른: 사랑하지마는   (   )
(3) 여히므론: 이별하기보다는   (   )
(4) 좃니노이다: 끊어지겠습니까   (   )
(5) 외오곰 녀신들: 외로이 살아간들   (   )

[1 ~ 7] 다음 시를 읽고 물음에 답하시오.

셔경(西京)이 아즐가 셔경(西京)이 셔울히마르는
　위 두어렁셩 두어렁셩 다링디리
닷곤 ᄃᆡ 아즐가 닷곤 ᄃᆡ 쇼셩경 고외마른
　위 두어렁셩 두어렁셩 다링디리
여ᄒᆡ므론 아즐가 여ᄒᆡ므론 질삼뵈 ᄇᆞ리시고
　위 두어렁셩 두어렁셩 다링디리
괴시란ᄃᆡ 아즐가 괴시란ᄃᆡ 우러곰 좃니노이다
　위 두어렁셩 두어렁셩 다링디리

구스리 아즐가 구스리 바회예 디신ᄃᆞᆯ
　위 두어렁셩 두어렁셩 다링디리
긴힛ᄯᅡᆫ 아즐가 긴힛ᄯᅡᆫ 그츠리잇가 나ᄂᆞᆫ
　위 두어렁셩 두어렁셩 다링디리
즈믄 ᄒᆡ를 아즐가 즈믄 ᄒᆡ를 외오곰 녀신ᄃᆞᆯ
　위 두어렁셩 두어렁셩 다링디리
신(信)잇ᄃᆞᆫ 아즐가 신(信)잇ᄃᆞᆫ 그츠리잇가 나ᄂᆞᆫ
　위 두어렁셩 두어렁셩 다링디리

대동강(大同江) 아즐가 대동강(大同江) 너븐디 몰라셔
　위 두어렁셩 두어렁셩 다링디리
ᄇᆡ 내여 아즐가 ᄇᆡ 내여 노ᄒᆞᆫ다 샤공아
　위 두어렁셩 두어렁셩 다링디리
네 가시 아즐가 네 가시 럼난디 몰라셔
　위 두어렁셩 두어렁셩 다링디리
녈 ᄇᆡ예 아즐가 녈 ᄇᆡ예 연즌다 샤공아
　위 두어렁셩 두어렁셩 다링디리
대동강(大同江) 아즐가 대동강(大同江) 건넌편 고즐여
　위 두어렁셩 두어렁셩 다링디리
ᄇᆡ 타들면 아즐가 ᄇᆡ 타들면 것고리이다 나ᄂᆞᆫ
　위 두어렁셩 두어렁셩 다링디리
　　　　　　　　　　　– 작자 미상, 〈서경별곡〉

1 **이 시에 대한 설명으로 적절하지 <u>않은</u> 것은?**
빈출
유형
① 분연체이며 3음보의 율격을 지니고 있다.
② 여음구를 반복하여 운율을 형성하고 있다.
③ 구체적 지명을 제시해 사실감을 부여하고 있다.
④ 화자가 남녀 간의 감정을 절제하여 표현하고 있다.
⑤ 설의적 표현을 통해 화자의 믿음을 강조하고 있다.

각 연에 나타난 화자의 태도 파악하기

2 **각 연에 나타난 화자의 정서나 태도를 <u>잘못</u> 이해한 사람은?**
빈출
유형

① 서아
　1연에서 화자는 임이 떠난 공간에서 임을 그리워하고 있어.

② 지호
　1연에서 화자는 임과의 이별을 거부하는 태도를 드러내고 있군.

③ 하민
　2연에서 화자는 임에 대한 변함없는 사랑을 다짐하고 있군.

④ 나은
　3연에서 화자는 떠나는 임에 대한 원망을 다른 대상에게 돌리고 있어.

⑤ 은우
　3연에서 화자는 임이 다른 여인을 만나게 될 것이라고 질투하고 있구나.

후렴구의 특성 이해하기

3 **〈보기〉에서 설명하는 표현을 이 시에서 찾아 쓰시오.**

　보기
• 북소리를 표현하는 의성어로서 작품 전체에 경쾌한 리듬감을 더해 준다.
• 모든 행의 뒤에 붙어 행을 구별해 준다.

시어의 상징적 의미 파악하기

4
빈출
유형
이 시의 시어에 대한 설명으로 적절하지 않은 것은?

① '셔경'은 화자가 삶의 터전으로 삼고 있는 공간이다.

② '구슬'은 화자와 임 사이의 관계를 의미한다.

③ '바회'는 임에 대한 화자의 굳건한 믿음을 상징한다.

④ '비'는 임을 화자로부터 멀어지게 하는 수단에 해당한다.

⑤ '곶'은 임이 화자를 떠난 후 만나게 될 다른 여인을 의미한다.

두 작품을 비교하여 감상하기

5
이 시와 〈보기〉를 비교한 내용으로 적절하지 않은 것은?

┌─ 보기 ─

임이여 강을 건너지 마오.　　　公無渡河(공무도하)

임은 마침내 강을 건너는구료.　公竟渡河(공경도하)

물에 빠져 죽으니,　　　　　　墮河而死(타하이사)

이 내 임을 어이할꼬.　　　　　當奈公何(당내공하)

　　　　　　　　　　　　　　　– 작자 미상, 〈공무도하가〉

① 이 시와 〈보기〉 모두 화자가 원망하는 대상이 겉으로 드러나 있다.

② 이 시와 〈보기〉 모두 '강(물)'이 임과 화자를 갈라놓는 역할을 한다.

③ 이 시에는 〈보기〉와 달리 화자가 질투하는 대상이 드러나 있다.

④ 이 시에서는 〈보기〉와 달리 임에 대한 변함없는 사랑을 강조하고 있다.

⑤ 〈보기〉에서는 이 시와 달리 화자가 임에게 특정 행동을 하지 말라고 만류하고 있다.

[6~7] 〈서경별곡〉과 〈정석가〉를 읽고 물음에 답하시오.

므쇠로 한 쇼를 디여다가 / 므쇠로 한 쇼를 디여다가

텰슈산(鐵樹山)애 노호이다

그 쇠 텰초(鐵草)를 머거아 / 그 쇠 텰초(鐵草)를 머거아

유덕(有德)ㅎ신 님 여희ㅇ와지이다

구스리 바회예 디신들 / 구스리 바회예 디신들

긴힛든 그츠리잇가.

즈믄 히를 외오곰 녀신들 / 즈믄 히를 외오곰 녀신들

신(信)잇든 그츠리잇가

　　　　　　　　　　　– 작자 미상, 〈정석가〉 5연, 6연

두 작품을 비교하여 감상하기

6
빈출
유형
다음은 〈서경별곡〉과 〈정석가〉의 공통점과 차이점을 정리한 것이다. ⓐ~ⓔ 중에서 적절하지 않은 것은?

	〈서경별곡〉	〈정석가〉
공통점	ⓐ 변함없는 사랑을 비유적으로 표현함. ⓑ 설의적 표현을 통해 화자의 다짐을 드러냄. ⓒ 한 편의 노래가 여러 개의 연으로 분절됨.	
차이점	ⓓ 시의 내용과 관련 깊은 여음구를 사용하여 화자의 정서를 드러냄.	ⓔ 불가능한 상황을 설정하여 이별을 거부하는 화자의 의지를 드러냄.

① ⓐ　　② ⓑ　　③ ⓒ　　④ ⓓ　　⑤ ⓔ

고려 속요의 갈래상 특징 이해하기

7
〈보기〉의 빈칸에 적절한 말을 각각 쓰시오.

┌─ 보기 ─

〈서경별곡〉의 (　　　)연과 〈정석가〉의 (　　　) 연은 내용과 형식이 유사하다. 이는 구비 전승되는 과정에서 당시에 유행하던 노랫말이 (　　　)되어 서로 유사한 부분이 생겼다고 짐작할 수 있다.

5 일

(1) 서정 갈래의 흐름

생각열기 서정 갈래는 시대에 따라 어떻게 변화해 왔는가?

서정 갈래는 작가의 생각과 정서를 주관적으로 표현하는 갈래야.
우리 문학사에서 서정 갈래는 원시 시대부터 지금에 이르기까지 다양하게 전개되어 왔어.

향가(신라 시대)

아으 미타찰애 맛보올 내
도 닷가 기드리고다
　　　　　　 - 월명사, 〈제망매가〉

표기는 향찰로!

향가는 주로 승려가 지어서 불교적 내용을 담은 작품이 많아.

한시(고려~조선)

雨歇長堤草色多(우헐장제초색다)
送君南浦動悲歌(송군남포동비가)
大同江水何時盡(대동강수하시진)
別淚年年添綠波(별루년년첨록파)
　　　　　　 - 정지상, 〈송인〉

한글이 없던 시절에 지식인들은 한문으로 시를 지었구나.

여음구와 후렴구가 쓰여 리듬감이 느껴져.

고려 속요(고려 시대)

가시리 가시리잇고 나는
브리고 가시리잇고 나는
위 증즐가 대평셩디
　　　　　　 - 작자 미상, 〈가시리〉

이별에 슬퍼하는 평민의 감정이 느껴져.

제재 1 ② 고인도 날 못 보고(이황) ④ 한숨아 셰 한숨아(작자 미상)

1 제재 개관

	② 고인도 날 못 보고	④ 한숨아 셰 한숨아
갈래	평시조(연시조 중 1수), 사대부 시조	❶
길이	3장 6구 45자 내외	평시조에 비해 ❷ 이 훨씬 깊.
성격	의지적, 교훈적, 도학적	해학적, 정서적
주제	고인의 삶을 본받고자 하는 의지 (❸ 수양에 대한 의지)	그칠 줄 모르는 시름
특징	① 고인이 깨닫고자 했던 도(道)를 고인이 걷던 길로 비유적으로 표현함. ② 설의법을 활용하여 화자의 의지를 표현함. ③ ❹ 음보 율격을 지님.	① 생활 속의 사소한 사물들을 열거하여 진솔하고 생동감 있게 정서를 표현함. ② 한숨을 의인화하여 고달픈 삶의 애환을 해학적으로 표현함. ③ 4음보 율격에서 이탈하여 장형화된 형식임.

제재 2 모닥불(백석)

1 제재 개관

갈래	현대 시, 서정시, 산문시	성격	묘사적, 회상적, 산문적
제재	모닥불		
주제	❺ 과 어울림의 정신과, 할아버지의 슬픈 역사(우리 민족의 슬픈 역사)		
특징	① 평안도 방언을 사용하여 사실성과 향토성을 높임. ② 조사 '도'를 반복하고 대상을 ❻ 하여 시적 상황을 생생하게 표현함. ③ 지금 이곳의 상황 묘사와 과거 ❼ 으로 이루어짐.		

❺ 평등

❻ 열거

❼ 회상

2 이 시의 시상 전개

1연		2연		3연
보잘것없는 것들이 모여 타는 모닥불	➡	평등하게 어우러져 모닥불을 쬐는 사람들과 동물들	➡	모닥불에 얽힌 ❽ 의 슬픈 역사

❽ 할아버지

5일

㉮ 〈고인도 날 못 보고〉, ㉯ 〈한숨아 세 한숨아〉

1 (가), (나) 중에서 다음과 같은 특성이 나타나는 작품의 기호를 쓰시오.

(1) 3장 6구 45자 내외로 구성되어 있다. ( )

(2) 4음보 율격에서 벗어나 중장이 현저하게 길어졌다.
( )

(3) 일상적 언어와 잡다한 사물들이 사용되고 있다.
( )

(4) 사대부의 유교적 삶의 자세를 소재로 삼고 있다.
( )

2 다음은 (가), (나)에 나타난 화자의 처지와 심리를 정리한 것이다. ㉠, ㉡에 들어갈 적절한 말을 각각 쓰시오.

	화자의 처지	화자의 심리
(가)	고인을 볼 수 없음.	㉠
(나)	㉡	답답함. 시름에 잠김.

3 다음은 (가), (나)의 표현상 특징에 대한 설명이다. 이와 관련된 표현 방법의 유형을 〈보기〉에서 찾아 쓰시오.

┌ 보기 ┐
설의법   연쇄법   열거법   의인법
└─────────────────────┘

(1) (가)에서 초장 뒷부분 '나도 고인 못 뵈'가 중장 앞부분으로 이어지고, 중장 뒷부분 '녀든 길 알픠 잇닉'가 종장 앞부분으로 이어진다. ( )

(2) (가)에서 '아니 녀고 엇절고'와 같이 쉽게 판단할 수 있는 사실을 의문의 형식으로 표현하고 있다.
( )

(3) (나)에서 한숨을 가리켜 사람을 부르듯이 '네(너)'라고 표현하고 있다. ( )

(4) (나)에서 문과 창문, 잠그는 도구 등의 각종 사물들을 나열하고 있다. ( )

4 음보율을 고려하여 (가)를 끊어 읽기 적절한 곳에 V 표시를 하고, 몇 음보율인지 쓰시오.

┌─────────────────────────┐
고인(古人)도 날 못 보고 나도 고인 못 뵈
고인을 못 봐도 녀든 길 알픠 잇닉
녀든 길 알픠 잇거든 아니 녀고 엇절고
└─────────────────────────┘

( )음보율

〈모닥불〉

5 각 연에 나타난 소재의 상징적 의미를 〈보기〉에서 찾아 기호를 쓰시오.

┌ 보기 ┐
㉠ 모닥불을 피우는 보잘것없는 대상들
㉡ 슬픈 가족사 또는 우리 민족의 역사
㉢ 차별 없이 평등하게 모닥불을 쬐는 존재들
└─────────────────────────┘

(1) 1연 | 새끼오리, 헌신짝, 소똥, 갓신창, 개니빠디 등 | [ ]

(2) 2연 | 재당, 초시, 붓장사, 땜쟁이, 큰 개, 강아지 등 | [ ]

(3) 3연 | 할아버지 | [ ]

6 이 시의 표현상 특징을 파악하여 빈칸에 들어갈 적절한 말을 쓰시오.

(1) '새끼오리', '개니빠디'와 같은 (ㅍㅇㄷ) 방언을 사용하여 사실성과 향토성을 높이고 있다.

(2) '새끼오리도 헌신짝도 소똥도 갓신창도 개니빠디도…' 등과 같이 조사 '(ㄷ)'를 반복하여 운율을 형성하고 시적 상황을 효과적으로 표현하고 있다.

[1~3] 다음 시를 읽고 물음에 답하시오.

가 고인(古人)도 날 못 보고 나도 고인 못 뵈

　　고인을 못 봐도 녀든 길 알픠 잇닉

　　녀든 길 알픠 잇거든 아니 녀고 엇졀고

　　　　　　　　　　　　　　　– 이황, 〈고인도 날 못 보고〉

나 한숨아 셰 한숨아 네 어닉 틈으로 드러온다

　　고모장즈 셰살장즈 가로다지 여다지에 암돌져귀 수돌져
귀 비목걸새 쑥닥 박고 용(龍) 거북 즈물쇠로 수기수기 츠
엿눈듸 병풍(屛風)이라 덜걱 져븐 족자(簇子)ㅣ라 되되글
문다 네 어닉 틈으로 드러온다

　　어인지 너 온 날 밤이면 좀 못 드러 ᄒ노라

　　　　　　　　　　　　　　　– 작자 미상, 〈한숨아 셰 한숨아〉

1 (가)와 (나)의 갈래상 특성으로 적절하지 <u>않은</u> 것은?

① (가)와 (나)는 모두 종장의 첫 구가 3음절로 고정되어 있다.

② (가)는 4음보 율격인 데 비해, (나)는 4음보 율격에서 벗어나 있다.

③ (가)는 서민들의 일상과 삶의 애환을, (나)는 유교적 가치를 주로 노래하였다.

④ (가)는 주로 유학자나 양반이, (나)는 주로 중인이나 평민이 작자층을 형성하였다.

⑤ (나)가 (가)에 비해 시기적으로 늦게 등장하였다.

2 **빈출유형** (가)와 (나)의 표현상 특징으로 적절하지 <u>않은</u> 것은?

① (가)는 설의적 표현을 통해 화자의 의지를 드러내고 있다.

② (가)는 연쇄법을 사용하여 전체 내용을 긴밀하게 연결하고 있다.

③ (가)는 대구법을 사용하여 대상과 화자 사이의 거리를 표현하고 있다.

④ (나)는 대상을 의인화하여 대상에게 말을 건네듯이 표현하고 있다.

⑤ (나)는 여러 대상을 나열하여 화자의 상황을 객관적으로 그리고 있다.

3 **빈출유형** 〈보기〉의 빈칸에 적절한 내용을 3어절로 쓰시오.

> ● 보기 ●
>
> 　(가)의 화자는 '녀든 길'을 통해 '고인'과 이어질 수 있음을 깨닫는다. '고인(古人)'이 옛사람, 즉 유학의 공자, 맹자, 주자와 같은 성현을 의미한다고 할 때, '녀든 길'은 옛 성현들이 걸었던 (　　　　　　　　　) (으)로 해석할 수 있다.

[4~6] 다음 시를 읽고 물음에 답하시오.

　새끼오리도 헌신짝도 소똥도 갓신창도 개니빠디도 너울쪽
도 짚검불도 가락닢도 머리카락도 헝겊조각도 막대꼬치도
기왓장도 닭의 짖도 개터럭도 타는 모닥불

　재당도 초시도 문장(門長) 늙은이도 더부살이 아이도 새
사위도 갓사둔도 나그네도 주인도 할아버지도 손자도 붓장
사도 땜쟁이도 큰 개도 강아지도 모두 모닥불을 쪼인다

　모닥불은 어려서 우리 할아버지가 어미 아비 없는 서러운
아이로 불상하니도 몽둥발이가 된 ㉠슬픈 력사가 있다

– 백석, 〈모닥불〉

표현상 특징 파악하기

4 이 시의 표현상 특징으로 적절하지 <u>않은</u> 것은?

① 조사의 반복을 통해 운율을 형성하고 있다.
② 소재를 열거하여 현재의 상황을 묘사하고 있다.
③ 대상의 변화를 통해 시간의 흐름을 나타내고 있다.
④ 현재 상황에서 과거 회상으로 시상이 전환되고 있다.
⑤ 지역 방언을 사용하여 향토적 정서를 환기하고 있다.

소재의 상징적 의미 파악하기

5 이 시의 소재인 ⓐ~ⓒ를 중심으로 '모닥불'의 의미를 파
악한 것으로 적절하지 <u>않은</u> 것은?

① 일상에서 거의 쓸모가 없는 ⓐ를 태워 만든 것이다.
② 농촌 공동체를 이루는 구성원인 ⓑ가 모인 곳이다.
③ 어떠한 차별도 없이 ⓑ가 평등하게 어우러진 곳이다.
④ ⓑ가 민족의 밝은 미래를 위해 힘을 모으는 곳이다.
⑤ ⓒ의 슬픈 사연을 환기하는 매개체의 역할을 한다.

시구의 의미 파악하기

6 이 시가 1930년대에 창작된 작품임을 고려하여, ㉠이 의
미하는 바를 개인적 차원과 공동체적 차원으로 나누어 각
각 쓰시오.

제재 **3** 농무(신경림)

1 제재 개관

갈래	현대 시, 서정시, 농민 시	성격	사실적, 묘사적, 비판적
제재	농무		
주제	산업화 과정에서 소외된 ❶ □□들의 현실과 그것에 대한 비판		
특징	① 농민들의 소외된 현실을 직설적으로 드러내고 있음. ② ❷ □□적 상황을 통해 농민들의 심리를 효과적으로 드러냄. ③ 홍명희의 소설 〈임꺽정〉에 나오는 인물들을 끌어들이고 있음.		

❶ 농민

❷ 역설

2 공간의 이동에 따른 화자의 행동과 정서

행	장소	화자의 행동	화자의 정서
1~3행	운동장	농무 공연이 끝남.	공연 뒤의 ❸ □□□, 허탈감
4~6행	❹ □□□	술을 마심.	답답함, 고달픈 삶에 대한 원통함
7~16행	장거리	농악에 맞춰 나아감.	농촌의 현실에 대한 분노(울분), 체념, 자포자기
17~20행	도수장	농무를 춤.	울분과 한을 품고 있는 ❺ □□

❸ 쓸쓸함

❹ 소줏집

❺ 신명

3 이 시에 반영된 당대의 시대 상황과 작가의 태도

1960~1970년대의 시대 상황	시적 상황
• 산업화와 도시화가 진행되면서 공업에 주력하였고, 농민이 소외되어 살기 어려워짐. • 농민들이 대거 농촌을 떠나 도시로 향함.	• 발버둥 치며 농사를 짓는다 한들 ❻ □□□도 안 나옴. • 농악을 울리며 장거리에 나가도 조무래기들만 따라 붙음.

❻ 비룟값

⬇

시적 상황에 대한 화자의 원통함, 울분 등이 표출됨으로써,
소외된 농촌의 현실에 대한 작가의 ❼ □□□인 태도가 드러남.

❼ 비판적

4 '농무'의 의미

답답한 농촌의 현실에서 화자는 농무를 추며 점차 신명이 난다고 함.	➡	'농무'는 농민들이 ❽ □□을 표출하는 행위를 의미함.

❽ 울분

5일

〈농무〉

1 이 시의 표현상 특징에 해당하는 내용을 괄호 안에서 찾아 ○표를 하시오.

(1) 시상이 '운동장 → 소줏집 → 장거리 → 도수장'과 같이 (공간, 시간)의 이동에 따라 전개되고 있다.

(2) 화자를 '(나, 우리)'로 설정하여 농촌의 문제가 개인이 아닌 공동체 모두의 문제임을 보여 주고 있다.

(3) (비유적, 역설적) 상황을 설정하여 화자의 심리를 효과적으로 드러내고 있다.

2 다음 시구를 통해 알 수 있는 당시 농촌의 현실을 파악하여 빈칸에 들어갈 적절한 말을 쓰시오.

> (1) 따라붙어 악을 쓰는 건 쪼무래기들뿐

▶ 농민들의 (ㅇㄴ)으로 쓸쓸해진 농촌의 풍경

> (2) 비룟값도 안 나오는 농사

▶ 생계비조차 마련하기 어려운 (ㄱㅍ)한 농민의 상황

3 이 시의 시상 전개 과정에 따라 내용을 정리한 것이다. 빈칸에 들어갈 적절한 말을 쓰시오.

장소	화자의 행동	화자의 정서
운동장	농무 공연이 끝남.	쓸쓸함, 허탈감
소줏집	술을 마심.	답답함, (ㅇㅌㅎ)
장거리	농악에 맞춰 나아감.	분노, (ㅈㅍㅈㄱ)
도수장	농무를 춤.	신명이 남.

4 〈보기〉에서 설명하는 '이것'이 무엇인지 쓰시오.

> ● 보기 ●
> '이것'은 본래 풍물놀이에 맞추어 농민들이 흥겨운 신명을 표현하던 춤이다. 그러나 이 시에서 화자는 부정적 현실에서 '이것'을 추며 점차 신명이 난다고 하였다. 이로 미루어 보아 '이것'은 농민들의 울분과 한을 표출하기 위한 행위로 이해할 수 있다.

(   )

〈저문 강에 삽을 씻고〉

5 이 시의 화자에 대한 설명이 맞으면 ○표, 틀리면 ×표를 하시오.

(1) 화자는 삽질을 하며 생계를 이어 가는 가난한 노동자이다. (   )

(2) 화자는 일을 하는 도중에 잠시 강변에서 흐르는 물을 바라보고 있다. (   )

(3) 화자는 자신의 삶을 흐르는 '강물', 썩은 물에 뜬 '달'과 같다고 말하고 있다. (   )

6 다음은 이 시의 일부이다. 이 부분에 나타난 화자의 태도로 가장 적절한 것은?

> 강변에 나가 삽을 씻으며
> 거기 슬픔도 퍼다 버린다
> 일이 끝나 저물어
> 스스로 깊어 가는 강을 보며
> 쭈그려 앉아 담배나 피우고
> 나는 돌아갈 뿐이다. 〈중략〉
> 먹을 것 없는 사람들의 마을로
> 다시 어두워 돌아가야 한다

① 긍정적   ② 달관적   ③ 의지적
④ 적극적   ⑤ 체념적

[1~5] 다음 시를 읽고 물음에 답하시오.

가 징이 울린다 막이 내렸다

오동나무에 전등이 매어 달린 가설무대

구경꾼이 돌아가고 난 텅 빈 운동장

우리는 ㉠분이 얼룩진 얼굴로

학교 앞 소줏집에 몰려 술을 마신다

답답하고 고달프게 사는 것이 원통하다

꽹과리를 앞장세워 장거리로 나서면

따라붙어 악을 쓰는 건 쪼무래기들뿐

처녀 애들은 기름집 담벽에 붙어 서서

철없이 킬킬대는구나

보름달은 밝아 어떤 녀석은

┌ 껑정이처럼 울부짖고 또 어떤 녀석은

㉡ 서림이처럼 해해대지만 이까짓

└ 산 구석에 처박혀 발버둥 친들 무엇하랴

비룟값도 안 나오는 농사 따위야

아예 여편네에게나 맡겨 두고

쇠전을 거쳐 도수장 앞에 와 돌 때

우리는 점점 신명이 난다

한 다리를 들고 날라리를 불거나

고갯짓을 하고 어깨를 흔들거나

– 신경림, 〈농무〉

나 흐르는 것이 물뿐이랴

우리가 저와 같아서

강변에 나가 삽을 씻으며

거기 슬픔도 퍼다 버린다

일이 끝나 저물어

스스로 깊어 가는 강을 보며

쭈그려 앉아 담배나 피우고

나는 돌아갈 뿐이다

㉢삽자루에 맡긴 한 생애가

이렇게 저물고, 저물어서

㉣샛강 바닥 썩은 물에

달이 뜨는구나

우리가 저와 같아서

흐르는 물에 삽을 씻고

㉤먹을 것 없는 사람들의 마을로

다시 어두워 돌아가야 한다

– 정희성, 〈저문 강에 삽을 씻고〉

표현상 특징 파악하기

1 **(가)와 (나)의 공통점으로 적절하지 않은 것은?**

① 화자가 시의 표면에 드러나 있다.

② 공간의 이동에 따라 시상이 전개되고 있다.

③ 소외된 계층의 암울한 현실이 나타나 있다.

④ 화자의 정서가 직설적 표현을 통해 드러나 있다.

⑤ 설의적 표현을 통해 화자의 인식을 드러내고 있다.

시상 전개에 따른 내용 이해하기

2
빈출유형

(가)의 시상 전개 과정을 다음과 같이 정리할 때, ⓐ~ⓓ에 대한 설명으로 적절하지 <u>않은</u> 것은?

① ⓐ는 쇠락해 가는 농촌의 상황과 쓸쓸한 분위기를 보여 준다.

② ⓑ에서 현실에 대한 화자의 인식이 직접적으로 표출된다.

③ ⓒ에서 젊은이들이 도시로 떠난 농촌의 현실을 보여 준다.

④ ⓑ에서 촉발된 화자의 정서는 ⓓ에 이르러 최고조에 이른다.

⑤ ⓒ에 나타난 화자의 울분은 ⓓ에서 신명을 통해 완전히 해소되고 있다.

화자의 심리나 태도 파악하기

4
빈출유형

(가)의 화자와 (나)의 화자의 대화 내용으로 적절하지 <u>않은</u> 것은?

① (가): 농무 공연이 끝나고 소줏집에서 술을 마셔 보지만 답답하고 원통한 마음이 없어지지 않습니다.

② (나): 저는 하루의 일을 마치고 삽을 씻으면서 삶의 슬픔 또한 씻어 버리려 합니다.

③ (가): 저는 농사를 지어도 비룟값도 안 나오는 현실에 분노해 보지만 그래 봤자 무슨 소용이 있을까 싶습니다.

④ (나): 현실이 답답하지만 극복할 의지도 힘도 없어 그저 현실에 체념할 뿐입니다.

⑤ (가): 저는 농사일을 끝내고 농무를 신나게 추면서 노동의 피로를 풀고 삶의 활력을 얻습니다.

시구의 의미 파악하기

3 ㉠~㉤의 내용을 <u>잘못</u> 이해한 사람은?

① 서준
㉠에서 '분'은 분장 또는 농민들의 분노와 같이 중의적으로 해석할 수 있어.

② 하연
㉡에서 화자는 농촌의 현실이 '꺽정'이 살던 시대와 다를 바 없다고 여기며 분노하고 있어.

③ 수지
㉢을 통해 화자가 삽질을 하며 생계를 이어 가는 노동자임을 알 수 있어.

④ 은우
㉣은 '달'에 빗대어 희망을 잃지 않는 도시 노동자의 모습을 나타내고 있어.

⑤ 나은
㉤은 가난한 마을로 돌아가야 하는 노동자의 힘겨운 모습을 보여 주고 있어.

화자의 설정 의도 파악하기

5
빈출유형

다음은 한 학생이 (가), (나)에서 화자를 '나'가 아닌 '우리'로 설정한 까닭을 설명한 것이다. 〈보기〉를 참고하여 빈칸에 적절한 말을 각각 쓰시오.

> ● 보기 ●
>
> 1960~1970년대 당시 우리 사회는 산업화와 도시화에 힘을 기울였다. 외국에서 수입된 엄청난 양의 잉여 농산물과 [●]저곡가 정책으로 농민은 생계비조차 마련하기 어려웠다. 살기 어려워진 농민들은 차츰 도시로 떠났고, 이들의 대다수는 일용직을 전전하며 궁핍하게 살아가는 도시 노동자로 전락하였다.

● **저곡가 정책** 농산물 저가격 정책. 1950년대 이후 정부가 농산물 가격을 낮은 수준으로 유지하여 안정화하고자 한 농업 정책의 기조.

1960~1970년대 산업화와 도시화 과정에서 소외된 농민과 도시 노동자의 문제가 어느 한 ( ) 의 문제가 아니라 ( ) 전체의 문제임을 드러내기 위해서야.

1 다음 시에 사용된 표현 방법에 대한 설명으로 적절하지 않은 것은?

> 나무들은 눈을 감고 있을 것이다.
>
> 너의 예쁜 감은 눈.
>
> 너, 아니?
>
> 네 감은 눈이 얼마나 예쁜지.
>
> – 황인숙, 〈봄눈 오는 밤〉

① 대상을 불러 주의를 환기하는 돈호법이 사용되었다.

② 어순을 의도적으로 바꾸어 표현하는 도치법이 사용되었다.

③ 말하고자 하는 내용과 반대로 표현하는 반어법이 사용되었다.

④ 대상을 사람에 빗대어 친근감을 나타내는 의인법이 사용되었다.

⑤ 한 시어에 두 가지 이상의 뜻을 담아 표현하는 중의법이 사용되었다.

2 '나'가 생각하는 ㉠의 기준으로 가장 적절한 것은?

> 나는 어른들과 당당하게 그런 내기 화투를 칠 수 있어도 형은 군에서 마지막 휴가를 나오던 때에도 그랬고, 제대 후 다시 학교를 다니던 때에도 어른들의 그런 놀이판에 끼고 싶어도(하기야 그러고 싶어 할 사람도 아니지만) 낄 수가 없는 것이었다. 왜냐하면 스물 몇 살이 되어도 형은 아직 집에서 돈을 물어가는 아이지 돈을 버는 어른이 아니기 때문이다. 그게 ㉠농경 사회에서의 아이와 어른의 구분이었다.
>
> – 이순원, 〈19세〉

① 나이　　② 경제권　　③ 군 경력

④ 화투 실력　　⑤ 농사짓는 능력

[3~4] 다음 글을 읽고 물음에 답하시오.

시속 100킬로미터 정도의 속력에 그렇게 많은 풀벌레가 짓이겨졌다는 것도 믿기 어려웠지만, ㉠이런 살상의 경험을 모든 운전자들이 초경처럼 겪었으리라는 사실이야말로 나에게는 예상치 못한 충격이었다. 인간에게 안락한 공간이 다른 생명을 해칠 수도 있다는 자각이 그제야 찾아왔다. 〈중략〉

운전을 시작하기 전까지 나는 걷기 예찬자였고, 인공적인 공간보다는 자연 속에 머물기를 누구보다 좋아했다. 그러나 차를 소유하고부터는 생태적인 어떤 발언도 할 자격이 없다는 생각이 들곤 한다. 차를 소유하되 그에 종속되지 않는다는 것, 이런 아슬아슬한 줄타기가 앞으로 얼마나 지속될 수 있을지 모르겠다. 다만 그날 아침의 풀 비린내가 원죄 의식처럼 내 손에 남아 있을 따름이다.

– 나희덕, 〈풀 비린내에 대하여〉

3 ㉠이 글쓴이에게 끼친 영향으로 가장 적절한 것은?

① 과속 운전을 하지 않기로 결심하였다.

② 자동차를 안락한 공간으로 인식하게 되었다.

③ 자동차를 소유하되 종속되지 않으려 하였다.

④ 자동차에 대해 모순된 욕망을 가지게 되었다.

⑤ 자동차를 버리고 걷기 예찬자가 되기로 하였다.

4 다음은 글쓴이와 독자가 주고받은 대화의 일부이다. 빈칸에 적절한 말을 3어절로 쓰시오.

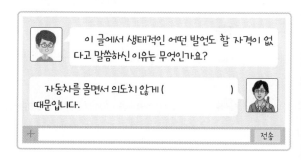

이 글에서 생태적인 어떤 발언도 할 자격이 없다고 말씀하신 이유는 무엇인가요?

자동차를 몰면서 의도치 않게 (　　　　　　) 때문입니다.

5 다음 시에서 농민들을 바라보는 화자의 태도로 가장 적절한 것은?

> 옹헤야 소리 내며 발맞추어 두드리니
> 삽시간에 보리 낟알 온 사방에 가득하네
> 주고받는 노랫가락 점점 높아지는데
> 보이느니 지붕까지 날으는 보리 티끌
> 그 기색 살펴보니 즐겁기 짝이 없어
> 마음이 몸의 노예 되지 않았네
>
> – 정약용, 〈보리타작〉

① 비판적　　② 냉소적　　③ 중립적
④ 긍정적　　⑤ 동정적

6 ㉠~㉤ 중, 소재의 상징적 의미가 나머지와 <u>다른</u> 것은?

> 잡거니 밀거니 놉픈 뫼히 올라가니
> ㉠구롬은 크니와 ㉡안개는 므스 일고
> 山산川쳔이 어둡거니 ㉢日일月월을 엇디 보며
> 咫지尺척을 모르거든 千쳔 里리를 브라보랴
> 출하리 믈ᄀ의 가 빗길히나 보쟈 ᄒ니
> ㉣ᄇ람이야 ㉤믈결이야 어둥졍 된뎌이고
> 샤공은 어듸 가고 빈 ᄇᆡ만 걸렷ᄂᆞᆫ고
>
> – 정철, 〈속미인곡〉

① ㉠　　② ㉡　　③ ㉢　　④ ㉣　　⑤ ㉤

[7 ~ 8] 다음 글을 읽고 물음에 답하시오.

　그의 이름은 유재필(兪哉弼)이다. 1941년 홍성군 광천에서 태어나 보령군 대천에 와서 자라고 배웠다. 그리고 그 나머지는 서울에서 살았다. 그는 어려서부터 타고난 총기와 숫기로 또래에서 별쭝맞고 무리에서 두드러진 바가 있어, 비색한 가운과 불우한 환경 속에서도 여러모로 일찍 터득하고 앞서 나아감에 따라 소년 시절은 장히 숙성하고, 청년 시절은 자못 노련하고, 장년에 들어서는 속절없이 노성하였으니, 무릇 이것이 그가 보통 사람 가운데서도 항상 깨어 있는 삶을 살게 된 바탕이었다. 〈중략〉

　그러므로 주변머리 없이 기대거나 자발머리없이 나대어서 남을 폐롭히거나 누를 끼치는 자는 반드시 장마에 물걸레처럼 쳐다보기를 한결같이 하였고, 분수없이 남을 제치거나 밟고 일어서서 섣불리 무엇인 척하고 으스대는 자는 《삼국지》에서 조조 망하기를 기다리듯 미워하여 매양 속으로 밑줄을 그어 두기에 소홀함이 없었다.　　　– 이문구, 〈유자소전〉

7 '유재필'에 대해 이해한 내용으로 적절하지 <u>않은</u> 것은?
① 홍성군 광천에서 태어났다.
② 경제적으로 어려운 환경에서 자랐다.
③ 어렸을 때부터 총명하고 활달하였다.
④ 남에게 해를 끼치는 사람들을 싫어하였다.
⑤ 남을 제치고 일어서서 우쭐거리곤 하였다.

8 이 글의 특징을 파악하여 빈칸에 적절한 말을 각각 쓰시오.

이 글은 한문 산문의 (　　　) 양식을 계승한 작품으로, 서술자는 주인공을 (　　　)으로 평가하고 있어.

[1~2] 다음 시를 읽고 물음에 답하시오.

방금 세일에서 건진 고흐의 복사화
〈별 빛나는 하늘 아래 편백나무 길〉
한가운데 편백나무 두 줄기가
서로 얼싸안고 하나로 붙어 서 있는
밀밭 앞길로 / 위태한 마차 한 대 굴러오고,
하나는 삽을 메고
하나는 주머니에 두 손 찌른 채
농부 둘이 걸어오고 있다.
하늘 위에 별이라곤
왼편 귀퉁이에 희미한 것 하나만 박혀 있고
(별나라엔들 외로운 별 없으랴)
나머지는 모두 모여 해와 달이 되어 빛나고 있다.
빛나라, 별들이여, 빛나라, 편백나무여,
세상에 빛나지 않는 게 어디 있는가.
있다면, 고흐가 채 다녀가지 않았을 뿐.
농부들을 붙들고 묻는다,
'저 별들이 왜 환하게 노래하고 있지요?'
'세상에 노래하지 않는 별이 어디 있소?'
빛나라, 보리밭이여, 빛나라, 외로운 별이여,
빛나라, 늘 걷는 길을 걷다
이상한 사람 만난 농부들이여.

　　　　　　– 황동규, 〈세일에서 건진 고흐의 별빛〉

1 **이 시의 표현상 특징을 모두 골라 바르게 묶은 것은?**

> ㄱ. 공간이 지닌 상징적 의미를 강조하고 있다.
> ㄴ. 화자의 시선 이동에 따라 대상을 묘사하고 있다.
> ㄷ. 열거와 반복을 통해 주제 의식을 강조하고 있다.
> ㄹ. 수미상관 구조를 통해 형태적 안정감을 주고 있다.

① ㄱ, ㄴ 　　② ㄱ, ㄷ 　　③ ㄴ, ㄷ
④ ㄴ, ㄹ 　　⑤ ㄷ, ㄹ

2 **이 시에 묘사된 그림 속 대상이 <u>아닌</u> 것은?**

① 편백나무 두 줄기
② 하늘 위 왼쪽 귀퉁이의 희미한 별
③ 대화를 하며 길을 걷는 농부 두 명
④ 밀밭의 앞길로 굴러오는 마차 한 대
⑤ 별들이 모여서 빛나고 있는 해와 달

3 **다음 장면의 ㉠에 사용된 연출 방법을 파악하여 빈칸에 적절한 말을 쓰시오.**

> **S# 56** **반촌 내 도축소(낮)**
>
> **한가 놈** (떠오른 듯) 허나……! 이미 오늘! 이신적이 거래를 하기로 하지 않았습니까!
>
> **가리온** (쿵!) ……!
>
> **S# 59** **반촌 내 도축소 (낮)**
>
> S# 56 연결.
>
> **가리온** (위기감 가득한 얼굴로 벌떡 일어나며) 이도와 거래를 해서는 안 된다. 이신적을 막아야 해! 당장 중지시키거라, 당장!
>
> ㉠웃으며 가는 이도와 심각한 가리온에서 엔딩.
>
>
>
> 　　　　　– 김영현·박상연, 〈뿌리 깊은 나무〉

▶ ㉠에 쓰인 연출 방법을 (　　　　　　)이라고 한다. 이를 통해 한 공간에 있지 않은 인물 두 명이 어떻게 다른 모습으로 현재의 상황에 대응하는지를 효과적으로 보여 줄 수 있다.

정답과 해설 100쪽

4 다음 시에 나타난 표현상 특징으로 적절하지 <u>않은</u> 것은?

> 고인(古人)도 날 못 보고 나도 고인 못 봬
>
> 고인을 못 봐도 녀든 길 알픠 잇늬
>
> 녀든 길 알픠 잇거든 아니 녀고 엇절고
>
>   – 이황, 〈고인도 날 못 보고〉

① 3장 6구 45자 내외로 구성되어 있다.

② 3음보의 율격을 살려 리듬감을 형성하고 있다.

③ 설의적 표현을 통해 주제 의식을 강조하고 있다.

④ 대구법을 사용하여 대상과 화자 간의 거리를 나타내고 있다.

⑤ 앞 구절의 말을 다음 구절의 첫 부분에서 반복해 내용을 연결해 가고 있다.

5 다음 시에서 화자가 말하고자 하는 바로 가장 적절한 것은?

> 구스리 아즐가 구스리 바회예 디신둘
>
>   위 두어렁셩 두어렁셩 다링디리
>
> 긴힛뚠 아즐가 긴힛뚠 그츠리잇가 나는
>
>   위 두어렁셩 두어렁셩 다링디리
>
> 즈믄 히를 아즐가 즈믄 히를 외오곰 녀신둘
>
>   위 두어렁셩 두어렁셩 다링디리
>
> 신(信)잇둔 아즐가 신(信)잇둔 그츠리잇가 나는
>
>   위 두어렁셩 두어렁셩 다링디리
>
>   – 작자 미상, 〈서경별곡〉

① 떠나는 임에 대한 원망

② 이별한 임에 대한 그리움

③ 임에 대한 변치 않는 사랑

④ 외로운 자신의 처지에 대한 한탄

⑤ 이별을 적극적으로 거부하는 자세

6 다음 시에 나타난 표현 방법을 파악하여 빈칸에 적절한 말을 각각 쓰시오.

> 재당도 초시도 문장(門長) 늙은이도 더부살이 아이도 새사위도 갓사둔도 나그네도 주인도 할아버지도 손자도 붓장사도 땜쟁이도 큰 개도 강아지도 모두 모닥불을 쪼인다
>
>   – 백석, 〈모닥불〉

(   )의 방식을 사용하여 사람들과 짐승들이 평등하게 어우러져 모닥불을 쪼이고 있는 상황을 드러내고 있어.

또 (   )를 반복하여 시적 상황을 잘 드러내고 운율을 형성하고 있어.

7 다음 시에서 시적 상황에 대한 화자의 태도로 가장 적절한 것은?

> 보름달은 밝아 어떤 녀석은
>
> 꺽정이처럼 울부짖고 또 어떤 녀석은
>
> 서림이처럼 해해대지만 이까짓
>
> 산 구석에 처박혀 발버둥 친들 무엇하랴
>
> 비룟값도 안 나오는 농사 따위야
>
> 아예 여편네에게나 맡겨 두고
>
>   – 신경림, 〈농무〉

① 긍정적 태도   ② 반성적 태도

③ 의지적 태도   ④ 자조적 태도

⑤ 희망적 태도

[1~2] 다음 시를 읽고 물음에 답하시오.

가 인생은 살기 어렵다는데
　시가 이렇게 쉽게 씌어지는 것은
　부끄러운 일이다.

　육첩방은 남의 나라
　창밖에 밤비가 속살거리는데,

　등불을 밝혀 ㉠어둠을 조금 내몰고,
　시대처럼 올 ㉡아침을 기다리는 최후의 나,

　나는 나에게 작은 손을 내밀어
　눈물과 위안으로 잡는 최초의 악수.

　　　　　　　　　　– 윤동주, 〈쉽게 씌어진 시〉

나 茅모簷쳠 춘 자리의 밤듕만 도라오니
　半반壁벽靑청燈등은 눌 위ᄒ야 ᄇᆞᆯ갓ᄂᆞᆫ고
　오ᄅᆞ며 ᄂᆞ리며 헤쓰며 바자니니
　져근덧 力녁盡진ᄒ야 풋ᄌᆞᆷ을 잠간 드니
　精정誠셩이 지극ᄒ야 ᄭᅮᆷ의 님을 보니
　玉옥 ᄀᆞᆮ튼 얼구리 半반이 나마 늘거셰라
　ᄆᆞᄋᆞᆷ의 머근 말ᄉᆞᆷ 슬ᄏᆞ장 ᄉᆞᆲ쟈 ᄒᆞ니
　눈믈이 바라 나니 말ᄉᆞᆷ인들 어이ᄒ며
　情졍을 못다ᄒ야 목이조차 몌여 ᄒ니
　오뎐된 鷄계聲셩의 ᄌᆞᆷ은 엇디 ᄭᆡ돗던고
　어와 虛허事ᄉᆞ로다 이 님이 어ᄃᆡ 간고
　결의 니러 안자 窓창을 열고 ᄇᆞ라보니
　어엿븐 그림재 날 조출 ᄲᅮᆫ이로다
　ᄎᆞᆯ하리 ᄉᆡ여디여 落낙月월이나 되야이셔
　님 겨신 窓창 안ᄒᆡ 번드시 비최리라
　각시님 ᄃᆞᆯ이야ᄏᆞ니와 구즌비나 되쇼셔

　　　　　　　　　　– 정철, 〈속미인곡〉

1 **창의 융합** (가)의 화자와 (나)의 화자가 겪고 있는 문제와 대처 방식을 다음과 같이 정리할 때, ⓐ와 ⓑ에 들어갈 적절한 내용을 각각 쓰시오.

	화자가 겪고 있는 문제	화자의 대처 방식
(가)	내면적 자아와 현실적 자아의 갈등	ⓐ
(나)	ⓑ	죽어서라도 임에게 다가가고 싶어 함.

2 **창의** 다음은 (가)를 읽은 학생들의 대화이다. 밑줄 친 부분에 들어갈 적절한 내용을 〈조건〉에 맞게 서술하시오.

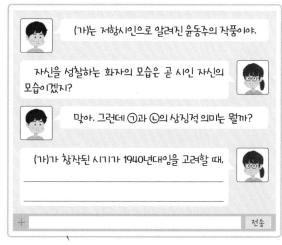

(가)는 저항시인으로 알려진 윤동주의 작품이야.

자신을 성찰하는 화자의 모습은 곧 시인 자신의 모습이겠지?

맞아. 그런데 ㉠과 ㉡의 상징적 의미는 뭘까?

(가)가 창작된 시기가 1940년대임을 고려할 때,
_____

＋ 　　　　　　　　　　전송

조건
'㉠은 …을/를 상징하고, ㉡은 …을/를 상징하지.'와 같은 문장 형식으로 쓸 것.

6일

[3~4] 다음 글을 읽고 물음에 답하시오.

가 몇 번씩이나 옥상에 얼굴을 디밀고 일의 진척 상황을 살피던 아내도 마침내 질렸다는 듯 입을 열었다.

"대강 해 두세요. 날도 어두워졌는데 어서들 내려오시라구요."

"다 되어 갑니다, 사모님. 하던 일이니 깨끗이 손봐 드려얍지요."

다시 방수액을 부어 완벽을 기하고 이음새 부분은 손가락으로 몇 번씩 문대어보고 나서야 임 씨는 허리를 일으켰다. 임 씨가 일에 몰두해 있는 동안 그는 숨소리조차 내지 않고 일하는 양을 지켜보았다. 저 열 손가락에 박인 공이의 대가가 기껏 지하실 단칸방만큼의 생활뿐이라면 좀 너무하지 않나 하는 안타까움이 솟아오르기도 했다. 목욕탕 일도 그러했지만 이 사람의 손은 특별한 데가 있다는 느낌이었다. 자신이 주무르고 있는 일감에 한 치의 틈도 없이 밀착되어 날렵하게 움직이고 있는 임 씨의 열 손가락은 손가락 이상의 그 무엇이었다.

나 "가리봉동에 가면 곰국이 나와요?"

임 씨가 따라 주는 잔을 받으면서 그는 온몸을 휘감는 술기운에 문득 머리를 내둘렀다. 아까부터 비 오는 날에는 가리봉동에 간다는 임 씨의 말이 술기운과 더불어 떠올랐다.

"곰국만 나오나. 큰놈 자전거도 나오고 우리 농구 선수 운동화도 나오지요. 마누라 빠마값도 쑥 빠집니다요. 자그마치 팔십만 원이오, 팔십만 원. 제기랄. 쉐타 공장 하던 놈한테 일 년 내 연탄을 대 줬더니 이놈이 연탄값 떼어먹고 야반도주했어요. 공장이 망했다고 엄살을 까길래, 내 마음인들 좋았겠소. 근데 형씨. 아, 그놈이 가리봉동에 가서 더 크게 공장을 차렸지 뭡니까. 우리네 노가다들, 출신이 다양해서 그런 소식이야 제꺼덕 들어오지, 뭐."

— 양귀자, 〈비 오는 날이면 가리봉동에 가야 한다〉

3 **창의 융합** 이 글의 '임 씨'를 다음 회사에 추천하려고 한다. 추천하고 싶은 직군과 그 이유를 〈조건〉에 맞게 서술하시오.

> **사원 모집 공고**
> - **직군:** 영업직, 고객 상담직, 건물 수리직
> - **요건:** – 영업직 이외의 직군은 경력자만 지원 가능
>   – 영업직은 잦은 출장이 가능한 사람 우대
>   – 성실하고 책임감이 강한 사람
>
> ○○ 건설

> **조건**
> 1. 임 씨의 경험과 성품을 고려하여 추천 이유를 쓸 것.
> 2. '임 씨를 …직에 추천하겠다. 그 이유는 임 씨는 … 사람이기 때문이다.'의 문장 형식으로 쓸 것.

4 **창의 코딩** 다음 도표를 참고하여, 이 글의 제목이 담고 있는 의미를 〈조건〉에 맞게 서술하시오.

비 오는 날	가리봉동
일을 할 수 없음.	연탄값을 떼먹은 공장 사장이 있는 곳임.

가야 한다

> **조건**
> 1. '임 씨'와 '공장 사장'이 대표하는 계층을 밝혀 쓸 것.
> 2. '가야 한다'에 담긴 임 씨의 심정을 고려하여 쓸 것.

[5~6] 다음 시를 읽고 물음에 답하시오.

가 방금 세일에서 건진 고흐의 복사화
　〈별 빛나는 하늘 아래 편백나무 길〉
　한가운데 편백나무 두 줄기가
　서로 얼싸안고 하나로 붙어 서 있는
　밀밭 앞길로 / 위태한 마차 한 대 굴러오고,
　하나는 삽을 메고 / 하나는 주머니에 두 손 찌른 채
　농부 둘이 걸어오고 있다.　　　　　　　　[A]
　하늘 위에 별이라곤
　왼편 귀퉁이에 희미한 것 하나만 박혀 있고
　(별나라엔들 외로운 별 없으랴)
　나머지는 모두 모여 해와 달이 되어 빛나고 있다.
　빛나라, 별들이여, 빛나라, 편백나무여,
　세상에 빛나지 않는 게 어디 있는가.　　　[B]
　있다면, 고흐가 채 다녀가지 않았을 뿐.
　농부들을 붙들고 묻는다,
　'저 별들이 왜 환하게 노래하고 있지요?'
　'세상에 노래하지 않는 별이 어디 있소?'
　빛나라, 보리밭이여, 빛나라, 외로운 별이여,
　빛나라, 늘 걷는 길을 걷다
　이상한 사람 만난 농부들이여.
　　　　　　　　　－ 황동규, 〈세일에서 건진 고흐의 별빛〉

나 드문드문 세상을 끊어내어 / 한 며칠 눌렀다가
　벽에 걸어 놓고 바라본다.
　흰 하늘과 쭈그린 아낙네 둘이
　벽 위에 납작하게 뻗어 있다.
　가끔 심심하면
　여편네와 아이들도 한 며칠 눌렀다가 벽에 붙여 놓고
　하나님 보시기 어떻습니까?
　조심스럽게 물어본다.
　　　　　　　　　－ 김혜순, 〈납작납작 – 박수근 화법을 위하여〉

5
융합
코딩
다음은 (가)와 (나)에 대해 분석한 구조도이다. '결론'에 들어갈 적절한 내용을 〈조건〉에 맞게 서술하시오.

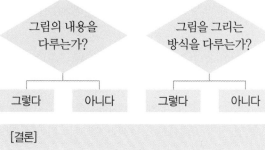

[문제] (나)는 (가)와 어떤 공통점과 차이점이 있는가?

그림의 내용을 다루는가?		그림을 그리는 방식을 다루는가?	
그렇다	아니다	그렇다	아니다

[결론]

조건
1. (가)와 (나)의 공통점과 차이점을 구체적으로 쓸 것.
2. '(나)는 (가)와 … 점에서 유사하고, (나)는 … 점에서 (가)와 다르다.'의 문장 형식으로 쓸 것.

6
창의
(가)의 내용 구조를 다음과 같이 정리할 때, ㉠과 ㉡에 들어갈 적절한 내용을 〈조건〉에 맞게 쓰시오.

시상의 시작	세일하여 파는 고흐의 복사화를 구매함.
시상의 전개	(　　　　㉠　　　　)
주제 의식의 발견 및 강조	• 빛나는 것들에 대한 통찰: (　㉡　) • 농부들과의 대화를 통해 주제 의식 강조

조건
1. ㉠에는 [A]의 내용을 정리하여 쓸 것.
2. ㉡에는 [B]에 나타난 화자의 생각을 쓸 것.

[7~8] 다음 시를 읽고 물음에 답하시오.

가 셔경(西京)이 아즐가 셔경(西京)이 셔울히마르는
　　　위 두어렁셩 두어렁셩 다링디리
　　서곤 되 아즐가 닷곤 되 쇼셩경 고외마른
　　　위 두어렁셩 두어렁셩 다링디리
　　여히므론 아즐가 여히므론 질삼뵈 브리시고　[A]
　　　위 두어렁셩 두어렁셩 다링디리
　　괴시란되 아즐가 괴시란되 우러곰 좃니노이다
　　　위 두어렁셩 두어렁셩 다링디리

　　구스리 아즐가 구스리 바회예 디신들
　　　위 두어렁셩 두어렁셩 다링디리
　　긴힛똔 아즐가 긴힛똔 그츠리잇가 나는
　　　위 두어렁셩 두어렁셩 다링디리　　　　　　[B]
　　즈믄 히를 아즐가 즈믄 히를 외오곰 녀신들
　　　위 두어렁셩 두어렁셩 다링디리
　　신(信)잇든 아즐가 신(信)잇든 그츠리잇가 나는
　　　위 두어렁셩 두어렁셩 다링디리

　　　　　　　　　　　　　　　　－ 작자 미상, 〈서경별곡〉

나 므쇠로 한 쇼를 디여다가
　　므쇠로 한 쇼를 디여다가
　　텰슈산(鐵樹山)애 노호이다.
　　그 쇼 텰초(鐵草)를 머거아　　　　　　　[C]
　　그 쇼 텰초(鐵草)를 머거아
　　유덕(有德)한신 님 여히 아와지이다

　　구스리 바회예 디신들
　　구스리 바회예 디신들
　　긴힛든 그츠리잇가.
　　즈믄 히를 외오곰 녀신들　　　　　　　　[D]
　　즈믄 히를 외오곰 녀신들
　　신(信)잇든 그츠리잇가

　　　　　　　　　　　　　　　　－ 작자 미상, 〈정석가〉

7 다음은 [A]와 [C]에 나타난 화자의 태도에 대한 학생들의
창의 대화이다. 밑줄 친 부분에 들어갈 학생의 말을 〈조건〉에
융합 맞게 서술하시오.

> 두 화자는 모두
> 임과의 이별을
> 거부하고 있어.

> 하지만
> 두 화자가 보이는
> 구체적인 행동에는
> 차이가 있어.

> 맞아. _____
> _____
> _____

－ 조건 －
1. [A], [C]에 나타난 화자의 행동을 구체적으로 쓸 것.
2. '[A]에서 화자는 … 말하고 있고, [C]에서 화자는 …
　 말하고 있지.'의 문장 형식으로 쓸 것.

8 〈보기〉를 참고하여 [B]와 [D]의 내용, 형식이 유사한 까닭
융합 을 〈조건〉에 맞게 서술하시오.

－ 보기 －
　　고려 속요는 대개 오랜 시간 구비 전승되어 온 민요
중 일부가 궁중의 연회 음악에 수용되는 과정에서 변
화를 겪으며 이루어졌다. 원래의 민요가 그대로 궁중
음악이 될 수도 있었지만, 어떤 작품은 내용이 첨삭되
거나 당시에 유행하던 노랫말이 중복 사용되기도 하
였다.

－ 조건 －
1. 고려 속요의 전승 과정에 주목하여 쓸 것.
2. '… 과정에서 … 것이라고 추측할 수 있다.'의 문장
　 형식으로 쓸 것.

[1~2] 다음 글을 읽고 물음에 답하시오.

가 길 건너 숲속, / 봄눈 맞는 나무들.
마른풀들이 가볍게 눈을 떠받쳐 들어
발치가 하얗다.

나무들은 눈을 감고 있을 것이다.
너의 예쁜 감은 눈.
너, 아니? / 네 감은 눈이 얼마나 예쁜지.

눈송이들이 줄달음쳐 온다.
네 감은 눈에 입 맞추려고.
나라도 그럴 것이다!
오, 네 예쁜, 감은 눈,
에 퍼붓는 봄눈!   – 황인숙, 〈봄눈 오는 밤〉

나 밤에 고속 도로를 달리는데 차창에 무언가 타닥타닥 부딪치는 소리가 났다. 처음엔 그저 속도 때문에 모래 알갱이 같은 게 튀는 소리려니 했다.

다음 날 아침 출근을 하려는데 유리창은 물론이고 앞범퍼에 푸르죽죽한 것들이 잔뜩 엉겨 있었다. 그것은 흙먼지가 아니라 수많은 풀벌레들이 달리는 차체에 부딪혀 죽은 잔해였다. 마치 거대한 모터 주위에 두껍게 쌓여 있는 먼지 뭉치처럼 말이다. 그것을 닦아 내려다 나는 지난밤 엄청난 범죄라도 저지른 사람처럼 손발이 후들후들 떨려 도망치듯 세차장으로 갔다. 그러나 세차 기계의 물살에도 엉겨 붙은 풀벌레들의 흔적은 완전히 지워지지 않았다. 운전대를 잡을 때마다 풀 비린내는 몸서리치는 기억으로 남았고, 나는 손을 씻고 또 씻었다.

시속 100킬로미터 정도의 속력에 그렇게 많은 풀벌레가 짓이겨졌다는 것도 믿기 어려웠지만, 이런 살상의 경험을 모든 운전자들이 초경처럼 겪었으리라는 사실이야말로 나에게는 예상치 못한 충격이었다. 인간에게 안락한 공간이 다른 생명을 해칠 수도 있다는 자각이 그제야 찾아왔다. 〈중략〉

운전을 시작하기 전까지 나는 걷기 예찬자였고, 인공적인 공간보다 자연 속에 머물기를 누구보다 좋아했다. 그러나 차를 소유하고부터는 생태적인 어떤 발언도 할 자격이 없다는 생각이 들곤 한다. 차를 소유하되 그에 종속되지 않는다는 것, 이런 아슬아슬한 줄타기가 앞으로 얼마나 지속될 수 있을지 모르겠다. 다만 그날 아침의 풀 비린내가 원죄 의식처럼 운전대를 잡은 내 손에 남아 있을 따름이다.

– 나희덕, 〈풀 비린내에 대하여〉

1 (가)의 화자(A)와 (나)의 글쓴이(B)에 대한 설명으로 가장 적절한 것은?

① A는 B와 달리 자연 현상을 통해 윤리적 가치를 발견하고 있다.
② A는 B와 달리 자연과 인간의 대비를 통해 삶의 의미를 깨닫고 있다.
③ B는 A와 달리 자연물에 대한 강한 관심과 애정을 지니고 있다.
④ B는 A와 달리 자신의 행동에 대한 성찰적 태도를 보이고 있다.
⑤ A와 B 모두 자연물에 대해 그릇된 편견을 가졌던 것을 고백하고 있다.

2 (나)의 내용을 다음과 같이 정리할 때, [A]~[C]에 나타난 글쓴이의 심리나 인식으로 적절하지 <u>않은</u> 것은?

[A]		[B]		[C]
사건 이전	→	'풀 비린내' 사건	→	사건 이후

① [A]: 자동차를 안락한 공간으로 인식하였다.
② [B]: 운전할 당시에는 사건의 진상을 알지 못했다.
③ [B]: 죽은 풀벌레들을 보고 충격을 받았다.
④ [C]: 걷기 예찬자가 되기로 결심하였다.
⑤ [C]: 차에 대한 의존도를 낮춰야겠다고 생각하였다.

[3~4] 다음 시를 읽고 물음에 답하시오.

가 창밖에 밤비가 속살거려

　　⊙육첩방(六疊房)은 남의 나라, //

　　시인이란 슬픈 천명(天命)인 줄 알면서도

　　한 줄 시를 적어 볼까, //

　　땀내와 사랑내 포근히 품긴

　　보내 주신 학비 봉투를 받아 //

　　대학 노 ―트를 끼고

　　늙은 교수의 강의 들으러 간다. //

　　생각해 보면 어린 때 동무를

　　하나, 둘, 죄다 잃어버리고 //

　　나는 무얼 바라

　　나는 다만, 홀로 침전(沈澱)하는 것일까? //

　　인생은 살기 어렵다는데

　　시가 이렇게 쉽게 씌어지는 것은 / 부끄러운 일이다. //

　　육첩방은 남의 나라

　　창밖에 밤비가 속살거리는데, //

　　등불을 밝혀 ⓒ어둠을 조금 내몰고,

　　시대처럼 올 아침을 기다리는 최후의 나, //

　　나는 나에게 작은 손을 내밀어

　　눈물과 위안으로 잡는 최초의 ⓒ악수. //

　　　　　　　　　　　　　　　－ 윤동주, 〈쉽게 씌어진 시〉

나 새로 거른 막걸리 젖빛처럼 뿌옇고

　큰 사발에 보리밥 높기가 한 자로세

　밥 먹자 도리깨 잡고 마당에 나서니

　ⓔ검게 탄 두 어깨 햇볕 받아 번쩍이네

　옹헤야 소리 내며 발맞추어 두드리니

　삽시간에 보리 낟알 온 사방에 가득하네

　ⓜ주고받는 노랫가락 점점 높아지는데

　보이느니 지붕까지 날으는 보리 티끌

　그 기색 살펴보니 즐겁기 짝이 없어

　마음이 몸의 노예 되지 않았네

新篘濁酒如湩白
신 추 탁 주 여 동 백
大碗麥飯高一尺
대 완 맥 반 고 일 척
飯罷取耞登場立
반 파 취 가 등 장 립
雙肩漆澤翻日赤
쌍 견 칠 택 번 일 적
呼邪作聲擧趾齊
호 야 작 성 거 지 제
須臾麥穗都狼藉
수 유 맥 수 도 랑 자
雜歌互答聲轉高
잡 가 호 답 성 전 고
但見屋角紛飛麥
단 견 옥 각 분 비 맥
觀其氣色樂莫樂
관 기 기 색 락 막 락
了不以心爲形役
료 불 이 심 위 형 역

낙원이 먼 곳에 있는 게 아닌데　　樂園樂郊不遠有
　　　　　　　　　　　　　　　락 원 락 교 불 원 유
무엇하러 고향 떠나 벼슬길에 헤매리오　何苦去作風塵客
　　　　　　　　　　　　　　　하 고 거 작 풍 진 객
　　　　　　　　　　－ 정약용, 〈보리타작[打麥行]〉

3 (가)와 (나)의 화자의 공통점으로 가장 적절한 것은?

① 의문의 형식을 활용하여 자신의 삶을 성찰하고 있다.

② 이상과 현실의 괴리로 인한 절망감을 직접적으로 표출하고 있다.

③ 고백적인 어조로 자신의 심정을 드러낸 후 현실에 체념하고 있다.

④ 대상과 자신을 비교하며 자신의 삶에 대한 자부심을 나타내고 있다.

⑤ 냉소적인 어조를 통해 현실에 대한 비판적 태도를 드러내고 있다.

4 ⊙~ⓜ가 의미하는 바를 잘못 이해한 사람은?

① 도윤 ⊙은 이국땅인 일본에서 유학 중인 화자의 처지를 드러내는군.

② 서아 ⓒ은 시대적 배경을 고려할 때 일제 강점기의 현실을 나타낸 것이군.

③ 서준 ⓒ은 내면적 자아와 현실적 자아의 화해를 상징한다고 볼 수 있겠군.

④ 하연 ⓔ은 농민들의 고단하고 비참한 생활상을 단적으로 보여 주고 있군.

⑤ 은우 ⓜ은 일이 진행되면서 점차 흥이 고조되는 상황을 표현한 것이군.

[5~7] 다음 글을 읽고 물음에 답하시오.

"지물포 주 씨가 칭찬하던 대로 일을 잘하시네요."

그는 슬쩍 사내를 치켜세웠다. 인간이란 칭찬 앞에 약한 법이다. 하물며 저 단순한 육체 노동자야말로 이런 귀 간지러운 말에 자신의 온 힘을 바치지 않겠는가. 그는 자신의 한마디가 잘 계산하여 내놓은 작품임을 은근히 자만하였다. 한데 임 씨의 반응은 계산과는 다르게 빗나갔다.

"뭘입쇼. 누가 와서 일해도 마찬가지니까요. 목욕탕 하자 공사는 순서가 있어요."

"그래도……." 그래도, 하고 입막음을 하려다 말고 그는 할 말이 마땅치 않아 주춤거렸다. 그래도 당신 솜씨가 최상급이오, 하는 말도 이상하게 들릴 것이고 그래도 누군들 당신만 하게 일을 처리하겠느냐, 하고 말해도 속이 보여서 곤란했다.

"사모님, 오늘 일이야 하자 없이 잘해 드릴 테니 겨울 연탄은 저희 집 것을 때세요. 저야 뭐 연탄장수 아닙니까."

이야기가 이쯤에 이르면 그는 더욱 할 말이 없어진다. 되려 임 씨의 자기선전 앞에서 스스로의 대답이 궁색해졌다. 아내 또한 딱히 연탄을 맡기겠다는 대답도 없이 웬일인지 굳어진 표정이었다.

"고향이 어디요?"

아무려면 머리 굴리는 거야 임 씨보다 못하랴 싶어서 그는 말꼬리를 돌려 보았다. 어딘가에는 반드시 임 씨를 달뜨게 할 함정이 있을 것이다. 부드러운 말로 꽉 움켜잡아야 일에 정성을 쏟아 완벽한 공사를 해 줄 게 아닌가.

"고향요?"

㉠임 씨는 반문하고서 쓰게 웃었다.

"고향이 어디냐고 묻지 말라고, 뭐 유행가 가사가 있잖습니까. 고향 말하면 기가 막혀요. 벌써 한 칠팔 년 돼 가네요. 경기도 이천 농군이 도시 사람 돼 보겠다고 땅 팔아 갖고 나와서 요 모양 요 꼴입니다. 그 땅만 그대로 잡고 있었어도……."

– 양귀자, 〈비 오는 날이면 가리봉동에 가야 한다〉

5 이 글의 서술상 특징으로 가장 적절한 것은?

① 특정 인물의 시각에서 사건을 전달하고 있다.
② 모든 인물의 내면까지 자세히 서술하고 있다.
③ 과거 회상을 통해 인물의 과거를 제시하고 있다.
④ 1인칭 주인공이 자신의 이야기를 전달하고 있다.
⑤ 모든 인물의 행동만을 객관적으로 서술하고 있다.

6 이 글의 인물들에 대한 설명으로 적절하지 <u>않은</u> 것은?

임 씨	• 겨울에 연탄을 파는 일을 한다. ……… ⓐ • 예전에 고향인 이천에서 농사를 지었다. …………………………………… ⓑ • 정해진 작업 순서에 따라 성실하게 공사를 한다. ……………………………… ⓒ
'그'	임 씨가 일을 더욱 잘할 수 있도록 부추긴다. ……………………………………… ⓓ
아내	임 씨에게 겨울에 연탄을 맡기겠다는 약속을 한다. …………………………… ⓔ

① ⓐ ② ⓑ ③ ⓒ ④ ⓓ ⑤ ⓔ

7 임 씨가 ㉠과 같은 반응을 보인 이유를 〈조건〉에 맞게 서술하시오.

┌─ 조건 ─────────────────────────
1. 임 씨의 처지와 심정을 포함하여 쓸 것.
2. '…(하)는 자신의 처지가 … (했)기 때문이다.'의 문장 형식으로 쓸 것.
└────────────────────────────────

[8~10] 다음 글을 읽고 물음에 답하시오.

가 산에는 꽃 피네 / 꽃이 피네
ⓐ갈 봄 여름 없이 / 꽃이 피네

산에 / 산에 / 피는 꽃은
저만치 혼자서 피어 있네

산에서 우는 ⓑ작은 새요
꽃이 좋아 / 산에서 / 사노라네

산에는 꽃 지네 / 꽃이 지네
갈 봄 여름 없이 / 꽃이 지네

– 김소월, 〈산유화〉

나 뎨 가는 뎌 각시 본 듯도 ᄒᆞ여이고
ⓒ天텬上샹 白ᄇᆡᆨ玉옥京경을 엇디ᄒᆞ야 離니別별ᄒᆞ고
[A] ┌ 히 다 뎌 져믄 날의 눌을 보라 가시ᄂᆞᆫ고
     └ 어와 네여이고 이내 ᄉᆞ셜 드러 보오
내 얼굴 이 거동이 님 괴얌즉 ᄒᆞ가마ᄂᆞᆫ
엇딘디 날 보시고 네로다 녀기실ᄉᆡ
ⓓ나도 님을 미더 군ᄠᅳ디 젼혀 업서
이릭야 교틱야 어ᄌᆞ러이 ᄒᆞ돗던디
반기시ᄂᆞᆫ ᄂᆞᆺ비치 녜와 엇디 다ᄅᆞ신고
누어 ᄉᆡᆼ각ᄒᆞ고 니러 안자 혜여ᄒᆞ니
내 몸의 지은 죄 뫼ᄀᆞ티 빠혀시니
하ᄂᆞᆯ히라 원망ᄒᆞ며 사ᄅᆞᆷ이라 허믈ᄒᆞ랴
ⓔ셜워 플텨 혜니 造조物믈ᄅᆞᆯ의 타시로다
글란 ᄉᆡᆼ각 마오 ᄆᆡ친 일이 이셔이다
님을 뫼셔 이셔 님의 일을 내 알거니
믈ᄀᆞ튼 얼굴이 편ᄒᆞ실 적 몃 날일고
春츈寒한 苦고熱열은 엇디ᄒᆞ야 디내시며
秋츄日일 冬동天텬은 뉘라셔 뫼셧ᄂᆞᆫ고

– 정철, 〈속미인곡〉

8 (가)와 (나)의 표현상 특징으로 가장 적절한 것은?
① (가)는 자연과 인간의 속성을 대조하고 있다.
② (가)는 꽃이 피고 지는 현상에 대해 예찬하고 있다.
③ (나)는 공간의 이동에 따른 화자의 심리를 드러내고 있다.
④ (나)는 두 명의 화자가 대화를 나누는 방식으로 구성되어 있다.
⑤ (가)와 (나) 모두 수미상관 구조를 통해 주제 의식을 강조하고 있다.

9 ⓐ~ⓔ에 대한 설명으로 적절하지 않은 것은?
① ⓐ: '가을'을 '갈'로 줄이고 계절의 순서를 바꾸어 표현하여 운율을 살리고 있다.
② ⓑ: 화자의 외로움이 이입된 고독한 존재를 의미한다.
③ ⓒ: 임금이 있는 대궐을 가리킨다.
④ ⓓ: 임과 이별하게 된 직접적인 원인에 해당한다.
⑤ ⓔ: 이별을 조물주 탓으로 돌리면서 체념하고 있다.

10 [A]에서 알 수 있는 '녜(갑녀)'의 역할을 〈조건〉에 맞게 쓰시오.

히 다 뎌 져믄 날의 눌을 보라 가시ᄂᆞᆫ고

─ 조건 ─
• '녜(갑녀)'가 말한 내용을 구체적으로 언급할 것.
• '(함)으로써 …(하)는 역할을 한다.'의 문장 형식으로 쓸 것.

[11 ~ 13] 다음 시를 읽고 물음에 답하시오.

방금 세일에서 건진 고흐의 복사화
〈별 빛나는 하늘 아래 편백나무 길〉
한가운데 편백나무 두 줄기가
서로 얼싸안고 하나로 붙어 서 있는
밀밭 앞길로
위태한 마차 한 대 굴러오고,
하나는 삽을 메고
하나는 주머니에 두 손 찌른 채
농부 둘이 걸어오고 있다.
하늘 위에 별이라곤
왼편 귀퉁이에 희미한 것 하나만 박혀 있고
(별나라엔들 외로운 별 없으랴)
나머지는 모두 모여 해와 달이 되어 빛나고 있다.
빛나라, 별들이여, 빛나라, 편백나무여,
세상에 빛나지 않는 게 어디 있는가.
㉠있다면, 고흐가 채 다녀가지 않았을 뿐.
농부들을 붙들고 묻는다,
'저 별들이 왜 환하게 노래하고 있지요?'
'세상에 노래하지 않는 별이 어디 있소?'
빛나라, 보리밭이여, 빛나라, 외로운 별이여,
빛나라, 늘 걷는 길을 걷다
이상한 사람 만난 농부들이여.

　　　　　　　　　　– 황동규, 〈세일에서 건진 고흐의 별빛〉

◀ 고흐, 〈밤의 프로방스 시골길〉

11 이 시에 대한 설명으로 가장 적절한 것은?
① 유사한 어구를 반복하여 운율을 형성하고 있다.
② 색채 대비를 통해 서정적 분위기를 환기하고 있다.
③ 의미상 대조되는 시어를 통해 주제를 드러내고 있다.
④ 원경에서 근경으로 이동하며 대상을 묘사하고 있다.
⑤ 음성 상징어를 활용하여 대상을 실감 나게 표현하고 있다.

12 ㉠을 이해한 내용으로 가장 적절한 것은?
① 고흐의 그림 속 묘사가 사실적이라는 말이군.
② 고흐의 그림 속 빛 표현이 탁월하다는 말이군.
③ 고흐의 그림은 빛나지 않는 것도 빛나게 할 만큼 가치가 있다는 말이군.
④ 고흐가 아직 그림으로 표현하지 않았을 뿐 모든 존재는 빛난다는 말이군.
⑤ 고흐의 그림으로 그려지는 것들은 그만큼의 가치를 지니게 된다는 말이군.

13 다음 초대장에 이 시를 소개하는 문구를 포함하려고 한다. 빈칸에 들어갈 적절한 내용을 〈조건〉에 맞게 쓰시오.

> ### '북 콘서트'에 여러분을 초대합니다
> • 초대 작가: 시인 황동규
> • 작가의 주요 작품: (　　　　　　　　　　　　)

> **조건**
> • 고흐의 그림과 이 시의 관련성에 주목하여 쓸 것.
> • '… 창작한 시 〈세일에서 건진 고흐의 별빛〉'의 형식으로 쓸 것.

[14~15] 다음 시를 읽고 물음에 답하시오.

셔경(西京)이 아즐가 셔경(西京)이 셔울히마르는
　⊙위 두어렁셩 두어렁셩 다링디리
닷곤 딕 아즐가 닷곤 딕 쇼셩경 고외마른
　위 두어렁셩 두어렁셩 다링디리
여히므론 아즐가 여히므론 질삼뵈 브리시고
　위 두어렁셩 두어렁셩 다링디리
괴시란딕 아즐가 괴시란딕 우러곰 좃니노이다
　위 두어렁셩 두어렁셩 다링디리

ⓒ구스리 아즐가 구스리 바회예 디신들
　위 두어렁셩 두어렁셩 다링디리
긴힛쏜 아즐가 ⓒ긴힛쏜 그츠리잇가 나는
　위 두어렁셩 두어렁셩 다링디리
즈믄 히를 아즐가 즈믄 히를 외오곰 녀신들
　위 두어렁셩 두어렁셩 다링디리
신(信)잇든 아즐가 신(信)잇든 그츠리잇가 나는
　위 두어렁셩 두어렁셩 다링디리

대동강(大同江) 아즐가 대동강(大同江) 너븐디 몰라셔
　위 두어렁셩 두어렁셩 다링디리
빅 내여 아즐가 빅 내여 노흔다 샤공아
　위 두어렁셩 두어렁셩 다링디리
네 가시 아즐가 네 가시 럼난디 몰라셔
ⓔ　위 두어렁셩 두어렁셩 다링디리
녈 빅예 아즐가 녈 빅예 연즌다 샤공아
　위 두어렁셩 두어렁셩 다링디리
대동강(大同江) 아즐가 대동강(大同江) 건넌편 고즐여
　위 두어렁셩 두어렁셩 다링디리
빅 타들면 아즐가 ⓜ빅 타들면 것고리이다 나는
　위 두어렁셩 두어렁셩 다링디리

　　　　　　　　　　　　　－ 작자 미상, 〈서경별곡〉

14 ⊙~ⓜ에 대한 설명으로 적절하지 **않은** 것은?

① ⊙: 북소리의 의성어로서 작품 전체에 경쾌한 리듬
　　감을 더해 주는 후렴구이다.
② ⓒ: 화자와 임 사이의 관계에 시련이 닥치는 것을 의
　　미한다.
③ ⓒ: 설의적 표현을 통해 임과의 변함없는 사랑을 강
　　조하고 있다.
④ ⓔ: 화자가 사공에게 자신의 슬픈 심정을 하소연하
　　고 있다.
⑤ ⓜ: 임이 다른 여인을 만날 것이라는 화자의 불안감
　　을 드러내고 있다.

15 이 시와 〈보기〉를 비교한 내용으로 적절하지 **않은** 것은?

┌─ 보기 ─
　임이여 강을 건너지 마오.　　公無渡河(공무도하)
　임은 마침내 강을 건너는구료.　公竟渡河(공경도하)
　물에 빠져 죽으니,　　　　　　墮河而死(타하이사)
　이 내 임을 어이할꼬.　　　　當奈公何(당내공하)
　　　　　　　　　　　－ 작자 미상, 〈공무도하가〉

① 이 시의 화자와 〈보기〉의 화자는 모두 임과 이별하
　는 상황에 놓여 있다.
② 이 시와 〈보기〉에서 '강'은 모두 임과 화자를 갈라놓
　는 역할을 하는 공간이다.
③ 이 시의 화자와 〈보기〉의 화자는 모두 임이 '강'을
　건너는 것을 막고 싶어 한다.
④ 이 시의 3연에서는 임에 대한 원망을, 〈보기〉에서는
　임을 여윈 슬픔을 느낄 수 있다.
⑤ 이 시의 1연에서 화자는 이별을 적극적으로 거부하지
　만, 〈보기〉의 화자는 이별의 아픔을 극복하는 태도를
　보이고 있다.

7일

[1~3] 다음 시를 읽고 물음에 답하시오.

가 길 건너 숲속, / 봄눈 맞는 나무들.
마른풀들이 가볍게 눈을 떠받쳐 들어
발치가 하얗다.

나무들은 눈을 감고 있을 것이다.
너의 예쁜 감은 눈.
너, 아니? / 네 감은 눈이 얼마나 예쁜지.

눈송이들이 줄달음쳐 온다.
㉠네 감은 눈에 입 맞추려고.
나라도 그럴 것이다!
오, 네 예쁜, 감은 눈,
에 퍼붓는 봄눈!

　　　　　　　　　　　　　　– 황인숙, 〈봄눈 오는 밤〉

나 꽃에게로 다가가면 / 부드러움에 / 찔려

삐거나 부은 마음 / 금세

환해지고 / 선해지니

봄엔 / 아무 / 꽃침이라도 맞고 볼 일

　　　　　　　　　　　　　– 함민복, 〈봄꽃〉

다 산에는 꽃 피네 / 꽃이 피네
갈 봄 여름 없이 / 꽃이 피네

산에 / 산에 / 피는 꽃은
저만치 혼자서 피어 있네

산에서 우는 작은 새요
꽃이 좋아 / 산에서 / 사노라네

산에는 꽃 지네 / 꽃이 지네
갈 봄 여름 없이 / 꽃이 지네

　　　　　　　　　　　　　　– 김소월, 〈산유화〉

1 (가)~(다)에 대한 설명으로 가장 적절한 것은?

① (가)와 (나)는 계절과 관련된 시적 상황이 화자의 정서에 영향을 주고 있다.

② (가)와 (다)는 영탄적 표현을 통해 대상에 대한 감탄을 드러내고 있다.

③ (나)와 (다)는 대상을 다른 대상에 비유하여 대상이 지닌 속성을 드러내고 있다.

④ (나)와 (다)는 특정 종결 어미를 반복하여 화자의 관조적 태도를 드러내고 있다.

⑤ (가)~(다) 모두 대상을 의인화하여 대상에 대한 화자의 친밀감을 드러내고 있다.

2 ㉠과 같은 표현 방법이 쓰인 것은?

① 내 마음은 호수요, / 그대 노 저어 오오.
　　　　　　　　　　　　　– 김동명, 〈내 마음은〉

② 모든 산맥들이 / 바다를 연모해 휘달릴 때도
　　　　　　　　　　　　　– 이육사, 〈광야〉

③ 살아 봐야지 / 쓰러지는 법이 없는 둥근 / 공처럼
　　　　　　　　　– 정현종, 〈떨어져도 튀는 공처럼〉

④ 오늘도 어제도 아니 잊고 / 먼 훗날 그때에 "잊었노라."
　　　　　　　　　　　　　– 김소월, 〈먼 후일〉

⑤ 밤에 홀로 유리를 닦는 것은 / 외로운 황홀한 심사이어니
　　　　　　　　　　　　　– 정지용, 〈유리창 1〉

3 다음은 '꽃'에 대한 (나), (다)의 화자의 관점을 정리한 것이다. 시어의 상징적 의미를 고려하여 빈칸에 적절한 내용을 한 문장으로 쓰시오.

(나)의 화자	(다)의 화자
'꽃'은 부드러움으로 사람들의 마음을 치유하여 환하게 하고 선하게 하는 존재이다.	

[4~5] 다음 글을 읽고 물음에 답하시오.

나 대신 학교에 다녀온 다음 아버지는 마지막 허락을 하기에 앞서 그렇게 농사를 짓고 싶으면 강릉에서 집안의 농사를 도맡아 지으라고 했다. 그러나 나는 대관령으로 가 고랭지 채소를 하고 싶다고 말했다. 집안의 농사는 내가 그것을 도맡아 짓는다 하더라도 아버지의 농사를 돕는 것이지 내 경제의 농사가 아니기 때문이었다.

아버지는 두 가지 약속을 하라고 했다.

첫 약속은 만약 내가 대관령에 올라가 짓는 농사가 첫해로 실패하고 말면 다음 해 군소리 없이 다시 학교로 갈 것.

나는 그렇게 하겠다고 말했다.

두 번째 약속은 대관령에 가 있는 동안 학교 공부는 하지 않더라도 아버지가 보내 주는 책들을 다 읽을 것.

그것도 나는 그렇게 하겠다고 말했다.

"대답은 쉽게 한다만은 첫해 농사를 성공한다 하더라도 두 번째 약속을 지키지 않으면 군소리 없이 너는 집으로 내려와야 한다." / "예."

"어쩌면 이게 니 학업의 마지막이 될지 몰라서 하는 얘기야. 나중에 커 보면 안다. 사람이 세상을 살아가는 데 공부 많이 한 사람과 적게 한 사람의 차이는 그렇게 나지 않는다. 잘한 사람과 못한 사람의 차이도 그렇고. 그렇지만 책을 많이 읽은 사람과 적게 읽은 사람의 차이는 몇 마디 얘기만 나눠 봐도 금방 눈에 보인다. 니가 대관령에 가서 농사를 짓든 뭘 하든 애비가 보내 주는 책만 제대로 챙겨 읽는다면 학교 공부 손을 놓는다 해도 어디 가서 무식하다는 소리는 듣지 않을 게다."

"예, 명님(명념) 할게요."

"니두 이다음 자식 키워 봐라. 부모가 돼서 이렇게 하기가 쉬운지. 학교 다니기 싫다고 제 손으로 책에 불을 지르긴 했다만, 지금은 그렇다 해도 나중에라도 니가 니 갈 길을 잘 찾아갈 거라는 걸 애비가 믿기 때문에 보내는 게야. 학문이든 뭐든 세상 살며 한두 해 무얼 늦게 시작한다고 해서 마지막 서는 자리까지 뒤처지는 것도 아니고. 이 말이

무슨 말인지도 늘 생각하고."

전에 상고로 진학할 때에도 아버지는 그렇게 말했다. 그때는 뜻도 모르고 "믿어 줘서 고맙습니다, 아버지." 했지만 이번엔 그냥 가만히 앉아 있었다.

– 이순원, 〈19세〉

4 이 글의 '나'에 대한 설명으로 적절하지 <u>않은</u> 것은?

- 농사에 대한 주관이 뚜렷함. ····· ⓐ
- 고집이 센 편이나 우유부단한 성격임. ····· ⓑ
- 상고를 그만두고 대관령에서 농사를 짓고 싶어 함. ····· ⓒ
- 자신의 결심을 반대하는 아버지와 갈등을 겪었음. ····· ⓓ
- 아버지가 요구한 두 가지 약속을 순순히 받아들임. ····· ⓔ

① ⓐ　　② ⓑ　　③ ⓒ　　④ ⓓ　　⑤ ⓔ

5 아버지가 요구한 두 가지 약속을 다음과 같이 정리할 때, ⓐ와 ⓑ에 들어가기에 적절한 내용을 각각 쓰시오.

	내용	아버지의 의도
첫 번째 약속	ⓐ	농사가 적성에 맞는지 확인해 보길 바람.
두 번째 약속	아버지가 보낸 책들을 다 읽을 것	ⓑ

[6~7] 다음 글을 읽고 물음에 답하시오.

가 ㉠茅모簷쳠 츤 자리의 밤둥만 도라오니
半반壁벽靑청燈등은 눌 위ᄒᆞ야 ᄇᆞᆯ갓ᄂᆞᆫ고
㉡오르며 ᄂᆞ리며 헤쓰며 바자니니
져근덧 力녁盡진ᄒᆞ야 풋ᄌᆞᆷ을 잠간 드니
精졍誠셩이 지극ᄒᆞ야 ᄭᅮᆷ의 님을 보니
玉옥 ᄀᆞ튼 얼구리 半반이 나마 늘거셰라
ᄆᆞ음의 머근 말ᄉᆞᆷ 슬ᄏᆞ장 ᄉᆞᆲ쟈 ᄒᆞ니
눈믈이 바라 나니 말ᄉᆞᆷ인들 어이ᄒᆞ며
情졍을 못다ᄒᆞ야 목이조차 메여 ᄒᆞ니
오뎐된 鷄계聲셩의 ᄌᆞᆷ은 엇디 ᄭᆡ돗던고
어와 虛허事ᄉᆞ로다 이 님이 어ᄃᆡ 간고
결의 니러 안자 窓창을 열고 ᄇᆞ라보니
㉢어엿븐 그림재 날 조ᄎᆞᆯ ᄲᅮᆫ이로다
ᄎᆞᆯ하리 싀여디여 落낙月월이나 되야이셔
님 겨신 窓창 안ᄒᆡ 번드시 비최리라
각시님 ᄃᆞᆯ이야ᄏᆞ니와 구ᄌᆞᆫ비나 되쇼셔

— 정철, 〈속미인곡〉

나 잠깐 동안 생각 말아 이 시름 잊자 하니 마음에 맺혀 있어 골수에 사무치니 편작이 열이 온들 이 병을 어찌하리. 어와 내 병이야 이 임의 탓이로다. ㉣차라리 죽어져서 범나비 되리라. 꽃나무 가지마다 간 데 족족 앉았다가 향 묻힌 날개로 임의 옷으로 옮기리라. 임이야 나인 줄 모르셔도 내 임 좇으려 하노라.

— 정철, 〈사미인곡〉

다 앞뒤로 분주히 다녀, 선왕(先王)의 발자취 따르려 했더니
임은 내 마음 아니 살피시고, 도리어 모함만 믿고 진노
하시누나.
나는 직언(直言)이 해로울 줄 알면서도, 차마 버려둘 수
가 없고
맹세코 하늘은 알리라, 오직 임 때문임을.

㉤당초에 내게 약속하더니, 나중에 돌아서서 딴마음 가
지실 줄이야.
나야 그 이별 어렵지 않지만, 임의 잦은 변덕 가슴 아파라.

— 굴원, 〈이소〉

6 (가)~(다)에 대한 설명으로 적절하지 <u>않은</u> 것은?

① (가)는 (나), (다)와 달리 두 사람의 대화로 구성되어
있다.
② (가)와 달리 (나), (다)에는 임에 대한 원망이 드러나
있다.
③ (가)와 (나)는 모두 임을 그리워하는 여인을 화자로
내세웠다.
④ (가)와 (나)의 화자는 모두 죽어서라도 임을 만나고
싶어 한다.
⑤ (가), (나), (다) 모두 임과 이별한 화자의 마음을 표
현하고 있다.

7 ㉠~㉤에 대한 설명으로 적절하지 <u>않은</u> 것은?

① ㉠: 촉각적 심상을 활용하여 화자의 쓸쓸한 처지를
감각적으로 형상화하고 있다.
② ㉡: 동사의 나열을 통해 화자의 노력을 생동감 있게
표현하고 있다.
③ ㉢: 임의 '그림자'가 자신을 좇고 있다는 표현을 통
해 화자의 간절한 바람을 표현하고 있다.
④ ㉣: 죽어서 '범나비'가 되어 임을 따르겠다는 표현을
통해 임을 향한 일편단심을 드러내고 있다.
⑤ ㉤: 이별의 원인이 화자가 아닌 임에게 있음을 드러
내고 있다.

[8~9] 다음 글을 읽고 물음에 답하시오.

스페어 운전수는 대체로 벌이가 시답지 않아 결혼도 못 한 채 늙고 병든 홀어미와 단칸 셋방을 살고 있거나, 여편네가 집을 나가 버려 어린것들만 있는 경우가 적지 않았고, 들여다보면 방구석에 먹던 봉지 쌀이 남은 대신 연탄이 떨어지고, 연탄이 있으면 쌀이 없거나 밀가루 포대가 비어 있어, 한심해서 들여다볼 수가 없고 심란해서 돌아설 수가 없는 집이 허다한 것이었다.

그는 결국 주머니를 털었다. 스페어 운전수의 사고에는 업무 추진비 명색도 차례가 가지 않아 자신의 용돈을 털게 되는 것이었다. 식구가 단출하면 쌀을 한 말 팔아 주고, 식구가 많은 집은 밀가루를 두 포대 팔아 주고, 그리고 연탄을 백 장씩 들여놓아 주는 것이 그가 용돈에서 여툴 수 있는 한계였다.

그는 쌀가게에서 쌀이나 밀가루를 배달하고, 연탄 가게에서 연탄 백 장을 지게로 져 올려 비에 안 젖게 쌓아 주기를 마칠 때까지 그 집을 떠나지 않았다. 그리고 그 집을 나와서 골목을 빠져나오다 보면 늘 무엇인가를 빠뜨리고 오는 것처럼 개운치가 않았다.

그는 비탈길을 다 내려와서야 그것이 무엇이라는 것을 깨닫곤 하였다. 산동네 초입의 반찬 가게를 보고서야 아까 그 집의 부엌에 간장밖에 없었던 것이 뒤늦게 떠오른 것이었다.

그러면 다시 주머니를 뒤졌다.

그가 반찬 가게에서 집어 드는 것은 만날 얼간하여 엮어 놓은 새끼 굴비 두름이었다. 바다와 연하여 사는 탓에 밥상에 비린 것이 없으면 먹어도 먹은 것 같지 않아 하는 대천 사람의 속성이 그런 데서까지도 드티었던 것이다. 〈중략〉

쌀이나 연탄을 들여 줄 때는 회사에서 으레 그렇게 돌봐 주는 것이거니 하고 멀건 눈으로 쳐다만 보던 노파도, 그렇게 반찬거리까지 챙겨 주는 자상함에는 그가 골목을 빠져나갈 때까지 눈시울을 적시고 있는 것이 보통이었다.

– 이문구, 〈유자소전〉

8 이 글에 대한 설명으로 가장 적절한 것은?

① 구체적인 일화를 통해 인물의 성품을 제시하고 있다.
② 인물의 내면 묘사를 통해 갈등의 원인을 드러내고 있다.
③ 서술자가 인물의 행동만을 사실적으로 서술하여 객관성을 높이고 있다.
④ 인물들 사이의 대화를 통해 인물들의 심리를 직접적으로 드러내고 있다.
⑤ 서술의 초점을 다양한 인물로 바꿔 가며 갈등 양상을 입체적으로 보여 주고 있다.

9 이 글에 나타난 '그'의 행동에 대한 독자의 반응으로 가장 적절한 것은?

①
수지
자기 잘못으로 인해 돈을 지출한 것은 인과응보(因果應報)라고 할 수 있어.

②
은우
노선 상무라는 직위를 이용하여 호가호위(狐假虎威)하려는 모습은 부당하다고 생각해.

③
하연
자신의 잘못을 감추기 위해 적반하장(賊反荷杖)하는 모습을 보니 무책임한 사람인 것 같아.

④
서준
일 처리를 잘못하여 설상가상(雪上加霜)의 상황을 만드는 걸 보니 업무 능력이 부족한가 봐.

⑤
도윤
스페어 운전수의 가정 형편을 보고 측은지심(惻隱之心)을 느끼는 것을 보니 따뜻한 심성을 지닌 사람인 것 같아.

[10~15] 다음 시를 읽고 물음에 답하시오.

가 한숨아 셰 한숨아 네 어닉 틈으로 드러온다

　고모장ᄌ 셰살장ᄌ 가로다지 여다지에 암돌져귀 수돌져귀 비목걸새 쑥닥 박고 용(龍) 거북 ᄌ물쇠로 수기수기 ᄎ엿ᄂ듸 병풍(屛風)이라 덜걱 져븐 족자(簇子) l 라 되되글 ᄆ다 네 어닉 틈으로 드러온다

　어인지 ㉠너 온 날 밤이면 ᄌ 못 드러 ᄒ노라

　　　　　　　　　　　　　　　　– 작자 미상, 〈한숨아 셰 한숨아〉

나 ㉡고인(古人)도 날 못 보고 나도 고인 못 뵈

　고인을 못 봐도 녀든 길 알픽 잇닉

　녀든 길 알픽 잇거든 아니 녀고 엇졀고

　　　　　　　　　　　　　　　　– 이황, 〈고인도 날 못 보고〉

다 징이 울린다 막이 내렸다

　오동나무에 전등이 매어 달린 가설무대

　구경꾼이 돌아가고 난 텅 빈 운동장

　우리는 분이 얼룩진 얼굴로

　학교 앞 소줏집에 몰려 술을 마신다

　답답하고 고달프게 사는 것이 원통하다

　꽹과리를 앞장세워 장거리로 나서면

　따라붙어 악을 쓰는 건 쪼무래기들뿐

　처녀 애들은 기름집 담벽에 붙어 서서

　철없이 킬킬대는구나

　보름달은 밝아 어떤 녀석은

　꺽정이처럼 울부짖고 또 어떤 녀석은

　서림이처럼 해해대지만 이까짓

　산 구석에 처박혀 발버둥 친들 무엇하랴

　비룻값도 안 나오는 농사 따위야

　아예 여편네에게나 맡겨 두고

　쇠전을 거쳐 도수장 앞에 와 돌 때

　우리는 점점 신명이 난다

한 다리를 들고 날라리를 불거나

고갯짓을 하고 어깨를 흔들거나

　　　　　　　　　　　　　　　　– 신경림, 〈농무〉

라 새끼오리도 헌신짝도 소똥도 갓신창도 개니빠디도 너울쪽도 짚검불도 가락닢도 머리카락도 헝겊조각도 막대꼬치도 기왓장도 닭의 짗도 개터럭도 타는 모닥불

재당도 초시도 문장(門長) 늙은이도 더부살이 아이도 새사위도 갓사둔도 나그네도 주인도 할아버지도 손자도 붓장사도 땜쟁이도 큰 개도 강아지도 모두 모닥불을 쪼인다

모닥불은 어려서 우리 할아버지가 어미 아비 없는 서러운 아이로 불상하니도 몽둥발이가 된 슬픈 력사가 있다

　　　　　　　　　　　　　　　　– 백석, 〈모닥불〉

10 **(가)~(라)에 대한 설명으로 가장 적절한 것은?**

① (가)와 (나)는 3장 6구의 구성이며 4음보의 율격을 지니고 있다.

② (가)와 (라)는 열거의 방식으로 다양한 대상을 제시하고 있다.

③ (나)는 설의법을 활용하여 대상에 대한 비판 의식을 드러내고 있다.

④ (다)는 시적 상황에 대한 화자의 심리를 절제하여 표현하고 있다.

⑤ (다)와 (라)는 지역 방언을 사용하여 시적 상황을 사실적으로 형상화하고 있다.

11 (가)~(라)의 창작 시기를 고려하여, 가장 먼저 창작된 것부터 순서대로 쓰시오.

> **조건**
> (가)~(라)가 속하는 서정 갈래의 역사적 갈래의 명칭과 창작된 시대를 밝힐 것.

12 〈보기〉의 ⓐ~ⓔ 중, (가)에서 확인할 수 <u>없는</u> 것은?

> **보기**
> 사설시조는 ⓐ일상적 삶 속의 평범한 사람들에 대한 관찰, ⓑ고달픈 생활과 세태에 대한 해학 등이 그 주요 내용을 이룬다. 또한 ⓒ일상적 언어와 하찮고 잡다한 사물들이 흔하게 등장한다. 이러한 언어 요소들은 작품에 ⓓ진솔하고 구체적인 생동감을 불어넣으며, 때로는 경쾌한 익살과 재담의 효과를 일으키기도 한다. ⓔ잡다한 사물과 숨가쁘게 나열하는 표현의 결합은 이런 효과를 더욱 두드러지게 한다.

① ⓐ ② ⓑ ③ ⓒ ④ ⓓ ⑤ ⓔ

13 (가)의 ㉠과 (나)의 ㉡에 대한 이해로 가장 적절한 것은?

① ㉠과 ㉡은 모두 화자가 비판하는 대상이다.
② ㉠과 ㉡은 모두 화자가 동정하는 대상이다.
③ ㉠은 화자를 위로하는 대상이고, ㉡은 화자를 꾸짖는 대상이다.
④ ㉠은 화자와 유사한 대상이고, ㉡은 화자와 대비되는 대상이다.
⑤ ㉠은 화자가 멀리하는 대상이고, ㉡은 화자가 본받고자 하는 대상이다.

14 (다)의 내용을 이해한 것으로 적절하지 <u>않은</u> 것은?

① 도윤: '막이 내렸다'로 시를 시작하여 쓸쓸함을 자아내고 있어.
② 지안: 화자를 '우리'로 설정하여 화자의 문제가 공동체 전체의 문제임을 드러내고 있군.
③ 서연: '철없이 킬킬대는' 사람들의 반응을 통해 농무를 흥겹게 즐기는 농민들의 모습을 드러내고 있네.
④ 건우: '꺽정이'를 통해 농민들의 현실 인식을 비유적으로 드러내고 있구나.
⑤ 예린: '비룟값도 안 나오는 농사 따위야'를 통해 농촌의 어려운 현실을 짐작할 수 있어.

15 〈보기〉는 (라)의 시상 전개 과정을 정리한 것이다. 이를 바탕으로 하여 (라)를 설명한 내용으로 적절하지 <u>않은</u> 것은?

> **보기**
> | 모닥불을 피워 올리는 땔감들에 대한 묘사 ········ⓐ |
> | ↓ |
> | 모닥불을 쬐고 있는 존재들에 대한 묘사 ··········ⓑ |
> | ↓ |
> | 모닥불과 관련된 회상 ·······························ⓒ |

① ⓐ를 통해 당시 사람들의 생활상을 짐작할 수 있다.
② ⓑ를 통해 공동체를 이루며 살아가는 존재들에 대한 화자의 애정 어린 시선을 엿볼 수 있다.
③ ⓐ와 ⓑ는 현재 화자가 보고 있는 장면이고, ⓒ는 화자가 떠올린 과거와 관련 있다.
④ ⓐ와 ⓑ는 열거의 방식을 통해, ⓒ는 서사를 드러내는 방식을 통해 시상을 전개하고 있다.
⑤ ⓐ의 '타는 모닥불'은 ⓒ의 '할아버지'가 겪게 되는 서러움의 직접적 원인으로 작용하고 있다.

Memo

7일 끝!

정답과 해설

 정답과 해설 활용 안내

◈ 정답 박스로 **빠르게 정답 확인하기!**

◈ 정답과 오답의 이유, **한 번 더 짚고 넘어가기!**

◈ **서술형** 답안의 **평가 요소**를 직접 **체크**해 보며,
  주관식 문제 꼼꼼히 **대비하기!**

1일 기초 확인 문제
9쪽

1 봄눈 오는 밤 **2** 풀 비린내에 대하여

1 (1) ⓒ (2) ㉠ (3) ㉡   **2** (1) 밤 (2) 나무들   **3** 싹, 중의법
4 (1) 자동차 (2) 생명체 (3) 자궁   **5** 풀벌레, 죄의식   **6** (1) ○
(2) × (3) ○

6 (2) 글쓴이는 '풀 비린내' 사건 이후에 자동차가 다른 생명체를
해칠 수 있는 무기가 될 수도 있다고 생각하게 되었다.

1일 교과서 기출 베스트
10~13쪽

1 봄눈 오는 밤 **2** 풀 비린내에 대하여

1 ②   **2** ③   **3** 나무의 아름다움(생명력)   **4** ⑤   **5** ②
6 달리는 무기   **7** ④   **8** 수많은 풀벌레들이 달리는 차체에 부딪
혀 죽은 잔해   **9** ⑤   **10** ④   **11** ③   **12** ③

1 이 시에서는 '하얗다', '온다' 등과 같이 현재형 시제를 사용하여
봄눈을 맞고 있는 나무들의 모습을 생생하게 표현하고 있다.

> **오답 풀이**
> ① '하얗다'라는 표현을 통해 눈의 특성을 드러내고 있다.
> ③ 나무를 '너'라고 의인화하여 친근감을 드러내고 있다.
> ④ 3연에서 '오, 네 예쁜, 감은 눈, / 에 퍼붓는 봄눈!'과 같이 조사를 다음
> 행에 배치하여 나무의 '감은 눈'에 초점을 맞추고 있다.
> ⑤ 3연에서 느낌표와 감탄사 '오'를 활용하여 눈에 대한 감탄을 드러내고
> 있다.

2 2연에서 '너, 아니?'와 같이 화자가 나무에게 질문을 던지는 표
현을 사용하고 있지만 대화가 이루어지고 있지 않으며, 화자
와 대상 간의 유사점이 드러나 있지도 않다.

> **오답 풀이**
> ① 1연은 화자가 실제로 본 풍경이고, 2연과 3연은 화자가 상상한 내용
> 이다.
> ② 2연에서 화자는 나무의 예쁜 감은 눈에 대해 예찬하고 있고, 3연에서
> 화자는 나무의 감은 눈에 입 맞추려는 눈송이들에 대해 공감하고 있다.
> ④ 2연에서는 '네 감은 눈이 얼마나 예쁜지.'라고 표현하다가 3연에서는
> '오, 네 예쁜, 감은 눈, / 에 퍼붓는 봄눈!'과 같이 감탄사와 느낌표를 사
> 용한 영탄적 표현을 통해 화자의 정서가 더 강하게 표현되고 있다.

⑤ 화자는 눈이 나무 위로 퍼붓는 모습을 나무의 '감은 눈'에 입 맞추려는
것으로 생각하고 '나라도 그럴 것이다'라고 공감하는 태도를 보이고
있다.

3 화자는 봄밤에 눈을 맞고 있는 나무들을 보며 나무의 아름다
움과 생명력에 감탄하고 있다.

4 이 글에서는 글쓴이가 자동차를 타면서 겪었던 자신의 경험을
바탕으로 자동차에 대한 생각을 솔직하게 말하고 있다.

5 (나)에서 '나'는 누구의 방해도 받지 않고 자신을 어디로든 데
려다주는 자동차의 밀폐된 공간에 길들여져 갔다면서 자동차
의 아늑함과 편리함에 대해 긍정적으로 생각하고 있다.

6 자동차가 다른 생명을 해칠 수 있다는 것은 자동차가 무기처
럼 생명을 살상할 수 있는 위험한 도구라고 생각하는 것이다.

7 글쓴이는 자동차가 다른 생명체를 해칠 수 있는 도구가 될 수
있다고 생각하여 차를 유지하되 사용을 최소화하고자 하였다.

8 '풀 비린내'는 밤에 달리는 차체에 부딪혀 죽은 수많은 풀벌레
들의 잔해를 가리킨다.

9 글쓴이는 뜻하지 않게 풀벌레들을 죽인 경험에서 온 심리적
충격이 원죄 의식처럼 남아 있다고 하였다. 따라서 ⓒ를 통해
ⓑ의 상태를 극복하고 있다는 것은 적절하지 않다.

10 (가)에서 글쓴이는 티베트 승려들의 경우와 자신의 경험을 언
급하며 생명 존중의 태도를 보여 주고 있다. (나)에서 글쓴이
는 모든 생명체는 살기를 원하고 죽기를 싫어한다고 말하며
생명 존중의 태도를 강조하고 있다.

> **작품 더 보기**
>
> ● 이규보, 〈슬견설〉
> – 갈래: 고전 수필, 한문 수필, 설(說)
> – 주제: 선입견을 버리고 사물의 본질을 보아야 하며, 모든 생명은 소
> 중하다.
> – 해제: 이(蝨)와 개(犬)의 죽음을 화제로 삼아 '나그네'와 '나'가 대화
> 하는 형식을 통해 주제를 드러내고 있다.

11 '감성적 기계'라는 표현에는 인간에게 안락한 공간을 제공하지
만 동시에 다른 생명을 해칠 수 있다는 자동차의 양면적 특성
이 담겨 있다.

12 '달팽이의 뿔'은 ㉠의 '작은 놈'에 해당하며, 나머지는 모두 '큰
놈'에 해당한다.

3 19세

1 인식적 가치   **2** 농사, 학교   **3** (1) ㉠ (2) ㉡   **4** 학교, 책
5 경제권, 나이   **6** (1) ○ (2) × (3) ○

6 (2) 승태는 '나'가 학교를 그만두고 농사를 짓는다고 하자 더 들떠서 좋아했으며, '나'를 적극적으로 도와주었다.

3 19세

1 ④   **2** ④   **3** (나이와 상관없이) 일로써 자기 경제권을 가진 사람   **4** ⑤   **5** ⑤   **6** ④   **7** ①   **8** ②   **9** ⑤   **10** 학교를 그만두고 농사를 지은 일

1 이 글은 작품 속 등장인물인 '나'를 서술자로 설정하여 '나'가 직접 자신의 이야기를 서술한 1인칭 주인공 시점의 소설이다.

> **오답 풀이**
> ① 서술자는 '나'로 일관되게 나타나 있다.
> ② 3인칭 전지적 시점에 대한 설명이다.
> ③ 1인칭 관찰자 시점에 대한 설명이다.
> ⑤ '나'가 직접 겪은 사건을 전달하고 있다.

2 '나'는 아버지의 반대에도 불구하고 학교를 그만두고 농사를 지으려 하는 결심을 굽히지 않았고, 결국 자신이 원하는 바를 이루었다.

3 '나'가 생각하는 어른의 조건은 나이의 많고 적음에 있지 않다. 자기 일을 하고 그것을 통해 자기 경제권을 가지는 사람을 '어른'이라고 생각했다.

4 아버지는 "사람이 세상을 살아가는 데 공부 많이 한 사람과 적게 한 사람의 차이는 그렇게 나지 않는다."라고 말하였으므로, ⑤는 아버지의 생각과 거리가 멀다.

5 '나'와 아버지가 갈등한 결과, '나'가 아버지와 약속한 것은 학교 공부를 하는 것이 아니라 학교 공부는 하지 않더라도 아버지가 보내 주는 책들을 다 읽는 것이다.

6 (나)에서 이번 해에도 배추 농사에서 큰돈을 만졌다 하더라도 지난여름 갑자기 들기 시작한 생각만은 변함없을 것 같았다는

내용을 통해 큰돈을 벌 수 있었더라도 학교로 돌아가겠다는 생각은 변하지 않았을 것임을 알 수 있다.

7 (가)에서 '그해 배추 농사는 … 크게 이익이 난 것도 없었고, 손해를 본 것도 없었다.'라고 하였다. 따라서 농사를 망쳐서 손해가 컸다는 '나'의 대답은 적절하지 않다.

8 '나'는 빨리 어른이 되고 싶다는 생각에 학교를 그만두고 농사를 짓기로 결심하였다. 따라서 '나'가 농사짓기를 통해 학비를 마련하려 했다는 것은 적절하지 않다.

9 아버지는 '나'의 농사일이 어른이 되어 평생 해야 할 일로서 선택한 것이 아니라 청소년 시절의 방황으로 선택한 일이었다고 생각했기 때문에 '노름이고 장난'이라고 말했을 것이다.

10 '나'는 아버지의 반대에도 불구하고 학교를 그만두고 농사짓는 것을 선택하였다. 하지만 그 일이 자기 나이에 맞지 않는 일이었다는 것을 깨닫고 농사를 그만두고 학교로 돌아가기로 결심하였다.

1 쉽게 씌어진 시 **2** 보리타작

1 (1) ㉡ (2) ㉠   **2** 육첩방, 조국, 부끄러움   **3** (1) ㉢ (2) ㉠
(3) ㉣ (4) ㉡   **4** (1) ○ (2) ○ (3) × (4) ○   **5** 신명, 세속적
6 (1) ㉢ (2) ㉠

4 (3) '마음이 몸의 노예 되지 않았네'는 마음이 몸에 종속되지 않고 즐겁게 노동하는 농민의 상황을 나타낸 시구이다.

6 (1) '검게 탄', '번쩍이네'라는 표현을 통해 건강한 농민들의 모습을 시각적으로 형상화하였다.
(2) '옹헤야 소리'와 '두드리니'라는 표현을 통해 노동요를 부르며 일하는 농민들의 모습을 청각적으로 형상화하였다.

1 쉽게 씌어진 시 **2** 보리타작

1 ②   **2** ⑤   **3** ②   **4** '악수'는 내면적 자아와 현실적 자아의 화해를 의미한다.   **5** ①   **6** ⑤   **7** ②

정답

1 이 시에는 부정적인 현실을 극복하고자 하는 화자의 의지가 드러나 있으나, 반어적 표현은 쓰이지 않았다.

① 명사인 '악수'로 시를 마무리하여 시적 여운을 주고 있다.
③ 6연에서 의문문을 사용하여 화자의 무기력한 삶을 성찰하고 있다.
④ 암울한 현실을 상징하는 '밤비'와 '어둠', 조국의 광복을 상징하는 '아침'을 대비하고 있다.
⑤ 1연의 내용이 8연에서 반복·변주되면서 화자의 무기력한 삶에 대한 반성에서 적극적인 삶의 태도로의 변화를 드러내고 있다.

2 화자는 부정적인 현실 속에서 무기력하게 살아가는 자신의 삶을 부끄럽게 여기며 성찰하는 모습을 보인다. 그리고 이러한 성찰을 통해 현실을 극복하고자 하는 의지적 태도를 보이고 있다.

3 2연의 '한 줄 시'는 암담한 현실에도 시를 쓸 수밖에 없는 시인의 '슬픈 천명'을 나타내며 이는 운명을 따르는 삶과 관련이 있다.

4 무기력한 자신의 삶을 성찰하며 갈등을 겪던 화자는 현실 극복 의지를 다지며 내적 갈등으로부터 벗어난다. '악수'는 두 자아의 화해를 의미한다.

5 이 시에서 화자는 보리타작하는 농민들의 건강한 모습을 관찰하면서 이와 대비되는 자신의 삶을 성찰하고 있다.

6 '몸의 노예'는 육체적인 고통이나 세속적인 것을 탐하는 욕망을 상징한다. 화자는 농민들이 그런 것에 연연하지 않으면서 즐겁게 노동하는 모습을 '마음이 몸의 노예 되지 않았네'라고 표현하고 있다.

7 ⓐ는 농민들이 노동을 하며 즐겁게 부르는 노래이고, ⓑ는 세속적 욕망을 상징한다. 화자는 ⓐ를 부르며 노동하는 농민들의 모습을 보고 ⓑ를 좇던 자신의 삶을 성찰하고 있다.

2일 기초 확인 문제 27쪽

③ 비 오는 날이면 가리봉동에 가야 한다

1 (1) 3인칭 전지적 (2) 그 **2** ㄴ, ㄹ **3** (1) ⓒ (2) ⓛ (3) ㉠
4 의심, 오해 **5** (1) × (2) ○ **6** 선입견, 이해

2 ㄱ. 임 씨의 고향은 경기도 이천이다.
ㄷ. 임 씨는 36세 토끼띠로 '그'보다 나이가 많다.

ㅁ. 임 씨는 실제로 공사에 들어간 비용만 요구할 정도로 정직한 사람이다.

5 (1) 임 씨가 처음 견적 금액보다 훨씬 적은 금액을 제시하자 '그'와 아내는 오히려 미안해하였다.

2일 교과서 기출 베스트 28~31쪽

③ 비 오는 날이면 가리봉동에 가야 한다

1 ③ **2** ④ **3** ② **4** ⑤ **5** 하루에 두 끼는 라면으로 배를 채우는 식구들을 거느린 가장 **6** ③ **7** ⑤ **8** ③ **9** ⑤
10 임 씨에게 미안함과 고마움을 느끼며 오해를 풂.

1 (나) 마지막 부분의 임 씨의 말을 통해 임 씨가 고향인 경기도 이천에서 농사를 짓다가 땅을 팔아 도시로 나왔지만 현재 생활에 만족하고 있지 않다는 것을 알 수 있다.

2 이어지는 문단에 나오는 '저 단순한 육체 노동자야말로 이런 귀 간지러운 말에 자신의 온 힘을 바치지 않겠는가.'라는 '나'의 생각을 고려할 때, ㉠은 임 씨가 더 열심히 일하도록 부추기려는 의도에서 한 말이라고 볼 수 있다.

3 이 글은 작품 밖 서술자(3인칭 서술자)가 작중 인물인 '그'의 시선을 빌려, '그'가 경험한 사건과 '그'의 심리를 중심으로 사건을 전달하고 있다.

4 절차에 따라 성실하게 일 처리를 하는 '임 씨'의 태도는 일에는 일정한 순서가 있고 때가 있는 것이니 아무리 급해도 순서를 밟아서 침착하게 일해야 한다는 뜻을 지닌 ⑤와 관련이 깊다.

① 일이 이미 잘못된 뒤에는 손을 써도 소용이 없음을 비꼬는 말.
② 모든 일에는 질서와 차례가 있는 법인데 일의 순서도 모르고 성급하게 덤빔을 비유적으로 이르는 말.
③ 작은 나쁜 짓도 자꾸 하게 되면 큰 죄를 저지르게 됨을 비유적으로 이르는 말.
④ 수단이나 방법은 어찌 되었든 간에 목적만 이루면 된다는 말.

5 임 씨는 매일 힘든 일을 계속해도 밥을 제대로 먹을 수 없을 만큼 가난한 형편에 처해 있다.

6 아내가 임 씨에게 공사비를 더 지불하려 했다는 내용은 찾을 수 없다. 아내는 오히려 비용을 깎으려는 듯한 행동을 보인다.

7 '그'는 아내의 말을 듣고 아내가 임 씨에게 공사비와 관련하여 불편한 이야기를 할 것이라고 짐작하고 민망한 생각이 들어 일부러 못 본 척하고 있다.

8 '그'와 아내는 처음 견적서를 요구하면서 돈이 달라질 것이라는 임 씨의 말을 듣고 긴장하고 있다. 이를 통해 돈에 민감하게 반응하는 '그'와 아내의 소시민적 모습을 부각하고 있다.

9 〈보기〉의 내용은 문학 활동을 통해 타자를 이해할 수 있다는 것과 관련이 있다. 이러한 관점으로 작품을 감상한 것은 ⑤이다.

10 아내는 임 씨의 행동을 보고 임 씨가 실력과 책임감이 있을 뿐만 아니라 성실하고 정직한 인물이라는 것을 알게 된다. 생각보다 적게 청구한 비용을 보며 오히려 미안해하는 모습까지 보인다.

3일 기초 확인 문제 · 35쪽

1 산유화 **2** 속미인곡

1 (1) ⓛ (2) ㉣ (3) ⓒ (4) ㉠　**2** (1) 산 (2) 새 (3) 꽃　**3** 네, 수미상관　**4** (1) ○ (2) × (3) ○ (4) ×　**5** 물가, 안개, 물결　**6** (1) 선조 (2) 정철

4 (2) 을녀는 자신의 잘못으로 임과 헤어졌다고 생각한다.
(4) 을녀는 죽어서 낙월이 되겠다고 말하자, 갑녀가 궂은비 되라고 말한다.

6 이 글은 정철이 동인의 탄핵을 받아 관직을 잃고 은거 생활을 하면서 선조를 걱정하고 그리워하는 마음을 임과 이별한 여성 화자를 통해 표현한 작품이다.

3일 교과서 기출 베스트 · 36~39쪽

1 산유화 **2** 속미인곡

1 ④　**2** ③　**3** (가)의 '작은 새'는 화자의 외로움이 이입된 대상이지만, 〈보기〉의 '사슴의 무리'는 화자의 슬픔이 이입된 대상이다.
4 ⑤　**5** ①　**6** ⑤　**7** ①　**8** ⑤　**9** ⑤　**10** ⑤
11 임에게 가까이 다가가 임 곁에 오랫동안 머무르세요./임에게 자신이 얼마나 슬픈지 알려 주세요.

1 (가)는 각 연마다 종결 어미 '-네'의 반복을 통해 화자의 관조적 태도를 드러내고, (나)는 종결 어미 '-더군'의 반복을 통해 화자의 아쉬움과 안타까움을 강조하고 있다.

⑤ (가)에만 해당하는 설명이다.

◆ 작품 더 보기

● 최영미, 〈선운사에서〉
– 갈래: 자유시, 서정시
– 주제: 꽃의 피고 짐을 보며 깨닫는 사랑의 시작과 이별의 속성
– 해제: 시적 화자는 꽃의 피고 짐을 사랑의 시작과 이별에 대응하고 있다. 꽃이 피고 지는 것처럼 자신의 사랑도 순간에 시작되고 이별을 맞이하는 것도 한순간이었지만, 꽃이 쉽게 지는 것과 달리 사랑하는 사람을 잊는 것은 더디고 어려운 일이라는 것이다. 이처럼 이 시는 자연 현상을 통해 인간사에 대한 깨달음을 얻는 과정을 보여 준다.

2 (가)의 화자는 산에서 홀로 꽃이 피고 지는 모습을 관조적 태도(화자가 시적 대상과 거리를 두고, 담담히 대상을 탐구하거나 바라보는 태도)로 지켜보고 있다.

3 두 대상은 모두 화자의 감정이 이입된 것이다. 다만 (가)의 '작은 새'는 화자의 외로움이 이입된 고독한 존재이고, 〈보기〉의 '시슴의 무리'는 임의 부재로 인해 느끼는 화자의 슬픔이 이입된 존재이다.

4 (나)는 수미상관 구조를 통해 꽃이 피고 지는 자연 현상과 사랑하고 이별하는 인간사를 대응함으로써 사랑하는 사람을 잊는 것의 어려움을 강조하고 있다.

5 '산'은 꽃이 피고 지는 공간적 배경으로 자연의 세계를 상징한다.

6 '결렷ᄂ고', '븕갓ᄂ고', '씨돗던고', '어ᄃᆡ 간고' 등과 같이 의문형 어미를 빈번하게 사용하여 임의 소식을 몰라 안타깝고 답답해하는 화자의 심정을 강조하고 있다.

참고 자료

● 〈속미인곡〉 현대어 풀이
저기 가는 저 각시 본 듯도 하구나.
천상 백옥경을 어찌하여 이별하고
해 다 져 저문 날에 누굴 보러 가시는가.
어와 너로구나. 이내 사설 들어 보오.
내 모습 이 거동이 임이 사랑함 직한가마는
어쩐지 날 보시고 너로다 여기시매
나도 임을 믿어 딴생각 전혀 없어
아양이며 교태며 어지럽게 하였던지
반기시는 낯빛이 예와 어찌 다르신가.

누워 생각하고 일어나 앉아 헤아리니
내 몸의 지은 죄 산같이 쌓였으니
하늘을 원망하며 사람을 탓하겠는가.
서러워 생각하니 조물주의 탓이로다.
그것일랑 생각 마오. 맺힌 일이 있습니다.
임을 모셔 봐서 임의 일을 내 알거니
물 같은 얼굴이 편하실 때 몇 날일까.
봄 추위 여름 더위 어떻게 지내시며
가을철 겨울철은 누가 모셨는가.
죽조반 조석 진지 예와 같이 올리시나.
기나긴 밤에 잠은 어찌 주무시나.
임 계신 곳 소식을 어떻게든 알자 하니
오늘도 저물었네. 내일이나 사람 올까.
내 마음 둘 데 없다. 어디로 가잔 말인가.
잡거니 밀거니 높은 산에 올라가니
구름은 물론이고 안개는 무슨 일인가.
산천이 어두운데 해와 달을 어찌 보며
지척을 모르는데 천 리를 바라볼까.
차라리 물가에 가 뱃길이나 보려 하니
바람이야 물결이냐 어수선히 되었구나.
사공은 어디 가고 빈 배만 매여 있는가.
강가에 혼자 서서 지는 해를 굽어보니
임 계신 곳 소식이 더욱 아득하구나.
초가집 찬 자리에 밤중쯤 돌아오니
벽 가운데 청등은 누굴 위해 밝았는가.
오르며 내리며 헤매며 서성대니
잠깐 동안 힘이 다해 풋잠을 잠깐 드니
정성이 지극하여 꿈에 임을 보니
옥 같은 얼굴이 반 넘어 늙었구나.
마음에 먹은 말씀 실컷 사뢰려니
눈물이 바로 나니 말씀인들 어찌하며
정회를 못다 풀어 목조차 메여 오니
새벽닭 소리에 잠은 어찌 깨었던가.
어와, 허사로다. 이 임이 어디 갔나.
잠결에 일어나 앉아 창을 열고 바라보니
가엾은 그림자가 날 좇을 뿐이로다.
차라리 죽어져서 지는 달이나 되어서
임 계신 창 안에 환하게 비추리라.
각시님 달도 좋지만 굳은비나 되소서.

7 '白빅玉옥京경'은 임금(선조)이 있는 한양의 대궐을 가리킨다. 은거 생활을 한 창평을 의미하는 것은 '茅모簷첨 츤 자리'이다.

② '군쁘디 젼혀 업서'는 임이 자신을 사랑하기에 화자도 다른 생각을 하지 않았다는 의미로, 임을 향한 화자의 마음이 순수했음을 드러내는 구절이다. 이는 창작 당시의 맥락을 고려할 때 작가의 결백을 강조한 것이라 볼 수 있다.
③ '구름'과 '안개'는 화자와 임 사이를 가로막는 장애물을 의미하며, 이는 작가와 임금 사이를 가로막는 동인을 상징한다고 볼 수 있다.
④ '얼반이 나마 늘거셰라'는 임의 모습이 초췌해졌다는 의미로, 임금에 대한 작가의 걱정을 드러내는 것으로 이해할 수 있다.

8 〈보기〉에서 김만중은 우리말 대신 다른 나라의 말(한자어)로 표현한 우리나라의 시문을 부정적으로 평가하고 있다. 이 글은 당시 학사 대부들의 시부와 다르게 대부분 순우리말을 사용하여 화자의 정서를 진솔하게 드러내고 있어 문학적으로 가치가 높다고 평가할 수 있다.

② 당시 민중들의 민요는 3음보율이고, 사대부들의 시조는 4음보율이었다. 이 글도 4음보 율격을 띠고 있다.

9 ⓒ의 '어엿븐'은 현대어로 '가엾은', '불쌍한'으로 풀이할 수 있다.

10 임의 소식을 듣기 위해 화자는 ㉠과 ㉡으로 가 보지만 구름과 안개, 바람과 물결의 방해로 뜻을 이루지 못한다. 그리고 ㉢에 돌아와 꿈속에서나마 임을 잠깐 보게 된다.

11 '구즌비'는 을녀가 흘리는 눈물 또는 임의 옷을 적실 만큼 가까이 갈 수 있는 것을 의미한다. 따라서 '구즌비'가 되라는 말은 적극적으로 임에 대한 사랑을 드러내라는 의미로 해석할 수 있다.

3일 기초 확인 문제 41쪽

③ 유자소전

1 (1) ㉡ (2) ㉢ (3) ㉠   **2** (1) 1인칭 관찰자 (2) 전   **3** ㄱ, ㄴ, ㄷ, ㄹ
4 존경심, 물질 만능주의   **5** 자상, 공감   **6** (1) ○ (2) ×

3 ㅁ. 유재필은 몸소 겪은 바와 힘써 널리 보고 애써 널리 들은 것을 더하여 스스로 줏대와 주견을 갖추었다.

6 (2) 총수는 유재필의 능력을 높이 사서 곧 과장으로 올려 주었지만 그 이상의 승진은 불허하였다.

3일 교과서 기출 베스트 42~45쪽

③ 유자소전

1 ④   **2** '그'가 존경받을 만큼 훌륭한 사람이라는 것을 강조하기 위해서이다.   **3** ⑤   **4** ④   **5** ①   **6** ②   **7** ③   **8** ⑤
9 유가족들에게 봉변을 당하지 않고 일을 처리하기 위한 방법   **10** ④

1 '그'는 '어딘지 떳떳지 못하게 주눅부터 들어서 좌우의 눈치에 딱 부러지게 흑백을 하지 못하는 자'를 부정적으로 여겼다. 따라서 다른 사람을 의식하지 않고 자신의 의견을 말하는 사람은 '그'가 부정적으로 여겼던 사람들의 부류에 해당된다고 볼 수 없다.

2 '-자(子)'는 스승을 높여 부르거나, 학덕이 높은 사람의 성 뒤에 붙어 '높임을 받는 사람'의 뜻을 더하는 말이다. 따라서 '유자'라는 말에는 '그'에 대한 서술자의 존경하는 마음이 담긴 것으로 볼 수 있다.

3 이 글은 작품 속 서술자 '나'가 '유재필'의 행적을 요약하여 서술하고 있다.

> **오답 풀이**
> ①, ④ 이 글은 실존했던 인물인 유재필의 일생을 다룬 소설로 '전(傳)'의 형식을 취하고 있다. 제시된 글은 유자의 인품을 보여 주는 일화가 제시된 부분으로 '전'의 서술 구조 중 '행적'에 해당한다.
> ② '제우', '지랑', '넘어가지유', '자셔 볼 만헐규' 등과 같이 유자가 사용하는 사투리를 통해 향토적 정서가 느껴진다.
> ③ 유자가 사고 처리반일 때의 일화를 제시하여 유자의 따뜻하고 선한 인품을 드러내고 있다.

4 스페어 운전수 가족의 딱한 사정을 모른 척하지 않고 자신의 주머니를 털어 도와주는 모습에서 '그'가 따뜻하고 선한 마음씨를 지닌 사람임을 알 수 있다.

5 ㉠은 자기 혹은 자기와 가까운 사람에게 정이 더 쏠리거나 유리하게 일을 처리함은 인지상정이라는 말이다. 이는 모양이나 형편이 서로 비슷하고 인연이 있는 것끼리 서로 잘 어울리고, 사정을 보아주며 감싸 주기 쉬움을 비유적으로 이르는 말인 ①과 유사하다.

> **오답 풀이**
> ② 사물의 속 내용은 모르고 겉만 건드리는 일을 비유적으로 이르는 말.
> ③ 일이 매우 쉽다는 말.
> ④ 잘못을 저지른 쪽에서 오히려 남에게 성냄을 비꼬는 말.
> ⑤ 실행하기 어려운 것을 공연히 의논함을 이르는 말.

6 '사대부 가문을 자랑허시던 할아버지', '동경 유학 출신의 아버지'라는 내용을 고려할 때, '그'는 조상에 대해 자부심을 가지고 있으며 자신의 현재 처지가 그에 맞지 않다며 한탄하고 있음을 알 수 있다.

7 작품 속 상황과 다른 새로운 상황을 가정하여 사건을 재구성하는 것도 '창의적 수용'에 해당한다.

> **오답 풀이**
> ①, ②, ④는 공감적 수용, ⑤는 비판적 수용에 해당한다.

8 '그'가 사망자의 빈소에서 사고를 낸 회사를 비난하면서 한 말에 사투리와 비속어가 사용되었으며, 이를 통해 '그'가 인정 많고 너스레를 떨어 난처한 상황을 슬기롭게 모면하는 인물임을 드러내고 있다.

9 '그가 찾아낸 예방책'은 유가족을 방문하는 업무를 수행하면서도 봉변을 당하지 않기 위해 '그'가 생각해 낸 처세술이다.

10 사고 처리와 상관없는 '침놓는 법'을 배운 것은 유가족 중에 몸이 불편한 사람들을 배려하려는 '그'의 따뜻한 마음씨와 관련이 깊다.

4일 기초 확인 문제　49쪽

1 세일에서 건진 고흐의 별빛 **2** 뿌리 깊은 나무

1 (1) ⓛ (2) ⓒ (3) ㉠　**2** (1) ○ (2) × (3) ○　**3** ⑤　**4** 세상의 모든 별들은 노래한다.　**5** ④　**6** (1) 소통 (2) 유학 (3) 질서　**7** 컷(cut)

2 (2) 화자의 시선은 그림의 중앙(편백나무)에서 아래(밀밭 앞길)로 이동하였다가 오른쪽(마차, 농부)으로 시선을 돌린 후 하늘 왼쪽(희미한 것)으로 이동하였고, 그림의 상단부(해와 달)로 다시 이동하고 있다.

3 '별들', '편백나무', '보리밭', '외로운 별'은 모두 화자가 "빛나라"라고 언급한 대상들이다. 이들은 모두 특별할 것이 없는 평범한 존재들이다.

4 제시된 시구는 의문의 형식을 띠고 있으나 실제로 대답을 요구하는 물음이 아니라 '세상의 모든 별들은 노래한다.'라는 화자의 생각을 강조하기 위한 설의적 의문이다.

5 ④는 소설의 특성에 해당한다. 드라마 대본은 서술자 없이 등장인물의 대사와 행동 등으로 내용을 표현한다.

7 몽타주(montage)는 따로따로 촬영한 화면을 떼어 붙여서 편집하는 기법이다.

1 세일에서 건진 고흐의 별빛 **2** 뿌리 깊은 나무

1 ③   **2** ⑤   **3** ㉠ 빛나라 ㉡ 평범한   **4** ②   **5** ⑤   **6** ③
7 ⓐ 유학의 도 ⓑ 언로   **8** ・말한 것을 그대로 쓸 수 있고, 쓴 것을
그대로 읽을 수 있다. ・이틀 만에 글자를 익혀서 쓰고 읽을 정도로 배
우기 쉽다.   **9** ④   **10** ⑤

1 이 시에서는 시선의 이동에 따라 그림의 각 부분을 묘사하고
있을 뿐, 시간의 흐름에 따른 대상의 변화는 드러나지 않는다.

　오답 풀이
① 이 시에는 '빛나라, 별들이여, 빛나라, 편백나무여', '빛나라, 보리밭이
여, 빛나라, 외로운 별이여'와 같이 유사한 시구가 반복되어 이 세상의
모든 존재는 빛난다는 것을 강조하고 있다.
② '저 별들이 왜 환하게 노래하고 있지요?', '세상에 노래하지 않는 별이
어디 있소?'는 '별들이 환하게 노래하고 있다.', '세상에 모든 별은 노래
한다.'라는 시적 화자의 생각을 강조하기 위한 설의적 표현이다.
④ 그림 속 마차의 모습이 위태하다고 주관적으로 해석하여 마차가 굴러
오는 모습을 표현하고 있다.
⑤ '마차 한 대 굴러오고', '농부 둘이 걸어오고 있다' 등과 같이 현재형 시
제를 사용하여 마차, 농부가 오는 모습을 동적으로 묘사하고 있다.

2 '이상한 사람'은 농부들이 아니라 농부들이 만난 사람으로, 화
자 자신을 지칭하는 말이다.

3 화자가 "빛나라"라고 말하고 있는 대상은 '별들', '편백나무',
'보리밭', '외로운 별', '농부들'이며, 이들은 모두 평범한 존재
이자 세상에서 주목받지 못하는 존재들이다.

4 ⓐ는 별들이 모여서 빛나고 있는 해이다. 하늘 위 왼쪽 귀퉁이
에 있는 희미한 별은 ⓐ의 왼쪽 아랫부분에 있는 것이다.

　오답 풀이
① 시에서 그림을 보는 화자의 시선은 그림의 중앙에서 아래로, 다시 상
단부로 이동하고 있다.

5 '이도의 궤도에 크게 쓰여 있는 '武(무)' 자. 앞엔 혜강이 있다.'
는 지시문에 해당한다. 서술자의 서술을 통해 사건이 전개되
는 소설과 달리, 드라마 대본은 인물의 대사와 행동 등을 중심
으로 사건이 전개된다.

6 ㉢은 혜강이 '작개언로 달사총'이라는 유학에서 임금에게 강조
하는 덕목에 대해서 긍정하고 있는 것이지, 이도의 글자를 긍
정적으로 생각하는 것은 아니다.

7 '혜강'은 한자에 유학의 도가 들어 있음을 근거로 들어 새 글자
의 창제를 반대하고, '이도'는 유학에서 강조하는 언로를 틔우

기 위해 새 글자가 필요하다고 주장하고 있다.

8 "말한 것을 그대로 쓸 수 있고, 쓴 것을 그대로 읽을 수 있다?"
라는 가리온의 대사를 통해 '이 글자'가 말소리를 그대로 글자
로 표현할 수 있는 표음 문자임을 알 수 있다. 또한 "이틀 만입
니다!"라는 한가 놈의 말에서 '이 글자'가 이틀 만에 글자를 읽
고 쓸 정도로 배우기 쉽다는 것을 알 수 있다.

9 '가리온'은 모든 백성들이 글자를 쓰게 되면 사대부가 무너지
고 조선의 모든 질서가 무너질 것이라고 생각하기 때문에 새
글자가 반포되는 것을 막고자 한다.

10 S# 59는 반촌 내 도축소에 있는 가리온과, 궁궐에 있는 이도의
상반된 모습을 각각 촬영한 뒤에 화면을 이분하여 편집하는
것이 적절하다.

3 서경별곡

1 화자, 압축적, 운율   **2** (1) ㉠ (2) ㉤ (3) ㉡ (4) ㉣ (5) ㉢   **3** ②
4 ⑤   **5** (1) × (2) ○ (3) ○ (4) × (5) ○

3 이 시는 남녀 간의 사랑과 이별의 안타까움을 주된 내용으로
한다. '자연에 대한 동경'은 고려 속요 작품 가운데 〈청산별곡〉
의 주제와 관련 있다.

4 3연에서 화자는 임 대신 애꿏은 사공을 원망하며 떠나는 임에
대한 원망을 간접적으로 드러내고 있다.

5 (1) '즈믄 히'의 현대어 풀이는 '천 년'이다.
(4) '좃니노이다'의 현대어 풀이는 '쫓아가겠습니다', '따르겠습
니다'이다.

3 서경별곡

1 ④   **2** ①   **3** 위 두어렁셩 두어렁셩 다링디리   **4** ③   **5** ①
6 ④   **7** 2, 6, 중복 사용(추가)

1 화자는 슬픔, 사랑, 원망 등 사랑하는 임을 보내는 심정을 솔직하게 표현하고 있다.

① 전체 3연으로 구성된 분연체이고, '닷곤 ㄷㅣ∨쇼셩경∨고외마른∨'과 같이 3음보의 율격이 나타나 있다.
② 여음구인 '아즐가', '나ᄂᆞᆫ'을 반복하여 리듬감이 느껴진다.
③ '셔경(西京)', '대동강(大同江)' 등과 같이 구체적인 지명이 제시되어 있다.
⑤ '긴힛ᄯᆞᆫ 그츠리잇가', '신(信)잇ᄃᆞᆫ 그츠리잇가'와 같이 설의적 표현을 통해 임에 대한 화자의 믿음이 끊어지지 않을 것임을 강조하고 있다.

참고 자료

● 〈서경별곡〉 현대어 풀이
서경(西京)이 서울이지만
(우리 사랑 닦은 곳 작은 서울 사랑하지만
이별할 바에는 길쌈과 베를 버리고
사랑하므로 울면서 쫓습니다.

구슬이 바위에 떨어진들
끈이야 끊어지겠습니까
천 년을 홀로 살아간들
믿음이야 끊어지겠습니까

대동강 넓은 줄 몰라서
배를 내어 놓았느냐 사공아
네 각시도 (언젠가는 강을) 넘을 줄을 몰라서
가는 배에 (내 임을) 실었느냐 사공아
(내 임은) 대동강 건너편 꽃을
배 타고 들어가면 꺾을 것입니다.

2 1연은 화자가 임과 이별하는 상황이기 때문에 홀로 남은 공간에서 화자가 임을 그리워하는 모습은 나타나지 않는다.

② 1연에서 화자는 생업을 버리고서라도 임을 따라가겠다고 말하며 임과의 이별을 적극적으로 거부하고 있다.
③ 2연에서 화자는 '즈믄 ᄒᆡ(천 년)'를 떨어져 지낸다 하더라도 임에 대한 사랑과 믿음은 변하지 않을 것이라고 다짐하고 있다.
④ 3연에서 화자는 임을 직접 원망하기보다는 임을 싣고 가는 사공을 대신 원망하고 있다.
⑤ 3연에서 화자는 임이 대동강 건너편으로 가면 꽃(다른 여인)을 꺾을 것이라는 비유적 표현을 통해 질투의 심정을 드러내고 있다.

3 〈보기〉는 후렴구에 대한 설명이다.

4 ③은 '긴(끈)'의 상징적 의미에 해당한다. '바회'는 구슬을 깨뜨릴 수 있는 대상으로 화자와 임을 헤어지게 하는 시련을 상징한다.

5 이 시에는 원망의 대상인 사공이 드러나 있으나, 〈보기〉에는 원망의 대상이 드러나 있지 않다.

② 이 시에서는 '대동강'이, 〈보기〉에서는 '강'이 화자가 임과 헤어지는 이별의 공간이다.
③ 이 시에서 '꽃'은 임이 대동강을 건너 만나게 될 다른 여인으로, 화자가 질투하는 대상이다.
④ 이 시의 2연에서 화자는 임에 대한 변함없는 사랑을 다짐하고 있다.
⑤ 〈보기〉에서 화자는 임에게 강을 건너지 말라고 만류하고 있다.

작품 더 보기

● 작자 미상, 〈공무도하가〉
– 갈래: 고대 가요
– 주제: 임을 잃은 슬픔, 이별의 정한
– 해제: 고조선 때의 노래로 백수 광부(白首狂夫)가 강을 건너다가 빠져 죽자 그의 아내가 이를 한탄하면서 불렀다. 임의 죽음을 막으려고 했지만 임을 잃고 만 슬픔을 애절하게 노래하고 있다.

6 〈서경별곡〉은 〈정석가〉와 달리 여음구를 사용하고 있지만, 이 여음구는 특별한 의미 없이 악률을 맞추고 흥을 돋우기 위해 사용한 것이다.

③ 〈서경별곡〉 전체 3연, 〈정석가〉는 전체 6연으로 구성된 분연체이다.
⑤ 〈정석가〉의 5연에서 무쇠로 만든 소가 철로 된 풀을 먹는 실현 불가능한 상황을 가정하고 그 상황이 실현되면 임과 이별하겠다고 함으로써 이별을 거부하는 마음을 드러내고 있다.

작품 더 보기

● 작자 미상, 〈정석가〉
– 갈래: 고려 속요
– 주제: 임에 대한 영원한 사랑
– 해제: 현실에서는 일어날 수 없는 상황을 가정하여 임과 영원히 이별하지 않겠다는 의지를 드러내고 있는 작품이다.

● 〈정석가〉 5연, 6연 현대어 풀이
무쇠로 큰 소를 지어다가
무쇠로 큰 소를 지어다가
철로 된 나무가 있는 산에 놓습니다.
그 소가 철로 된 풀을 먹어야만
그 소가 철로 된 풀을 먹어야만
유덕하신 임을 이별하고 싶습니다.

구슬이 바위에 떨어진들
구슬이 바위에 떨어진들
끈이야 끊어지겠습니까?
천 년을 외로이 살아간들
천 년을 외로이 살아간들
(임에 대한) 믿음이야 끊어지겠습니까?

7 고려 속요의 전승 과정을 고려할 때 민요 중에 있던 '구슬 노래'를 사람들이 좋아하여 〈서경별곡〉의 2연과 〈정석가〉의 6연에 중복 사용하거나 추가했을 것이라고 추측할 수 있다.

1 고인도 날 못 보고 / 한숨아 셰 한숨아 **2** 모닥불

1 (1) (가) (2) (나) (3) (나) (4) (가)   **2** ㉠ 고인을 본받고자 함. ㉡ 한숨이 나옴.   **3** (1) 연쇄법 (2) 설의법 (3) 의인법 (4) 열거법   **4** 해설 참조   **5** (1) ㉠ (2) ㉢ (3) ㉡   **6** (1) 평안도 (2) 도

1 (가)는 평시조, (나)는 사설시조이다.

4 평시조는 4음보의 율격을 지닌다.

    ✍ 정답

> 고인(古人)도∨날 못 보고∨나도∨고인 못 뵈
> 고인을∨못 봐도∨녀든 길∨알픠 잇니
> 녀든 길∨알픠 잇거든∨아니 녀고∨엇졀고

→ (4)음보율

1 고인도 날 못 보고 / 한숨아 셰 한숨아 **2** 모닥불

1 ③   **2** ⑤   **3** 학문 수양의 길/학문에 정진하는 삶   **4** ③   **5** ④   **6** (1) (어린 시절에 겪은) 할아버지의 불행/할아버지의 슬픈 사연 (2) 우리 민족의 불행/우리 민족의 슬픈 역사

1 (가)는 평시조이고, (나)는 사설시조이다. 유학자나 양반이 유교적 가치를 노래한 평시조를 많이 지었고, 중인이나 평민들이 서민들의 일상과 삶의 애환을 노래하는 사설시조를 많이 지었다.

    오답 풀이
⑤ 평시조는 고려 말에 성립되었고, 사설시조는 조선 후기에 등장하였다.

    참고 자료

● 〈고인도 날 못 보고〉 현대어 풀이
옛 사람도 날 못 보고 나도 옛 사람을 못 보네
옛 사람을 못 뵈어도 가던 길 앞에 있네
가던 길 앞에 있거든 아니 가고 어쩌겠는가

● 〈한숨아 셰 한숨아〉 현대어 풀이
한숨아 가는 한숨아, 네 어느 틈으로 들어오느냐
고미장지, 세살장지, 가로닫이, 여닫이에 암톨쩌귀, 수톨쩌귀, 배목걸쇠 뚝딱 박고, 용과 거북 수놓은 자물쇠로 꼭꼭 채웠는데, 병풍이라 덜컥 접은 족자처럼 대굴대굴 말았느냐 네 어느 틈으로 들어오느냐
어찌 된 일인지 너 온 날 밤이면 잠 못 들어 하노라

2 (나)의 중장에서 문과 창문, 잠그는 도구 등의 사물들을 나열하고 있다. 이를 통해 화자가 문을 닫아 한숨을 막으려는 행동을 과장하여 표현함으로써 화자가 근심에 잠겨 있는 상황을 해학적으로 표현하고 있다.

    오답 풀이
① (가)의 종장에서 '녀든 길 알픠 잇거든 아니 녀고 엇졀고(가던 길 앞에 있거든 아니 가고 어쩌겠는가?)'라는 설의적 표현을 통해 고인이 가던 길을 자신도 가겠다는 의지를 드러내고 있다.
② (가)에서 초장 뒷부분 '나도 고인 못 뵈'가 중장 앞부분으로 이어지고, 중장 뒷부분 '녀든 길 알픠 잇니'가 종장 앞부분으로 이어진다.
③ (가)의 초장에서 대구법을 사용하여 '나'와 '고인'의 거리를 나타내고 있다.
④ (나)에서는 '한숨'을 의인화하여 '너'라고 지칭하며 말을 건네듯이 표현하고 있다.

3 화자는 고인이 가던 길을 걸어가겠다고 말함으로써 고인의 삶을 본받겠다는 의지를 드러내고 있다. 따라서 '녀든 길'은 '고인', 즉 옛 성현들이 평생 학문을 게을리하지 않던 일을 의미한다고 볼 수 있다.

4 3연에서 화자가 할아버지의 지나온 삶에 대해 생각하고 있을 뿐, 작품 안에서 시간의 흐름은 나타나 있지 않다.

    오답 풀이
① '새끼오리도 헌신짝도 소똥도 갓신창도 개니빠디도 …'와 같이 조사 '도'가 반복되어 운율을 형성한다.
② 1연에서는 모닥불에 타는 사물들을 나열하고, 2연에서는 모닥불을 쬐는 존재들을 나열하여 모두가 둘러서서 모닥불을 쬐는 상황을 묘사하고 있다.
④ 1, 2연에서 모닥불을 쬐는 현재 상황을 묘사하다가, 3연에서 할아버지의 과거에 대한 회상으로 시상이 전환된다.
⑤ '새끼오리(새끼줄)', '개니빠디(개의 이빨)'와 같은 평안도 방언을 의도적으로 사용하여 향토적 정감을 불러일으키고 있다.

5 모닥불 주위에 모인 ⓑ는 신분, 나이 등의 구별 없이 평등하게 어우러져 불을 쬐고 있을 뿐, 민족의 밝은 미래를 위해 어떤 행동을 하고 있지는 않다.

6 (1) 화자는 모닥불을 보면서 할아버지의 슬픈 역사를 떠올린다. 할아버지가 몽둥발이가 되었다는 것으로 보아 할아버지의 삶이 불행했음을 짐작할 수 있다.
(2) 이 시가 창작된 시대가 일제 강점기임을 고려할 때, '슬픈 역사'는 개인의 불행을 넘어 우리 민족의 불행을 의미하는 것으로도 볼 수 있다.

■ 농무

1 (1) 공간 (2) 우리 (3) 역설적 **2** (1) 이농 (2) 궁핍 **3** 원통함, 자포자기 **4** 농무 **5** (1) ○ (2) × (3) ○ **6** ⑤

5 (2) 화자는 하루 일을 끝내고 강변에 나가 삽을 씻고 흐르는 물을 바라보고 있다.

6 화자는 하루 일을 끝낸 뒤 삽을 씻고 자신의 삶을 체념하면서 먹을 것 없는 마을로 돌아가고 있다.

■ 농무

1 ② **2** ⑤ **3** ④ **4** ⑤ **5** 개인, 공동체

1 (가)는 '운동장 → 소줏집 → 장거리 → 도수장'으로 공간을 이동하면서 시상이 전개되고 있지만, (나)는 공간이 강가로 고정되어 있다.

오답 풀이
① (가)에서 화자는 '우리', (나)에서 화자는 '우리', '나'와 같이 1인칭 화자가 드러나 있다.
③ (가)는 '비룻값도 안 나오는 농사', (나)는 '먹을 것 없는 사람들의 마을'을 통해 산업화 시대에 소외된 농민과 도시 노동자의 현실이 나타나 있다.
④ (가)는 '답답하고 고달프게 사는 것이 원통하다' 등에서, (나)는 '슬픔도 퍼다 버린다'에서 화자의 정서가 직접적으로 드러난다.
⑤ (가)의 '산 구석에 처박혀 발버둥 친들 무엇하랴'에는 농촌의 현실에 대한 화자의 부정적 인식이 나타나 있고, (나)의 '흐르는 것이 물뿐이랴'에는 노동자의 힘겨운 삶도 물처럼 흘러간다는 화자의 인식이 나타나 있다.

╋ 작품 더 보기

● 정희승, 〈저문 강에 삽을 씻고〉
 – 갈래: 자유시, 서정시
 – 주제: 가난한 도시 노동자의 슬픔과 체념
 – 해제: 산업화 시대의 가난한 도시 노동자의 삶을 그린 시이다. 화자는 하루 일을 끝내고 강변에 나가 삽을 씻으며 자신의 슬픔도 퍼다 버린다. 그러나 어두워지면 '샛강 바닥 썩은 물에 달이 뜨듯이 암담한 생활 속으로 돌아가서 계속 살아가야 하는 현실을 말하고 있다.

2 ⓒ에 나타난 답답한 농촌 현실에 대한 화자의 울분은 ⓓ에서 농무를 통한 신명으로 강하게 표출될 뿐, 화자의 울분이 완전

히 해소되었다고 보기 어렵다.

오답 풀이
② ⓑ에서 화자는 농촌의 현실에 대해 '답답하고 고달프게 사는 것이 원통하다'라고 직설적으로 표현하고 있다.
④ ⓑ에서 소주를 마시면서 느낀 원통함은 ⓒ에서 분노로 심화되고 ⓓ에서 울분과 한을 품고 있는 신명으로 최고조에 이른다.

3 ㉢은 '썩은 강물'에 반복해서 뜨는 '달'처럼 암담한 현실에서 하루하루 희망 없이 반복적으로 살아가는 노동자의 삶을 보여 준다.

4 (가)에서 농무는 농민들이 울분을 표출하는 몸부림 같은 춤일 뿐, 농사일을 마치고 농민들이 흥겨움을 표현하던 춤과는 거리가 멀다.

5 두 시에서는 산업화와 도시화 과정에서 소외된 농민과 도시 노동자의 문제를 드러내고 있다. 화자를 '나'로 설정할 경우에는 이러한 문제가 어느 한 개인이 겪고 있는 문제로 비추어질 수 있지만, 화자를 '우리'로 설정함으로써 '나'를 포함한 공동체 전체의 문제임을 보여 주고 있다.

● **범위** 1단원 ~ 2단원 (1) 문학 작품의 구성 원리와 수용

1 ③ **2** ② **3** ③ **4** 많은 풀벌레를 죽였기 / 다른 생명체를 해쳤기 **5** ④ **6** ③ **7** ⑤ **8** 전(傳), 긍정적

1 이 시에는 반어법이 사용되지 않았다.

오답 풀이
① 3행에서 '너, 아니?'라고 나무를 부르고 있다.
② 도치법은 3~4행에 사용되었다.
④ '나무'를 '너'라고 지칭하고 눈을 감고 있다고 표현하고 있다.
⑤ '눈'은 물체를 보는 감각 기관인 '눈[目]' 또는 초목의 싹인 '눈[芽]'이라는 중의적인 의미로 쓰였다.

2 '나'는 돈을 벌지 못하는 '형'은 어른이 아니라고 생각하고 있다. '나'는 돈을 버는 경제권을 가진 사람이 어른이라고 생각하고 있다.

3 ㉠은 수많은 풀벌레가 달리는 자동차에 부딪혀 죽은 일을 의미한다. ㉠을 계기로 글쓴이는 자동차가 안락한 공간이 되기도 하지만 다른 생명을 해칠 수도 있음을 깨닫고, 차를 소유하되 그에 종속되지 않으려 결심하였다.

4 글쓴이는 자동차를 운전하면서 자신이 의도하지 않았지만 많은 풀벌레들을 죽게 하였다. 이러한 경험으로 죄책감을 느낀 글쓴이는 생태적 발언을 할 자격이 없다고 생각하고 있다.

5 화자는 노래를 부르며 즐거운 마음으로 일에 열중하는 농민들의 모습을 긍정적인 시선으로 바라보고 있다.

6 ㉢은 화자가 보고 싶어 하는 '임(임금)'을 상징하며, 나머지는 화자와 임 사이를 가로막는 존재를 상징한다.

7 ㉠는 유재필이 부정적으로 생각하는 사람에 해당한다. 유재필은 분수없이 남을 제치거나 밟고 일어서서 으스대는 사람을 싫어하였다.

8 이 글은 한문 문체의 하나인 '전(傳)' 양식으로, 실존 인물이었던 유재필의 생애를 간략하게 소개하며 그를 긍정적으로 평가하고 있다.

6일 누구나 100점 테스트 2회   70~71쪽

1 ③   **2** ③   **3** 화면 분할   **4** ②   **5** ③   **6** 열거, 조사 '도'
7 ④

1 '편백나무 두 줄기 → 밀밭 앞길 → 위태한 마차 → 농부 둘 → 왼편 귀퉁이에 희미한 것(별) → 해와 달'과 같이 화자의 시선이 이동하고 있다(ㄴ). 또 '별들', '편백나무', '보리밭', '외로운 별', '농부들'을 열거하고, '빛나라'와 같은 시구를 반복하여 주제 의식을 강조하고 있다(ㄷ).

오답 풀이
ㄱ. 고흐의 그림에서 '밀밭 앞길'과 '하늘' 같은 공간은 확인할 수 있지만, 이러한 공간에 상징적 의미를 부여하지는 않았다.
ㄹ. 수미상관의 구조를 취하지 않았다.

2 이 시에서 '하나는 삽을 메고 / 하나는 주머니에 두 손 찌른 채' 걷고 있는 농부들의 모습을 묘사하고 있을 뿐, 농부들이 대화하고 있는지는 알 수 없다. 또한 시의 후반부에 농부들을 붙들고 묻는 내용이 나오지만 이는 화자가 그림 속 농부들과의 대화를 상상한 것이다.

3 S# 59에서 가리온과 이도의 모습으로 화면을 이분하여 보여 주고 있다. 이러한 연출 방법을 '화면 분할'이라 한다.

4 '고인도∨날 못 보고∨나도∨고인 못 뵈'와 같이 4음보 율격으로 이루어져 있다.

오답 풀이
③ 종장에서 설의적 표현을 통해 고인이 가던 길을 화자 자신도 가겠다는 의지(주제)를 드러내고 있다.
④ 초장에서 '고인도 날 못 보고 나도 고인 못 뵈'와 같이 대구법을 사용하여 '나'와 '고인'의 거리를 나타내고 있다.
⑤ 연쇄법을 사용하여 초장-종장-중장을 연결하고 있다.

5 '즈믄 히를 외오곰 녀신들 / 신(信)잇돈 그츠리잇가(천 년을 외롭게 살아간들 / 믿음이 끊어지겠습니까.)'라는 설의적 표현을 통해 임에 대한 변치 않은 사랑을 다짐하고 있다.

6 이 시에서는 열거법을 사용하고 조사 '도'를 반복함으로써 다양한 사람들과 짐승들 모두가 평등하게 어우러져 모닥불을 쬐고 있는 시적 상황을 효과적으로 드러내고 있다.

7 화자는 농사를 지어도 비룟값도 안 나오는 농촌의 현실에 '산구석에 처박혀 발버둥 친들 무엇하랴'와 같이 분노하면서 자조하는 태도를 드러내고 있다.

6일 창의·융합·코딩 서술형 테스트   72~75쪽

1 작품 속 화자가 처한 문제 상황과 그러한 상황에 대처하는 방식을 파악할 수 있는지를 확인하는 문제이다. (가)의 화자는 현실적 자아와 내면적 자아의 갈등 상황에서 현실을 극복하고자 하는 의지를 보이며 화해를 시도하고 있다. (나)의 화자는 임을 볼 수 없는 상황에서 죽어서라도 임의 곁에 가기를 소망하고 있다.

평가 요소	확인 ☑
(가)의 화자가 대처하는 방식을 적절하게 서술하였다.	
(나)의 화자가 겪고 있는 문제를 적절하게 서술하였다.	

✎ 예시 답안
ⓐ 현실 극복의 의지를 보이며 두 자아(내면적 자아와 현실적 자아)가 화해함.
ⓑ 임을 만날 수 없는 현실

2 시어의 상징적 의미를 작품이 창작된 시대적 배경과 관련지어 파악할 수 있는지를 확인하는 문제이다. 일제 강점기라는 시대적 배경을 고려할 때, '어둠'은 일제 강점기의 암담한 현실을, '아침'은 조국의 광복을 상징한다고 볼 수 있다.

평가 요소	확인 ☑
'일제 강점기'를 포함하여 ㉠의 상징적 의미를 썼다.	
'광복', '독립' 등을 포함하여 ㉡의 상징적 의미를 썼다.	
〈조건〉에 제시된 문장 형식으로 썼다.	

✎ 예시 답안

㉠은 일제 강점기의 암담한 현실을 상징하고, ㉡은 조국의 광복을 상징하지.

3 작품에 드러난 인물의 특성을 파악하고 이를 현실에 응용할 수 있는지를 확인하는 문제이다. 임 씨는 건물 수리 경력이 있고, 책임감 있게 맡은 일을 꼼꼼하게 마무리하는 사람이다.

평가 요소	확인 ☑
추천하고 싶은 직군으로 '건물 수리직'을 썼다.	
임 씨의 경력과 성품을 고려하여 추천 이유를 서술하였다.	
〈조건〉에 제시된 문장 형식으로 썼다.	

✎ 예시 답안

임 씨를 건물 수리직에 추천하겠다. 그 이유는 임 씨는 건물 수리 경력이 있고 맡은 일을 성실하고 책임감 있게 해내는 사람이기 때문이다.

4 중심인물의 처지, 작품의 주제와 관련지어 제목의 의미를 파악할 수 있는지를 확인하기 위한 문제이다. 도시 빈민인 임 씨는 비가 와서 일을 나갈 수 없을 때에는 공장 사장에게 떼인 돈을 받기 위해 가리봉동에 가야 한다. 이는 가족의 생계가 달린 일이기 때문에 임 씨에게 무척 중요한 일이다.

평가 요소	확인 ☑
제목에 담긴 의미를 적절하게 서술하였다.	
등장인물이 대표하는 계층('부도덕한 부유층', '도시 빈민')을 밝혀 썼다.	
'가야 한다'에 담긴 임 씨의 절박한 심정을 포함하여 썼다.	

✎ 예시 답안

부도덕한 부유층 때문에 생활난에 빠진 도시 빈민의 절박함을 드러낸다.

5 그림을 소재로 하여 창작한 두 시의 공통점과 차이점을 파악할 수 있는지를 확인하기 위한 문제이다. (가)는 3~13행에서 고흐의 그림 속 풍경을 묘사하고 있고, (나)는 1~5행에서 박수근의 그림을 그리는 방식과 그림 속 대상의 모습을 묘사하고 있다.

평가 요소	확인 ☑
(나)와 (가)가 그림의 내용을 다룬다는 점을 공통점으로 썼다.	
(나)가 (가)와 달리 그림을 그리는 방식을 다루었다는 점을 차이점으로 썼다.	
〈조건〉에 제시된 문장 형식으로 썼다.	

✎ 예시 답안

(나)는 (가)와 그림의 내용을 다룬다는 점에서 유사하고, (나)는 그림을 그리는 방식까지 다룬다는 점에서 (가)와 다르다.

┌─ ✚ **작품 더 보기** ─┐

● 김혜순, 〈납작납작 – 박수근 화법을 위하여〉
  – 갈래: 자유시, 서정시
  – 주제: 서민들의 고달픈 삶에 대한 연민
  – 해제: 이 시는 박수근의 그림 〈세 여인〉을 모티프로 한 작품으로, 시인은 가난한 삶을 살아가는 서민들을 동정과 연민 어린 시선으로 바라보고 있다. 화가로 설정된 화자는 고달프게 살아가는 서민들을 납작하게 눌린 모습, 즉 현실에 시달리며 감정조차 잃은 채 힘겹게 살아가는 모습으로 표현하고 있다.

6 시상 전개 과정에 따라 시의 내용을 파악할 수 있는지를 확인하기 위한 문제이다. [A]에서는 고흐의 그림 속 풍경을 묘사하고 있다. 그리고 [B]에서 화자는 세상의 모든 존재는 빛난다는 통찰에 이른다.

평가 요소	확인 ☑
㉠에는 [A]의 중심 내용을 정리하여 적절하게 썼다.	
㉡에는 [B]에 나타난 화자의 생각을 적절하게 썼다.	

✎ 예시 답안

㉠ 고흐의 복사화에 등장하는 대상들을 묘사함.
㉡ 세상의 모든 존재는 빛남.

7 두 작품 속에 나타난 화자의 태도를 비교하여 파악할 수 있는지를 확인하기 위한 문제이다. [A]와 [C]에서 화자는 모두 이별을 거부하고 있지만 그 방식에는 차이가 있다.

평가 요소	확인 ☑
[A]에 나타난 화자의 구체적인 행동을 적절하게 서술하였다.	
[C]에 나타난 화자의 구체적인 행동을 적절하게 서술하였다.	
〈조건〉에 제시된 문장 형식으로 썼다.	

✎ 예시 답안

[A]에서 화자는 삶의 터전과 생업을 버리고서라도 임을 따라가겠다고 말하고 있고, [C]에서 화자는 현실에서 일어날 수 없는 상황을 가정하여 임과 영원히 이별하지 않겠다고 말하고 있지.

8 구비 전승되어 온 고려 속요의 갈래적 특성을 이해하고 있는지를 확인하기 위한 문제이다. 고려 속요는 구비 전승되는 과정에서 내용이 첨삭, 중복 사용되기도 하였다.

평가 요소	확인 ☑
고려 속요가 구비 전승되다가 궁중 음악으로 수용되었음을 썼다.	
전승 과정에서 당시에 유행하던 노랫말이 중복 사용되거나 추가되었음을 썼다.	
〈조건〉에 제시된 문장 형식으로 썼다.	

✎ 예시 답안

민간의 음악이 구비 전승되다가 궁중의 음악으로 수용되는 과정에서 당시 유행하던 '구슬 노래'가 중복 사용되거나 추가되었을 것이라고 추측할 수 있다.

정답

• 범위 1단원 ~ 3단원 (1) 서정 갈래의 흐름

1 ④　**2** ④　**3** ①　**4** ④　**5** ①　**6** ⑤　**7** 고향의 땅을 팔고 도시로 나와 어렵게 사는 자신의 처지가 씁쓸하게 여겨졌기 때문이다.　**8** ④　**9** ④　**10** '네(갑녀)'가 '뎌 각시(을녀)'에게 누굴 보러 가는 길인지 물어봄으로써 '뎌 각시(을녀)'의 대답을 유도하는 역할을 한다.　**11** ①　**12** ④　**13** 고흐의 그림에서 영감을 얻어 창작한(고흐의 그림을 소재로 하여 창작한) 시 〈세일에서 건진 고흐의 별빛〉　**14** ④　**15** ⑤

1 (나)의 글쓴이는 밤에 자동차를 운전하며 의도치 않게 많은 풀벌레를 죽인 것을 반성하는 태도를 보이고 있다. 그러나 (가)에는 화자의 성찰적 태도가 나타나 있지 않다.

2 글쓴이가 걷기 예찬자였던 것은 운전을 시작하기 전이라고 하였다. '풀 비린내' 사건 이후 글쓴이는 차를 소유하되 차에 종속되지 않겠다고 결심하였다.

3 (가)의 6연 '나는 무얼 바라 … 침전하는 것일까?', (나)의 마지막 행 '무엇하러 고향 떠나 벼슬길에 헤매리오'와 같이 의문의 형식을 활용하여 화자가 자신의 삶을 반성하고 있다.

4 ㉢은 노동으로 단련된 건장한 농민들의 몸을 시각적으로 형상화한 것으로, 보리타작을 하는 농민들에 대한 화자의 긍정적 시선이 담겨 있다.

5 이 글은 작품 밖의 서술자가 등장인물인 '그'의 시선을 빌려, '그'가 경험한 사건과 내면 상태를 서술하고 있다.

6 겨울 연탄은 자기 집 것으로 때 달라는 임 씨의 말에 아내는 아무런 대답도 하지 않고 굳은 표정을 지었다. 본업이 연탄장수인 임 씨에게 공사를 맡긴 것이 어쩐지 불안했기 때문이다.

7 인물의 처지를 바탕으로 인물의 행동 이유를 파악할 수 있는지를 확인하는 문제이다. 임 씨는 고향에서 땅을 팔고 도시로 나왔지만 어렵게 살아가는 자신의 처지를 한탄하고 있다.

평가 요소	확인☑
임 씨의 처지와 심정을 포함하여 임 씨의 행동 이유를 적절하게 서술하였다.	
〈조건〉에 제시된 문장 형식으로 썼다.	

8 (나)는 두 여인을 화자로 설정하여 대화하는 방식으로 구성되

어 있다. 한 여성은 질문하고 위로하는 역할을 하고, 다른 여성은 자신의 처지와 염려를 하소연하는 역할을 한다.

오답 풀이
② (가)는 화자가 꽃이 피고 지는 현상을 관조적 태도로 바라보고 있다.
⑤ (가)는 1연과 4연이 서로 대응되는 수미상관 구조를 통해 생성과 순환을 거듭하는 자연의 섭리를 드러내고 있다. 그러나 (나)에는 수미상관 구조가 쓰이지 않았다.

9 ㉣은 임을 향한 화자의 마음이 순수했음을 강조하는 표현이다. 임과 이별하게 된 원인으로 보기는 어렵다.

10 보조적 화자인 '갑녀'의 역할을 파악할 수 있는지를 확인하기 위한 문제이다. 갑녀는 을녀의 대답을 유도하면서 내용 전개를 위한 기능적 역할을 한다.

평가 요소	확인☑
갑녀가 을녀의 대답을 유도하는 역할을 한다는 내용을 썼다.	
갑녀가 말한 내용을 구체적으로 언급하였다.	
〈조건〉에 제시된 문장 형식으로 썼다.	

11 '빛나라, 별들이여, 빛나라, 편백나무여', '빛나라, 보리밭이여, 빛나라, 외로운 별이여' 등과 같이 유사한 시구가 반복되어 리듬감이 느껴진다.

오답 풀이
④ 화자는 그림의 중앙에서 아래로, 다시 상단부로 시선을 이동하며 그림 속 대상을 묘사하고 있다.
⑤ 의성어나 의태어와 같은 음성 상징어는 사용되지 않았다.

12 ㉠은 '세상에 빛나지 않는 게 어디 있는가.'에 이어서 나온 말이다. 화자는 고흐의 그림을 보고 이 세상의 모든 존재가 빛난다고 생각하게 되었으며, 설령 빛나지 않는 것이 있다고 한다면 그것은 아직 고흐가 그림으로 그리지 않은 것일 뿐이라고 생각하고 있다.

13 문학과 인접 분야의 관계에 대해 파악할 수 있는지를 확인하기 위한 문제이다. 이 시는 시인이 고흐의 그림 〈밤의 프로방스 시골길〉에서 얻은 영감을 바탕으로 창작한 작품이다.

평가 요소	확인☑
고흐의 그림을 소재로 창작한 시임을 드러내는 소개 문구를 썼다.	
〈조건〉에 제시된 형식으로 썼다.	

14 ㉣은 임과 이별하는 상황에 놓인 화자가 임을 직접 원망하지 못하고 임을 강 건너편으로 실어다 주는 사공을 대신 원망하는 표현이다.

15 이 시의 1연에 삶의 터전과 생업을 버리고서라도 임을 따라가겠다고 말하며 이별을 적극적으로 거부하는 화자의 태도가 나타난다. 그러나 〈보기〉의 3, 4행에는 물에 빠져 죽은 임을 보고 한탄하며 슬퍼하는 화자의 모습이 나타나 있을 뿐, 이별의 아픔을 극복하는 모습은 나타나 있지 않다.

7일 중간고사 기본 테스트 2회   82~87쪽

• 범위 1단원 ~ 3단원 (1) 서정 갈래의 흐름

1 ①   **2** ②   **3** '꽃'은 생성과 소멸을 반복하는 모든 자연물이다.
4 ②   **5** ⓐ 농사가 첫해로 실패하면 다음 해 다시 학교로 갈 것.
ⓑ 책을 통해 세상을 살아가는 데 필요한 지식을 쌓길 바람.   **6** ②
7 ③   **8** ①   **9** ⑤   **10** ②   **11** (나) → (가) → (라) → (다)의
순으로 창작되었다. (나)는 조선 전기에 창작된 평시조, (가)는 조선 후기에 창작된 사설시조, (라)는 일제 강점기에 창작된 현대 시, (다)는
1970년대에 창작된 현대 시이다.   **12** ①   **13** ⑤   **14** ③
15 ⑤

1 (가)와 (나)는 모두 봄을 배경으로 하고 있다. (가)에서는 봄눈을 맞는 나무들의 모습, (나)에서는 마음을 치유해 주는 꽃의 속성을 통해 형성된 화자의 긍정적 정서가 드러나 있다.

[오답 풀이]
② (가)에서 화자는 '나라도 그럴 것이다! … 에 퍼붓는 봄!'과 같이 영탄적 표현을 통해 봄눈을 맞는 나무에 대한 감탄을 드러내고 있다. 하지만 (다)에는 영탄적 표현이 쓰이지 않았다.
③ (나)에서 '꽃'을 '침'에 비유함으로써 '꽃'이 지닌 부드러움의 힘을 드러내고 있다. 그러나 (다)에서는 비유법이 사용되지 않았다.
④ (다)는 '-네'라는 종결 어미를 반복하여 꽃이 피고 지는 모습을 관조적으로 바라보는 화자의 태도를 드러내고 있다. 그러나 (나)에는 특정 종결 어미가 반복되지 않았다.
⑤ (가)에서는 '나무'를 의인화하고 있으나, (나)와 (다)에서는 대상을 의인화하고 있지 않다.

[작품 더 보기]

● 함민복, 〈봄꽃〉
– 갈래: 자유시, 서정시
– 주제: 아름다운 봄꽃의 힘
– 해제: 이 시는 봄꽃의 부드러움이 가진 힘을 노래하고 있다. 봄꽃은 부드럽고 연약해 보이지만, 사람들의 마음속 상처를 치유하는 힘을 지니고 있음을 '꽃침'이라는 역설적인 비유를 통해 드러내고 있다.

2 ⊙은 나무를 '너'라고 지칭하고 나뭇가지에 눈이 내려앉는 것을 입 맞추려는 것으로 표현한 부분으로, 사물에 인격을 부여하는 의인법이 사용되었다. ② 역시 산맥을 의인화하여 '바다를 연모해 휘달'린다고 표현하였다.

[오답 풀이]
① 은유법, ③ 직유법, ④ 반어법, ⑤ 역설법

3 두 작품에 나타난 대상에 대한 화자의 관점을 비교할 수 있는지를 확인하기 위한 문제이다. (다)에서 '꽃'은 저만치 혼자 피어 있는 고독한 존재로, 피었다 지기를 반복하고 있는 대상이다.

평가 요소	확인 ☑
'생성', '소멸', '모든 자연물' 등의 단어를 포함하여 (다)의 화자의 관점을 적절하게 서술하였다.	
한 문장으로 썼다.	

4 '나'는 대관령에서 농사를 짓고 싶다는 결심을 관철시키기 위해 책에 불을 지르고, 강릉에서 집안의 농사를 지으라는 아버지의 제안도 거절하였다. 이로 보아 '나'는 고집이 세고 자신의 의지에 따라 단호하게 행동하는 성격임을 알 수 있다.

5 아버지는 '나'가 자기 길을 찾는 노력을 게을리하지 않기를 바라고 있다. 그래서 농사가 실패하면 학교로 돌아갈 것과, 책을 많이 읽을 것을 약속하라고 한 것이다.

평가 요소	확인 ☑
ⓐ에 첫 번째 약속의 내용을 적절하게 썼다.	
ⓑ에 두 번째 약속에 담긴 아버지의 의도를 적절하게 썼다.	

6 (다)에서 화자는 다른 사람의 모함만 믿고 자신의 직언을 듣지 않는 임금을 원망하며 자신의 비통한 마음을 토로하고 있다. 그러나 (가)와 (나)에서는 임을 원망하는 내용을 찾아볼 수 없다.

[오답 풀이]
④ (가)의 화자는 죽어서 '낙월'이 되어, (나)의 화자는 '범나비'가 되어 임의 곁에 있고 싶어 하는 소망을 드러내고 있다.

[작품 더 보기]

● 정철, 〈사미인곡〉
– 갈래: 가사(양반 가사, 서정 가사)
– 주제: 임금을 향한 그리움
– 해제: 정철이 정치권력에서 물러나 은거하며 지은 가사로, 임금을 향한 그리움을 노래한 충신연주지사이다. 자신을 임의 사랑을 받지 못하는 여성 화자로, 임금을 임으로 설정하여 임금에 대한 변함없는 충성을 강조하고 있다. 한편 사계절의 변화에 따라 시상을 전개하여 임금을 그리워하는 마음이 언제나 한결같음을 표현하고 있다.

● 굴원, 〈이소〉
  - **갈래:** 한시, 장편 서정시
  - **주제:** 임금을 향한 그리움과 나라를 걱정하는 마음
  - **해제:** 이 시는 중국 초나라의 굴원이 반대 세력의 모함으로 유배를 가게 된 상황에서 쓴 장편 시이다. 화자는 반대 세력의 모함만을 믿고 자신을 배척한 임금의 잘못을 지적하고, 실망감과 안타까움, 억울함 등의 감정을 표현하고 있다.

7 ⓒ의 '그림자'는 화자 자신의 것으로, 이를 '어엿븐'이라고 한 것에는 임과 재회하기 힘든 현실에서 자신의 처지를 안타깝게 여기는 마음이 담겨 있다.

8 '그(유재필)'가 스페어 운전수의 어려운 가정 형편을 보고 자기 돈을 들여 도와주는 일화를 통해 '그'의 따뜻한 성품을 짐작하게 하고 있다.

9 '측은지심(惻隱之心)'은 불쌍히 여기는 마음을 뜻하는 말로, 스페어 운전수 가족의 경제적 어려움을 보고 이를 돕는 유재필의 성품과 어울린다.

오답 풀이
① '인과응보(因果應報)'는 전에 지은 선악에 따라 현재의 행과 불행이 있는 일을 뜻한다.
② '호가호위(狐假虎威)'는 남의 권세를 빌려 위세를 부림을 뜻한다.
③ '적반하장(賊反荷杖)'은 잘못한 사람이 아무 잘못도 없는 사람을 나무람을 뜻한다.
④ '설상가상(雪上加霜)'은 난처한 일이나 불행한 일이 잇따라 일어남을 뜻한다.

10 (가)의 중장에서 문이나 창문과 관련한 사물들을 나열하고 있다. 그리고 (라)의 1연에서 모닥불을 피우는 여러 사물들, 2연에서 모닥불을 쬐는 다양한 존재들을 나열하고 있다.

오답 풀이
① 평시조인 (나)에 대한 설명이다. (가)는 사설시조로 3장으로 구성되어 있으나, 평시조에 비해 중장이 훨씬 길어진 형태이며 4음보 율격에서 벗어나 있다.
③ (나)는 종장에서 '가던 길 앞에 있거든 아니 가고 어쩌겠는가'라는 설의적 표현을 통해 고인이 가던 길을 자신도 가겠다는 의지를 드러내고 있을 뿐, 고인에 대한 비판 의식을 드러내고 있지는 않다.
④ '답답하고 고달프게 사는 것이 원통하다' 등과 같이 화자의 심리가 직설적으로 표현되어 있다.
⑤ (라)에는 '새끼오리', '개니빠디'와 같은 평안도 방언이 사용되었지만, (다)는 지역 방언이 사용되지 않았다.

11 서정 갈래의 역사적 흐름을 이해하고 있는지를 확인하기 위한 문제이다. (가)는 사설시조, (나)는 평시조, (다)는 1970년대에 쓰인 현대 시, (라)는 일제 강점기에 쓰인 현대 시이다.

평가 요소	확인 ☑
(나) → (가) → (라) → (다)의 순으로 썼다.	
(가)~(라)가 속하는 서정 갈래의 역사적 갈래의 명칭과 창작된 시대를 적절하게 썼다.	

12 잡다한 사물들을 나열함으로써 생동감, 해학을 불러일으키고 있으나 일상적 삶 속의 평범한 사람들에 대한 관찰은 (가)에 나타나 있지 않다.

13 ㉠은 오지 못하도록 화자가 문단속을 하는 '한숨'을 의미하므로 멀리하는 대상에 해당하고, ㉡은 화자가 본받고자 하는 옛 성현을 의미하므로 화자가 본받고자 하는 대상이라 볼 수 있다.

14 '철없이 킬킬대는'을 통해 예전과 다르게 농무에 냉담한 반응을 보이는 사람들의 모습을 보여 주고 있다.

오답 풀이
④ 화자는 고전 소설 〈임꺽정〉에 나오는 인물을 끌어들여 농촌의 현실이 '임꺽정'이 활약하던 시대와 다를 바가 없다고 부정적으로 생각하며 이에 분노하고 있다.

15 (라)에서 화자는 사람들과 짐승들이 모닥불을 쬐는 상황을 묘사하다가 모닥불에 얽힌 할아버지의 슬픈 역사를 회상하고 있다. 즉, ⓐ의 '타는 모닥불'은 ⓒ의 할아버지가 겪은 슬픈 역사를 떠올리게 하는 매개체로 작용하고 있을 뿐, 할아버지가 겪게 되는 서러움의 직접적 원인과는 관련이 없다.

7일 끝!

필수 어휘
모아 보기

 필수 어휘 모아 보기 활용 안내

◇ 쉽고 재미있는 문제로 **단원별 필수 어휘** 익히기!

◇ **교과서**에서 뽑은 예시 문장으로 **어휘 학습**에, **내용**
   학습까지 한 번 더!

1

(1) 문학의 기능과 가치

1 빈칸에 들어갈 말을 찾아 바르게 연결하시오.

1 문학은 독자를 [   ] 성찰로 이끌어 바람직한 태도를 지니도록 한다.
윤리에 관련되거나 윤리를 따르는.

　　　　　　　　　　　　　　　　　　　　　　　　　　　　　• ㉠ 미적

2 문학의 [   ] 기능과 가치는 인간과 세계에 대한 이해를 돕는 데에 있다.
사물을 분별하고 판단하여 아는.

　　　　　　　　　　　　　　　　　　　　　　　　　　　　　• ㉡ 윤리적

3 미적 쾌감을 솟게 하고 정서를 풍부하게 하는 것은 문학의 [   ] 기능에 해당한다.
사물의 아름다움에 관한.

　　　　　　　　　　　　　　　　　　　　　　　　　　　　　• ㉢ 인식적

2 빈칸에 들어갈 단어를 〈보기〉에서 찾아 쓰시오.

> **보기**
>
> 발치　　　원죄　　　하바리　　　생태적　　　전복성　　　해도지

1 설치 미술 작품인 〈감성적 기계〉은 예술 고유의 [   ] 을 보여 준다.
뒤집어엎는 성질.

2 봄눈 맞은 나무들. / 마른풀들이 가볍게 눈을 떠받쳐 들어 / [   ] 가 하얗다.
사물의 꼬리나 아래쪽이 되는 끝부분.

3 그날 아침의 풀 비린내가 [   ] 의식처럼 운전대를 잡은 내 손에 남아 있다.
(기독교에서) 모든 인간이 날 때부터 가지고 있다고 하는 죄.

4 차를 소유하고부터는 [   ] 인 어떤 발언도 할 자격이 없다는 생각이 들곤 한다.
생물이 살아가는 모양이나 상태와 관련된 것.

5 병원에 누워 있는 석중이 아저씨가 다른 사람에게 [   ] 를 넘기기 전에 끝을 봐야 했다.
한 해 동안에 돈이나 곡식을 얼마씩 내고 남에게 빌려서 쓰는 논밭이나 집터를 이르는 말.

6 나는 배추 모종을 키울 종이 포트를 준비하면서 [   ] 모종을 골라내는 것까지 계산했다.
품위나 지위가 낮은 사람을 낮잡아 이르는 말. 여기서는 자잘한 어린 모종을 가리킴.

3 밑줄 친 단어의 뜻풀이에 해당하는 것을 고르시오.

1 눈송이들이 <u>줄달음쳐</u> 온다.
  ① 피하여 달아나다.
  ② 단숨에 내처 달리다.

2 아버지는 내가 농사를 지은 이태 동안 <u>허송세월</u>을 한 것은 아니라고 말씀하셨다.
  ① 어떤 일을 하기에 아직 때가 이름.
  ② 하는 일 없이 세월만 헛되이 보냄.

3 나는 아버지가 농사일을 허락하며 당부하시는 말씀에 <u>명념하겠</u>다고 답했다.
  ① 품었던 생각을 아주 끊어 버리다.
  ② 잊지 않도록 마음에 깊이 새겨 두다.

4 나는 배추 농사가 망한다 하더라도 2,000평의 감자 농사로 최소한의 <u>본전</u>이라도 건질 생각이었다.
  ① 장사나 사업을 할 때 본밑천으로 들인 돈.
  ② 꾸어 주거나 맡긴 돈에 이자를 붙이지 아니한 돈.

4 빈칸에 들어갈 단어를 골라 ○표를 하시오.

1 나는 대관령으로 가 [   ] 채소를 하고 싶다고 말했다.　　　　　　| 노지 | 고랭지 |
　낮은 위도에 있고 표고가 600미터 이상으로 높고 한랭한 곳.

2 이 철이면 가끔 그렇게 많은 양의 신문지를 사 가는 [   ] 너머 사람이 있다는 얘기였다.
　　　　　　재, 길이 나 있어서 넘어 다닐 수 있는, 높은 산의 고개.　　| 영(嶺) | 봉(峯) |

3 〈감성적 기계〉처럼 자동차를 [   ] 않아도 자동차는 이미 충분히 '감성적 기계' 노릇을 하고 있는 셈이다.
　여러 가지 부속으로 맞추어진 기계 따위를 뜯어서 헤치다.　　| 해체하지 | 해산하지 |

4 그 '감성적 기계'의 편안함에 길들여지려는 순간마다 그것이 풀 비린내뿐 아니라 피비린내를 불러올 수도 있다는
　[   ]을 잊지 않으려고 한다.　　| 자각 | 지각 |
　현실을 판단하여 자기의 입장이나 능력 따위를 스스로 깨달음.

부록

2 (2) 자아 성찰과 타자 이해

① 빈칸에 들어갈 단어를 찾아 바르게 연결하시오.

1 창밖에 밤비가 속살거려 / ⬜⬜⬜⬜은 남의 나라
일본식 다다미가 여섯 장 깔린 방. • • ⊙ 건성

2 시인이란 슬픈 ⬜⬜⬜인 줄 알면서도 / 한 줄 시를 적어 볼까
타고난 운명. • • ⓒ 덕담

3 노모의 ⬜⬜⬜을 임 씨는 무릎을 꿇고 두 손을 짚은 채 들었다.
남이 잘되기를 비는 말. • • ⓒ 도리깨

4 그 비슷한 말을 임 씨에게 해 보았더니 임 씨 역시 ⬜⬜⬜이었다.
어떤 일을 성의 없이 대충 겉으로만 함. • • ⓔ 세간살이

5 그는 움직일 때마다 발부리에 차이는 ⬜⬜⬜들을 이리저리 옮겨 놓았다.
집안 살림에 쓰는 온갖 물건. • • ⓜ 육첩방

6 밥 먹자 ⬜⬜⬜ 잡고 마당에 나서니 / 검게 탄 두 어깨 햇볕 받아 번쩍이네
곡식의 낟알을 떠는 데 쓰는 농구. • • ⓑ 천명

② 빈칸에 들어갈 단어의 기본형을 <보기>에서 찾아 쓰시오.

보기

| 기하다 | 달뜨다 | 반문하다 | 창창하다 | 치하하다 |

1 "고향요?" / 임 씨는 ⬜⬜⬜ 쓰게 웃었다.
물음에 대답하지 아니하고 되받아 묻다.

2 노모가 대신 임 씨의 노고를 ⬜⬜⬜ 주었다.
남이 한 일에 대하여 고마움이나 칭찬의 뜻을 표시하다.

3 어딘가에는 반드시 임 씨를 ⬜⬜⬜ 할 함정이 있을 것이다.
마음이 가라앉지 아니하고 조금 흥분되다.

4 저 사내의 앞날이 ⬜⬜⬜는 게 위안이 될는지 그것도 모를 일이긴 했다.
앞길이 멀어서 아득하다.

5 다시 방수액을 부어 완벽을 ⬜⬜⬜ 이음새 부분을 확인하고 나서야 임 씨는 허리를 일으켰다.
이루어지도록 노력하다.

정답 ① 1 ⓜ 2 ⓑ 3 ⓒ 4 ⊙ 5 ⓔ 6 ⓒ ② 1 반문하다 2 치하하다 3 달뜨다 4 창창하다 5 기하다

3 밑줄 친 부분의 뜻풀이에 해당하는 것을 고르시오.

1 옥상의 방수를 해 놓고 굳기 전에 비라도 내리면 <u>산통이 깨질</u> 것이다.
① 다 잘되어 가던 일이 뒤틀리다.
② 어떤 일이 거침없이 빨리 진행되다.

2 그는 되려 임 씨의 자기선전 앞에서 스스로의 대답이 <u>궁색해졌다.</u>
① 아주 가난하다.
② 말이나 태도, 행동이 이유나 근거 따위가 부족하다.

3 임 씨는 그가 부어 주는 술을 두 손으로 <u>황감히</u> 받쳐 들고 조심스레 목울대로 넘겼다.
① 황송하고 감격스럽게.
② 마음이 몹시 급하여 당황하고 허둥지둥하는 면이 있게.

4 일을 다한 거나 <u>진배없다</u>는 일꾼의 말에 아내가 청량음료를 한 컵 가득 따라 주며 다짐했다.
① 조금도 어긋나는 일이 없다.
② 그보다 못하거나 다를 것이 없다.

4 빈칸에 들어갈 단어를 골라 ○표를 하시오.

1 "써비스?" / 그는 ⬚⬚⬚ 임 씨의 말을 되받았다.
너무 놀라거나 어이가 없어서 또는 기가 막혀서 입을 딱 벌리고 말을 못 하는 상태이다.
| 아연하게 | 아련하게 |

2 나는 무얼 바라 / 나는 다만, 홀로 ⬚⬚⬚ 것일까?
액체 속에 있는 물질이나 기분 따위가 밑바닥으로 가라앉음.
| 부양하는 | 침전하는 |

3 욕조에서 세면대로 구부러지는 이음새 쪽에 ⬚⬚⬚ 이 생긴 모양이었다.
사고나 탈.
| 사단 | 사달 |

4 실내 공사야 관계없지만 ⬚⬚⬚ 방수를 해 놓고 굳기 전에 비라도 내리면 일이 틀어질 것이다.
모처럼 애써서.
| 기껏 | 일껏 |

5 "여자 토끼띠는 잘 사는데 요상하게 우리 나이 토끼띠 남자들은 ⬚⬚⬚ 가 고단터라 이 말씀입니다."
한 사람의 운수.
| 신세 | 신수 |

대단원 2. 문학의 수용과 생산

문제로 익히는 필수 어휘

(1) 문학 작품의 구성 원리와 수용

❶ 빈칸에 들어갈 말을 찾아 바르게 연결하시오.

1 문학 작품의 ▢▢▢▢ 요소에는 구성, 문체, 시점, 운율, 표현 기법 등이 있다. •
한 무리의 사물을 특징짓는 데에 공통적으로 갖춘 모양.

• ㉠ 내용

2 문학 작품의 ▢▢▢▢ 요소에는 사건, 배경, 주제, 인물의 말과 행동 등이 있다. •
말, 글, 그림 등의 모든 표현 매체 속에 들어 있는 것 또는 그런 것들로 전하고자 하는 것.

• ㉡ 형식

3 자신의 관점에서 옳고 그름, 넓고 좁음, 깊고 얕음 등을 따지며 작품을 수용하는 •
것을 ▢▢▢▢ 수용이라고 한다.
현상이나 사물의 옳고 그름을 판단하여 밝히거나 잘못된 점을 지적하는.

• ㉢ 공감적

4 작품의 주제와 작가의 가치관, 등장인물의 의견이나 감정 또는 취향에 공감하며 •
작품을 수용하는 것을 ▢▢▢▢ 수용이라고 한다.
남의 감정, 의견, 주장 따위에 대하여 자기도 그렇다고 느끼는.

• ㉣ 비판적

5 작품을 새롭게 해석하거나 재구성하고, 작품에 들어 있지 않은 새로운 것을 발견 •
하며 작품을 수용하는 것을 ▢▢▢▢ 수용이라고 한다.
새로운 것을 생각해 내는 특성을 띠거나 가진.

• ㉤ 창의적

❷ 현대어 풀이를 참고하여 빈칸에 들어갈 말을 〈보기〉에서 찾아 쓰시오.

> **보기**
>
> 군쁘디   괴얌즉   슬ᄏ장   ᄏ니와   싀여디여

1 내 얼굴 이 거동이 님 ▢▢▢▢ 흔가마는
[현대어 풀이] 내 얼굴 이 거동이 임이 사랑함 직한가마는

2 나도 님을 미더 ▢▢▢▢ 전혀 업서
[현대어 풀이] 나도 임을 믿어 딴생각 전혀 없어

3 구룸은 ▢▢▢▢ 안개는 므스 일고
[현대어 풀이] 구름은 물론이고 안개는 무슨 일인가

4 ᄆ음의 머근 말솜 ▢▢▢▢ 솗쟈 ᄒ니
[현대어 풀이] 마음에 먹은 말씀 실컷 사뢰려니

5 출하리 ▢▢▢▢ 낙월이나 되야이셔
[현대어 풀이] 차라리 죽어져서 지는 달이나 되어서

정답 ❶ 1 ㉡ 2 ㉠ 3 ㉣ 4 ㉢ 5 ㉤ ❷ 1 괴얌즉 2 군쁘디 3 ᄏ니와 4 슬ᄏ장 5 싀여디여

3 밑줄 친 부분의 뜻풀이에 해당하는 것을 고르시오.

1 그는 가해자가 그룹 내의 동료 운전수라 하여 <u>팔이 들이굽는</u>다는 식의 적당주의를 취한 적은 거의 없었다.
　① (사람이 무슨 일에) 적극적으로 나서서 덤비다.
　② 자기 혹은 자기와 가까운 사람에게 정이 더 쏠리거나 유리하게 일을 처리하는 것이 인지상정이라는 말.

2 그는 여느 사람처럼 이 땅에 그런 사람이 있는지 마는지 하게 그럭저럭 살다가 몸을 마친 예사 <u>허릅숭이</u>는 아니었다.
　① 일을 참되고 미더운 데가 있게 하지 못하는 사람을 낮잡아 이르는 말.
　② 가지고 있던 재산이나 돈 따위를 모두 잃거나 써 버려 가진 것이 없는 사람을 비유적으로 이르는 말.

3 그는 주변머리 없이 기대거나 자발머리없이 나대어서 남을 폐롭히거나 누를 끼치는 자는 반드시 <u>장마에 물걸레</u>처럼 쳐다보기를 한결같이 하였다.
　① 별로 요긴하지 않음을 나타내는 말.
　② 이치에 닿지 아니한 말을 하는 경우에 비꼬는 말.

4 다음 뜻풀이에 해당하는 단어를 골라 ○표를 하시오.

1 저 혼자 스스로의 바람에.　　　　　　　　　　　　　　　 제물에　　제풀에

2 말이나 하는 짓이 아주 별스럽다.　　　　　　　　　　　 생뚱맞다　　별쭝맞다

3 예사 정도도 못 될 만큼 변변하지 아니하다.　　　　　 평범하다　　오죽잖다

4 돈이나 물건을 아껴 쓰고 나머지를 모아 두다.　　　　 여투다　　헤프다

5 걸핏하면 얼굴이 불룩하여지면서 성을 내며 함부로 말하다.　 불퉁거리다　　투덜거리다

정답 **3** 1 ② 2 ① 3 ① **4** 1 제물에 2 별쭝맞다 3 오죽잖다 4 여투다 5 불퉁거리다

4

(2) 문학과 인접 분야, 문학과 매체

1 다음 설명에 해당하는 시나리오 용어를 찾아 바르게 연결하시오.

1 장면 표시 번호. • • ㉠ S#

2 장면의 실감을 더하기 위하여 넣는 소리. • • ㉡ 컷

3 한 화면을 두세 개의 구획으로 나누어 여러 인물이나 장면을 동시에 보여 주는 방법. • • ㉢ 몽타주

4 영화나 드라마에서 각 장면의 구분 점을 뜻함. 또는 단순히 화면과 화면을 붙임으로써 한 화면에서 다른 화면으로 빠르게 전환하는 편집 방식. • • ㉣ 효과음

5 영화나 사진 편집 구성의 한 방법. 따로따로 촬영한 화면을 적절하게 떼어 붙여서 하나의 긴밀하고도 새로운 장면이나 내용으로 만드는 일. 또는 그렇게 만든 화면. • • ㉤ 화면 분할

2 빈칸에 들어갈 단어를 <보기>에서 찾아 쓰시오.

> **보기**
>
> 간관   괘도   교화   언로   이적

1 혜강: 전하! 어찌 성리학을 버리시고 스스로 [＿＿＿＿＿]이 되려 하시옵니까?
<small>오랑캐.</small>

2 이도: 한자가 어렵기에, 백성이 그들의 말을 임금께 올리려면 [＿＿＿＿＿]을 거칠 수밖에 없었소.
<small>임금의 잘못을 고치도록 말하고 모든 벼슬아치의 비행을 규탄하던 관리.</small>

3 이도: 난 유학에서 중시하는 덕목, [＿＿＿＿＿]를 틔워 주고 싶고, 하여 백성의 글자가 필요하다 판단하였소.
<small>신하들이 임금에게 말을 올릴 수 있는 길.</small>

4 광화문이 활짝 열리면서, 내시와 궁녀들이 의자와 [＿＿＿＿＿] 등을 들고 와, 시위하는 유생들의 앞에 놓는다.
<small>벽에 걸어 놓고 보는 그림이나 지도.</small>

5 이도: 사람의 자질이 날 때부터 이미 정해져 있는 것이라면, 유학에서 어찌 [＿＿＿＿＿]를 임금의 책무로 말한단 말이냐?
<small>가르치고 이끌어서 좋은 방향으로 나아가게 함.</small>

정답 **1** 1 ㉠ 2 ㉣ 3 ㉤ 4 ㉡ 5 ㉢ **2** 1 이적 2 간관 3 언로 4 괘도 5 교화

3 밑줄 친 단어의 뜻풀이에 해당하는 것을 고르시오.

1 **이신적**: 오늘은 전하께서 우리 신료들의 뜻을 <u>가납하시지</u> 않겠습니까?
　　① 바치는 물건을 기꺼이 받아들이다.
　　② 옳지 못하거나 잘못한 일을 고치도록 권하는 말을 기꺼이 받아들이다.

2 가리온, 탁자에 <u>망연자실하게</u> 앉아 있다. 한가 놈의 표정도 심각하다.
　　① 멍하니 정신을 잃다.
　　② 꽉 막힌 듯이 답답하다.

3 **가리온**: (<u>결연하게</u>) 막아야지. 이 글자를 막는 것이, 무엇보다 우선해야 한다!
　　① 인연을 맺다.
　　② 마음가짐이나 행동에 있어 태도가 움직일 수 없을 만큼 확고하다.

4 **이도**: 그 많은 관리들의 녹봉은 어디서 나오는가? 관리를 <u>부양하는</u> 것이 바로 백성이 아닌가?
　　① 생활 능력이 없는 사람의 생활을 돌보다.
　　② 부모나 조부모와 같은 웃어른을 받들어 모시다.

부
록

4 빈칸에 들어갈 단어를 골라 ○표를 하시오.

1 **한가 놈**: (　　　　　) 아니, 이럴 수가…….
　　　소스라치게 깜짝 놀라다.
　　　　　　　　　　　　　　　　　　　경악하여 ┃ 경탄하여

2 **이도**: 관리를 늘리는 것은 백성을 더욱더 　　　　　 한다.
　　　　　　　　　　지치고 쇠약하여지다.
　　　　　　　　　　　　　　　　　　　쇠퇴하게 ┃ 피폐하게

3 **이도**: (　　　　　 웃음을 지으며) 그게 말이다. 부제학은 얼마나 또 조근조근 따지려는지, 원.
　　매우 허전한 느낌이 있다.
　　　　　　　　　　　　　　　　　　　공허한 ┃ 허허로운

4 **이순지**: 《삼강행실도》를 그림으로 그려 　　　　　 패륜의 죄를 저지르는 자는 있는 것이옵니다.
　　　　　　신문이나 책자 따위를 널리 나누어 주다.
　　　　　　　　　　　　　　　　　　　반포해도 ┃ 배포해도

5 (1) 서정 갈래의 흐름

① **빈칸에 들어갈 문학의 역사적 갈래를 골라 ○표를 하시오.**

1 신라 노래인 ⬚⬚⬚⬚⬚ 는 《삼국유사》에 배경 설화와 함께 기록되어 전해진다. 〔 향가 〕 〔 고대 가요 〕

2 고려 시대와 조선 시대의 지식인이 주로 한문으로 창작하고 향유한 시가 문학은 ⬚⬚⬚⬚ 이다.
〔 한시 〕 〔 경기체가 〕

3 ⬚⬚⬚⬚⬚ 는 여러 개의 연으로 구성되어 있으며, 각 연의 뒤에 후렴구가 붙어 있고, 작품 중간에 여음구가 들어 있는 것 등이 특징이다. 〔 민요 〕 〔 고려 속요 〕

4 ⬚⬚⬚⬚ 는 고려 말에 성립되어 조선 시대 크게 융성한 정형 시가로, 우리 문학사의 대표적인 서정 갈래이며 4음보 율격을 지니고 있다. 〔 가사 〕 〔 시조 〕

5 ⬚⬚⬚⬚ 는 1910년대 중반 무렵에 등장하였으며, 서구 문학과 활발하게 교섭하면서 고전 시가의 정형성에서 벗어나 자유로운 형식을 지향하였다. 〔 신체시 〕 〔 현대 시 〕

② **빈칸에 들어갈 단어를 찾아 바르게 연결하시오.**

1 쇠전을 거쳐 ⬚⬚⬚⬚ 앞에 와 돌 때   • ⑦ 신명
  고기를 얻기 위해 가축을 잡아 죽이는 곳.

2 오동나무에 전등이 매어 달린 ⬚⬚⬚⬚   • ⓛ 재당
                      임시로 만든 무대.

3 우리는 점점 ⬚⬚⬚⬚ 이 난다 / 한 다리를 들고 날라리를 불거나   • ⓒ 도수장
        흥겨운 신이나 멋.
  '새끼줄'의 평안 방언.

4 ⬚⬚⬚⬚ 도 헌신짝도 소똥도 갓신창도 개니빠디도 너울쪽도 짚검불도 가락닢도   • ⓔ 새끼오리
  머리카락도 헝겊조각도 막대꼬치도 기왓장도 닭의 짗도 개터럭도 타는 모닥불

     제사를 지내거나 문중 회의를 할 때 일을 주관하던 학덕 높은 집안의 어른.
5 ⬚⬚⬚⬚ 도 초시도 문장(門長) 늙은이도 더부살이 아이도 새사위도 갓사둔도   • ⓜ 가설무대
  나그네도 주인도 할아버지도 손자도 붓장사도 땜쟁이도 큰 개도 강아지도 모두 모
  닥불을 쪼인다

〔정답〕 **①** 1 향가 2 한시 3 고려 속요 4 시조 5 현대 시 **②** 1 ⓒ 2 ⓜ 3 ⑦ 4 ⓔ 5 ⓛ

3 밑줄 친 부분의 뜻풀이에 해당하는 것을 고르시오.

1 긴힛ᄯᆞᆫ 아즐가 긴힛ᄯᆞᆫ <u>그츠리잇가</u> 나ᄂᆞᆫ
① 그치겠습니까.
② 끊어지겠습니까.

2 <u>즈믄 ᄒᆡ를</u> 아즐가 즈믄 ᄒᆡ를 외오곰 녀신ᄃᆞᆯ
① 천 년.
② 저문 해.

3 한숨아 셰 한숨아 네 <u>어늬</u> 틈으로 드러온다
① 가는 한숨.
② 새는 한숨.

4 모닥불은 어려서 우리 할아버지가 어미 아비 없는 서러운 아이로 불상하니도 <u>몽둥발이</u>가 된 슬픈 력사가 있다.
① 몽동발이. 딸려 붙었던 것이 다 떨어지고 몸뚱이만 남은 물건.
② 다듬잇감을 감아서 다듬이질할 때에 쓰는, 단단한 나무로 만든 도구.

4 현대어 풀이를 참고하여 빈칸에 들어갈 말을 <보기>에서 찾아 쓰시오.

> • 보기 •
>
> 고즐여 　　　 녀든 길 　　　 질삼뵈 　　　 수기수기

1 여히므론 아즐가 여히므론 [　　　　] ᄇᆞ리시고
[현대어 풀이] 이별할 바에는 길쌈과 베를 버리고

2 대동강 아즐가 대동강 건넌편 [　　　　]
[현대어 풀이] 대동강 건너편 꽃을

3 고인을 못 봐도 [　　　　] 알ᄑᆡ 잇ᄂᆡ
[현대어 풀이] 옛 사람을 못 봐도 가던 길 앞에 있네

4 용 거북 ᄌᆞ물쇠로 [　　　　] ᄎᆞ엿ᄂᆞᆫᄃᆡ
[현대어 풀이] 용과 거북을 수놓은 자물쇠로 꼭꼭 채웠는데

Memo

봄눈 오는 밤 (황인숙)

[관련 단원] 1단원 (1) 문학의 기능과 가치

◎ 제재 개관

갈래	자유시, 서정시
성격	심미적, 감각적, 서정적
제재	봄날에 눈을 맞고 서 있는 나무
주제	봄눈을 맞는 나무의 ❶ ㅇㄹㄷㅇ
특징	① 의인법, 중의법, 영탄법 등 다양한 표현 방법을 사용하여 대상을 묘사함. ② ❷ ㅅㄱㅈ 이고 역동적인 이미지를 사용하여 대상을 묘사함.

답 ❶ 아름다움 ❷ 시각적

풀 비린내에 대하여 (나희덕)

[관련 단원] 1단원 (1) 문학의 기능과 가치

◎ 제재 개관

갈래	경수필
성격	일상적, 성찰적, 생태적
제재	자동차, 풀벌레
주제	❶ ㅈㄷㅊ 를 사용하는 바람직한 태도와 생태주의에 대한 성찰
특징	① 일상적 경험을 바탕으로 생태 문제에 대해 성찰함. ② 하나의 사물이 지닌 ❷ ㅇㅁㅅ 에 대해 살펴보고 있음. ③ 통념에 대한 비판적 사고를 통해 독자에게 성찰의 기회를 제공함.

답 ❶ 자동차 ❷ 양면성

19세 (이순원)

[관련 단원] 1단원 (1) 문학의 기능과 가치

◎ 제재 개관

갈래	현대 소설, 장편 소설, 성장 소설
성격	자전적, 회고적, 고백적
배경	• 시간: (교과서 수록 부분) 주인공의 17세~19세 • 공간: 강원도 강릉과 대관령
시점	1인칭 ❶ ㅈㅇㄱ 시점
주제	한 소년의 꿈과 방황을 통한 성장
특징	① 한 인물의 성장 과정을 그림. ② 사건이 ❷ ㅅㄱ 의 흐름에 따라 진행됨.

답 ❶ 주인공 ❷ 시간

쉽게 씌어진 시 (윤동주)

[관련 단원] 1단원 (2) 자아 성찰과 타자 이해

◎ 제재 개관

갈래	자유시, 서정시
성격	저항적, 성찰적, 미래 지향적
제재	현실 속의 자신의 삶 (시가 쉽게 씌어지는 것에 대한 부끄러움)
주제	어두운 시대 현실에서 비롯된 고뇌와 자기 성찰
특징	① ❶ ㅅㅈㅈ 시어를 대비하여 시적 의미를 강화함. ② 두 자아의 대립과 ❷ ㅎㅎ 를 통해 시상을 전개함.

답 ❶ 상징적 ❷ 화해

이것만은 꼭!

○ **자동차에 대한 글쓴이의 인식과 행동 변화**

자동차에 대한 인식	글쓴이의 행동

사건 이전

나를 어디로든 데려다주는 **❶ ㅇㄹ** 한 공간

처음에는 필요할 때만 자동차를 사용하다가 점점 목적 없이 차를 모는 일이 많아지는 등 자동차라는 감성적 기계에 길들여졌다.

↓ ↓

'풀 비린내' 사건	수많은 풀벌레가 달리는 차체에 부딪혀 죽음.

↓ ↓

사건 이후

자동차가 다른 생명체를 해칠 수 있는 도구가 될 수도 있다고 생각하였다.

차를 유지하되 사용을 최소화하고 차를 소유하되 그에 **❷ ㅈㅅ** 되지 않으려 했다.

🔑 ❶ 안락 ❷ 종속

이것만은 꼭!

○ **이 시의 내용과 표현**

- 내용: 화자는 봄눈을 맞고 서 있는 나무의 아름다움에 **❶ ㄱㅌ** 하고 있음.
- 표현 방법과 그 효과

표현 방법	효과	시구 ⑩
의인법	'나무'를 '너(네)'라고 표현하는 한편 눈을 감고 있다고 표현함으로써 의인화함.	나무들은 눈을 감고 있을 것이다. / 너의 예쁜 감은 눈.
❷ ㅈㅇㅂ	나무의 '눈'은 눈(目), 눈(芽)을 모두 의미함.	너의 예쁜 감은 눈.
돈호법	대상을 부름으로써 주의를 환기함.	너, 아니?
영탄법	나무의 '눈'과 퍼붓는 봄눈에 대한 감탄을 드러냄.	나라도 그럴 것이다! 오, 네 예쁜, 감은 눈, 에 퍼붓는 봄눈!

🔑 ❶ 감탄 ❷ 중의법

이것만은 꼭!

○ **시적 화자의 태도 변화**

부끄러움		현실 극복 의지
암울한 현실에서 무기력하게 살아가는 자신에 대해 부끄러움을 느낌.	→ 자기 **❶ ㅅㅊ** →	부정적 상황을 극복하고 밝은 미래를 맞고자 하는 의지를 드러냄.

○ **시어 및 시구의 상징적 의미**

밤비	자기 성찰의 계기를 마련하는 어둡고 괴로운 현실
육첩방	억눌리고 암담한 공간, 화자를 구속하는 시대 상황
등불	새 시대를 위한 노력, 현실 극복의 의지
어둠	일제 강점기의 암울한 현실
시대처럼 올 아침	희망찬 미래, 새로운 세계, 조국의 **❷ ㄱㅂ**

🔑 ❶ 성찰 ❷ 광복

이것만은 꼭!

○ **농사짓기에 대한 '나'의 생각 변화**

농사를 짓기 전		농사를 지은 후
• 하루빨리 어른이 되고 싶음. • 자기 **❶ ㄱㅈㄱ** 을 가져야 어른이 된다고 생각함.	2년 뒤 →	• 자신의 나이에 해야 할 일을 하지 못하고 있다는 생각이 듦. • 자신이 한 것은 어른 노릇이 아니라 **❷ ㅇㄹㄴㅇ** 였음을 깨달음.
↓		↓
학교를 그만두고 대관령에서 농사를 지음.		농사짓기를 그만두고 다시 학교로 돌아감.

🔑 ❶ 경제권 ❷ 어른놀이

[관련 단원] 1단원 (2) 자아 성찰과 타자 이해

○ 제재 개관

갈래	한시, 행(行)
성격	사실적, 성찰적
제재	보리타작하는 농민
주제	농민들의 건강한 ❶ㄴㄷ과, 농민의 이해를 통한 자기 삶의 성찰
특징	① 일상적 언어를 사용함으로써 생동감과 현장감을 강화함. ② 시각적, 청각적 이미지를 사용하여 ❷ㄷㅈ 이미지를 강화함.

답 ❶ 노동 ❷ 동적

[관련 단원] 1단원 (2) 자아 성찰과 타자 이해

○ 제재 개관

갈래	단편 소설, 연작 소설
성격	사실적, 비판적, 성찰적
배경	• 시간: 1980년대 • 공간: 경기도 부천시 원미동
제재	욕실 바닥 공사
주제	❶ㅇㅎ로 인한 타자와의 갈등과 타자 이해를 통한 화해
특징	① 실제 공간을 배경으로 ❷ㅅㅅㅁ의 삶을 사실적으로 그림. ② 등장인물의 대화와 행동을 중심으로 사건을 전개함. ③ 등장인물인 '그'의 입장에서 사건을 전달함.

답 ❶ 오해 ❷ 소시민

[관련 단원] 2단원 (1) 문학 작품의 구성 원리와 수용

○ 제재 개관

갈래	자유시, 서정시
성격	민요적, 전통적, 관조적
제재	산에 피어 있는 꽃
주제	존재의 근원적 고독과 대자연의 섭리
특징	① 1연과 4연이 내용과 구조 면에서 서로 대응하는 ❶ㅅㅁㅅㄱ 구조로 이루어짐. ② '–네'라는 ❷ㅈㄱㅇㅁ를 반복하여 각운의 효과를 얻고, 감정의 절제를 보여 줌. ③ 3음보를 여러 행에 걸쳐 배열하거나 한 행에 배열함.

답 ❶ 수미상관 ❷ 종결 어미

[관련 단원] 2단원 (1) 문학 작품의 구성 원리와 수용

○ 제재 개관

갈래	가사(서정 가사, 양반 가사)
성격	서정적, 충신연주지사
제재	임금에 대한 그리움. ❶ㅇㄱㅈㅈ
주제	임(임금)에 대한 그리움과 재회에 대한 염원
특징	① '서사 – 본사 – 결사'의 짜임으로 이루어짐. ② 두 여성 화자의 ❷ㄷㅎ로 구성되어 있으며, 순우리말의 구사가 돋보임. ③ 3(4)·4조를 기본으로 한 4음보 연속체로 구성됨.

답 ❶ 연군지정 ❷ 대화

이것만은 꼭!

◎ 임 씨에 대한 '그'와 아내의 태도 변화

• 일을 더디게 하는 임 씨를 못미더워하고 **❶ ㅇㅅ**함. • 임 씨가 견적보다 더 많은 금액을 요구할까 봐 긴장함.	임 씨가 성실하게 일을 끝내고, 견적보다 낮은 금액을 청구함.	• 임 씨가 열심히 일하고도 견적서보다 낮은 금액을 청구한 것에 미안함을 느낌. • 임 씨를 의심했던 것에 대해 부끄러움을 느낌.

◎ 제목의 의미

비 오는 날이면 임 씨가 일하지 않는 날	가리봉동에 가야 한다 스웨터 공장 사장에게 떼인 연탄값을 받기 위해

➡ 부도덕한 **❷ ㅂㅇㅊ** 또는 사회 구조적인 모순 때문에 생활난에 빠진 도시 빈민의 절박함을 나타냄.

답 ❶ 의심 ❷ 부유층

이것만은 꼭!

◎ 이 시의 시상 전개

기(1~4행), 승(5~8행)

보리타작하는 농민들의 모습을 **❶ ㄱㅊ**함.

↓

전(9, 10행)

보리타작하는 농민들의 마음을 헤아림.

↓

결(11, 12행)

자기 삶에 대한 성찰

마음이 몸의 노예 되지 않음.
: 즐거운 마음으로 노동함.

❷ ㅂㅅㄱ을 좇던 화자 자신에 대한 성찰
: 육체와 정신이 일치하는 삶을 살고자 함.

답 ❶ 관찰 ❷ 벼슬길

이것만은 꼭!

◎ 본문 구성 – 갑녀와 을녀의 대화

서사	• 갑녀의 질문: 을녀에게 어디 가는 길인지 물어봄. • 을녀의 **❶ ㄷㄷ**: 자신의 잘못으로 임과 헤어졌다고 대답함.
본사	• 갑녀의 위로: 그리 생각하지 말라고 위로함. • 을녀의 사설: – 임이 잘 지내는지 걱정함. – 임의 소식을 알기 위해 산과 강을 헤매고 다님. – 임을 만나는 꿈을 꾼 후 슬픔에 잠김.
결사	• 을녀의 사설: 차라리 죽어서 '낙월'이 되겠다고 함. • 갑녀의 맺음말: '낙월' 대신 '구준비'가 되라고 함.

◎ '구준비'나 되라고 말한 까닭

– 임에게 자신이 얼마나 슬픈지 알려 주라는 뜻(을녀가 흘리는 눈물)
– 임의 옷을 적실 수 있을 만큼 임에게 **❷ ㄱㄲㅇ** 가라는 의미

답 ❶ 대답 ❷ 가까이

이것만은 꼭!

◎ 작품의 내용과 형식의 관계

	내용	
	꽃이 피고 지는 모습을 **❶ ㄱㅈㅈ** 태도로 바라봄.	생성과 소멸을 거듭하는 대자연의 섭리

	형식	
	종결 어미 '–네'의 반복 : 단순한 서술을 나타내며 감정의 절제를 보여 줌.	1, 4연의 수미상관 구성 : 생성과 소멸이라는 자연의 순환을 드러냄.

◎ 시어의 상징적 의미

산	꽃이 피고 지는 공간적 배경으로 자연의 세계를 상징함.
꽃	저만치 혼자 피어 있는 고독한 존재로, 생성하고 소멸하는 모든 **❷ ㅈㅇㅁ**을 상징함.
새	꽃이 좋아 산에서 사는 존재로, 화자의 외로움이 이입된 고독한 존재임.

답 ❶ 관조적 ❷ 자연물

자르는 선

유자소전(이문구)

[관련 단원] 2단원 (1) 문학 작품의 구성 원리와 수용

◉ 제재 개관

갈래	단편 소설
성격	풍자적, 해학적, 사실적, 비판적
제재	유자(유재필)의 일생
주제	유자의 훌륭한 인품
특징	① 실존했던 인물을 주인공으로 한 실명(實名) 소설임. ② 전통적 '❶ㅈ'의 형식을 취함으로써 한국 문학의 전통을 계승함. ③ ❷ㅂㅇ을 사용해 향토적 정서를 드러내고 비속어를 사용하여 풍자의 효과를 나타냄.

답 ❶ 전(傳) ❷ 방언

세일에서 건진 고흐의 별빛(황동규)

[관련 단원] 2단원 (2) 문학과 인접 분야, 문학과 매체

◉ 제재 개관

갈래	자유시, 서정시
성격	회화적, 감각적
제재	화가 고흐의 그림
주제	소외된 존재들에 대한 ❶ㅇㅈ
특징	① ❷ㅎㅈㅎ 시제를 사용하여 고흐 그림의 이미지를 동적으로 묘사함. ② 열거와 반복을 통해 주제 의식을 강조함.

답 ❶ 애정 ❷ 현재형

뿌리 깊은 나무(김영현·박상연 극본)

[관련 단원] 2단원 (2) 문학과 인접 분야, 문학과 매체

◉ 제재 개관

갈래	시나리오, ❶ㄷㄹㅁ ㄷㅂ
성격	사실적
배경	• 시간: 조선 태종 ~ ❷ㅅㅈ 때 • 공간: 주로 조선 초기 궁궐 및 반촌
제재	훈민정음 창제와 반포를 둘러싼 갈등
주제	① 설득과 소통을 통해 새로운 정치를 하고자 하는 왕 이도의 의지 ② 훈민정음 창제와 반포에 담긴 애민 사상
특징	① 역사적 사실을 바탕으로, 왕과 대립하던 가상의 비밀 조직을 등장시켜 보는 재미를 더함. ② 이도의 성장 과정과 고뇌, 열정을 개성적으로 형상화하여 임금의 인간적 면모를 부각함.

답 ❶ 드라마 대본 ❷ 세종

서경별곡(작자 미상)

[관련 단원] 3단원 (1) 서정 갈래의 흐름

◉ 제재 개관

갈래	고려 속요
성격	서정적, 서민적
제재	임과의 이별
주제	임에 대한 변함없는 ❶ㅅㄹ을 다짐하면서도 떠난 임을 원망함.
특징	① 적극적이고 솔직한 어조가 나타남. ② 비유법, 설의법 등을 사용함. ③ 슬픔, 사랑, 원망 등 연마다 다른 정서를 드러냄. ④ 3음보 율격을 지니며, ❷ㅎㄹㄱ와 여음구가 사용됨.

답 ❶ 사랑 ❷ 후렴구

이것만은 꼭!

◎ 이 시의 내용 구조

1~2행	고흐의 그림을 삼.
3~13행	고흐의 그림 속 풍경 묘사
14~22행	그림을 보고 느낀 점: 빛나는 것들에 대한 **❶ㅌㅊ** - 세상의 모든 존재는 빛남.

◎ 화자의 질문에 나타난 이 시의 주제 의식

> 저 별들이 왜 환하게 노래하고 있지요?
> 세상에 노래하지 않는 별이 어디 있소?

- **형식**: 설의적 의문
- **의미**: '세상의 모든 별들은 **❷ㄴㄹ**한다.' → '세상의 모든 존재들은 저마다의 사상과 감정을 지닌 고유한 개체이다.'라는 시적 화자의 생각을 강조함.

답 ❶ 통찰 ❷ 노래

이것만은 꼭!

◎ 이 글의 서술 구조 – 전(傳) 양식의 계승

전(傳) 양식	인정 기술 ▶	행적 ▶	논찬
<유자소전> **서술** **구조**	출생과 성장 과정, 인품에 대한 서술	어린 시절부터 장년까지 유자의 인품을 알 수 있는 **❶ㅇㅎ** 제시	유자에 대한 주변 인물들과 서술자의 평가 제시

◎ 유자의 인품

① 말재주가 좋고 비범함.
② 줏대가 있고 주견이 뚜렷함.
③ 남을 도울 줄 아는 **❷ㅈㅅ**하고 따뜻한 심성을 지님.
④ 난처한 상황을 슬기롭게 모면할 만큼 수완이 좋음.

답 ❶ 일화 ❷ 자상

이것만은 꼭!

◎ 각 연에 쓰인 소재의 의미와 화자의 태도

연	소재의 의미	화자의 태도
1연	• 셔경(西京): 화자가 삶의 터전을 닦은 곳으로 애정을 갖고 있는 곳 • 질삼뵈: 화자의 생업	임과의 사랑을 위하여 삶의 터전과 생업을 버릴 수 있다고 하며 이별을 거부하는 적극적 태도를 보임.
2연	• 구슬: 화자와 임 사이의 관계 • 바회(바위): 화자와 임을 헤어지게 하는 **❶ㅅㄹ**과 고난 • 긴(끈): 화자와 임 사이의 사랑, 믿음	임에 대한 변함없는 사랑을 다짐함.
3연	• 대동강: 이별의 공간(화자와 임을 갈라놓는 장소) • 곳(꽃): 화자의 질투를 유발하는 다른 여인	임 대신 애꿎은 사공을 원망하여, 떠나는 임에 대한 **❷ㅇㅁ**을 드러냄.

답 ❶ 시련 ❷ 원망

이것만은 꼭!

◎ 이 작품에 드러난 드라마 대본의 특징

① 드라마 방영을 목적으로 함.

> 드라마 방영을 목적으로 동명의 소설을 각색함.

② **❶ㅈㅁ**을 기본 단위로 함.

- 각 장면에 장면 번호를 사용함.
- 소설과 달리 짧게 분절되어 있는 장면들이 모여 인물의 성격과 특징, 사건의 진행을 나타냄.

③ 시간과 공간, 등장인물 수에 제약이 적음.

- 조선 시대 **❷ㄱㄱ**이라는 배경을 설정함으로써 시·공간의 제약이 적은 드라마 대본의 특징을 보여 줌.
- 시위하는 유생들의 모습(S# 13)을 화면에 구현하라는 지시문도 등장인물 수에 제약을 덜 받는 드라마 대본의 특징을 드러냄.

④ 촬영을 고려한 특수 용어가 사용됨.

> S#, cut, 몽타주 등의 용어가 사용됨.

답 ❶ 장면(S#) ❷ 궁궐

13 **고인도 날 못 보고**(이황)

[관련 단원] 3단원 (1) 서정 갈래의 흐름

◎ 제재 개관

갈래	평시조(연시조 중 1수), 사대부 시조
성격	의지적, 교훈적, 도학적
제재	고인이 가던 길(道)
주제	고인의 삶을 본받고자 하는 의지 (학문 수양에 대한 의지)
특징	① 고인이 깨닫고자 했던 도(道)를 고인이 걷던 ❶ㄱ 로 비유적으로 표현함. ② ❷ㅅㅇㅂ 을 활용하여 화자의 의지를 표현함. ③ 4음보 율격을 지님.

답 ❶ 길 ❷ 설의법

---

14 **한숨아 셰 한숨아**(작자 미상)

[관련 단원] 3단원 (1) 서정 갈래의 흐름

◎ 제재 개관

갈래	사설시조
성격	해학적, 정서적
제재	한숨, 문이나 창문에 관련된 사물들
주제	그칠 줄 모르는 시름
특징	① 생활 속의 사소한 사물들을 ❶ㅇㄱ 하여 진솔하고 생동감 있게 정서를 표현함. ② 한숨을 의인화하여 고달픈 삶의 애환을 ❷ㅎㅎㅈ 으로 표현함. ③ 4음보 율격에서 이탈하여 장형화된 형식임.

답 ❶ 열거 ❷ 해학적

---

15 **모닥불**(백석)

[관련 단원] 3단원 (1) 서정 갈래의 흐름

◎ 제재 개관

갈래	현대 시, 서정시, 산문시
성격	묘사적, 회상적, 산문적
제재	모닥불
주제	평등과 어울림의 정신과, 할아버지의 슬픈 역사(우리 민족의 슬픈 역사)
특징	① ❶ㅍㅇㄷ 방언을 사용하여 사실성과 향토성을 높임. ② 조사 '도'를 반복하고 대상을 ❷ㅇㄱ 하여 시적 상황을 생생하게 표현함. ③ 지금 이곳의 상황 묘사와 과거 회상으로 이루어짐.

답 ❶ 평안도 ❷ 열거

---

16 **농무**(신경림)

[관련 단원] 3단원 (1) 서정 갈래의 흐름

◎ 제재 개관

갈래	현대 시, 서정시, 농민 시
성격	사실적, 묘사적, 비판적
제재	농무
주제	산업화 과정에서 소외된 ❶ㄴㅁ 들의 현실과 그것에 대한 비판
특징	① 농민들의 소외된 현실을 ❷ㅈㅅㅈ 으로 드러냄. ② 역설적 상황을 통해 농민들의 심리를 효과적으로 드러냄. ③ 홍명희의 소설 〈임꺽정〉에 나오는 인물들을 끌어들이고 있음.

답 ❶ 농민 ❷ 직설적

이것만은 꼭!

○ 이 시의 의미 구조

```
외부에서 한숨이     →    여러 사물로          →    잠에 들지 못함.
들어옴.                 한숨을 막으려             (근심, 괴로움
                       하지만 실패함.            등이 생김.)
```
↓
자신의 내면에 그칠 줄 모르는 **❶** ㅅㄹ 이 있음을
해학적으로 표현함.

○ 각 장에 나타난 표현상 특징

초장	**❷** ○○ㅂ	한숨을 가리켜 사람을 부르듯이 '네 (너)'라고 표현함.
중장	열거법, 과장법	문과 창문, 잠그는 도구 등의 각종 사물들을 나열함. → 화자가 한숨을 막으려는 상황을 해학적으로 표현함.
종장	영탄법	잠을 이루지 못할 정도로 깊은 시름에 젖어 있음을 하소연함.

답 ❶ 시름 ❷ 의인법

이것만은 꼭!

○ 표현상 특징

대구법	고인도 날 못 보고 나도 고인 못 뵈
❶ ○ㅅㅂ	[초장] 고인 못 뵈 / [중장] 고인을 못 봐도 녀둔 길 알픠 잇닉 / [종장] 녀둔 길 알픠 잇거든...
설의법	아니 녀고 엇졀고(아니 가고 어쩌겠는가?)

○ 시어·시구의 의미와 화자의 태도

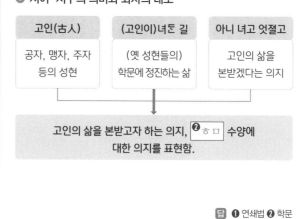

고인(古人)	(고인이)녀둔 길	아니 녀고 엇졀고
공자, 맹자, 주자 등의 성현	(옛 성현들의) 학문에 정진하는 삶	고인의 삶을 본받겠다는 의지

↓

고인의 삶을 본받고자 하는 의지, **❷** ㅎㅁ 수양에
대한 의지를 표현함.

답 ❶ 연쇄법 ❷ 학문

이것만은 꼭!

○ 공간의 이동에 따른 화자의 행동과 정서

장소	화자의 행동	화자의 정서
운동장	농무 공연이 끝남.	공연 뒤의 쓸쓸함, 허탈감
소줏집	술을 마심.	답답함, 고달픈 삶에 대한 원통함
장거리	농악에 맞춰 나아감.	농촌의 현실에 대한 분노(울분), 체념, 자포자기
도수장	농무를 춤.	울분과 한을 품고 있는 **❶** ㅅㅁ

○ 이 시에 나타난 농촌의 현실

따라붙어 악을 쓰는 건 쪼무래기들뿐	많은 **❷** ㅈㅇㅇ 가 농촌을 떠남.
비룟값도 안 나오는 농사	산업화 때문에 생계비조차 마련하기 어려움.

답 ❶ 신명 ❷ 젊은이

이것만은 꼭!

○ 이 시의 시상 전개

```
1연                2연                 3연
보잘것없는      →   평등하게 어우러져  →   모닥불에 얽힌
것들이             모닥불을 쬐는          ❶ ㅎㅇㅂㅈ의
모여 타는 모닥불    사람들과 동물들        슬픈 역사
```

○ 각 연에 나타난 소재의 상징적 의미

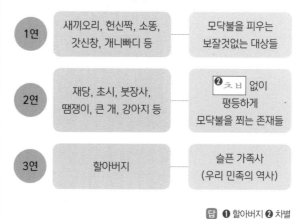

1연	새끼오리, 헌신짝, 소똥, 갓신창, 개니빠디 등	모닥불을 피우는 보잘것없는 대상들
2연	재당, 초시, 붓장사, 땜쟁이, 큰 개, 강아지 등	**❷** ㅊㅂ 없이 평등하게 모닥불을 쬐는 존재들
3연	할아버지	슬픈 가족사 (우리 민족의 역사)

답 ❶ 할아버지 ❷ 차별

#시험대비
#핵심정복

7일 끝
중간고사
기말고사

Chunjae
Makes
Chunjae

▼

개발총괄	김덕유
편집개발	박유리, 우영은
조판	대진문화(구민범, 권재원)
제작	황성진, 조규영

발행일	2021년 3월 15일 초판 2021년 3월 15일 1쇄
발행인	(주)천재교육
주소	서울시 금천구 가산로9길 54
신고번호	제2001-000018호
고객센터	1577-0902
교재 내용문의	(02)3282-1718

7일 끝으로 끝내자!

7 고등 문학

BOOK 2
기 말 고 사 대 비

이 책의 차례

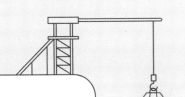

우리 학교 시험 범위 확인

교과서 단원		본 교재
1. 문학과 삶	(1) 문학의 기능과 가치	☐ [BOOK 1] 1일, 6일 1회, 7일
	(2) 자아 성찰과 타자 이해	☐ [BOOK 1] 2일, 6일 1회, 7일
2. 문학의 수용과 생산	(1) 문학 작품의 구성 원리와 수용	☐ [BOOK 1] 3일, 6일 1회, 7일
	(2) 문학과 인접 분야, 문학과 매체	☐ [BOOK 1] 4일, 6일 2회, 7일
3. 한국 문학의 갈래와 흐름	(1) 서정 갈래의 흐름	☐ [BOOK 1] 4일·5일, 6일 2회, 7일
	(2) 서사 갈래의 흐름	☐ [BOOK 2] 1일·2일, 6일 1회, 7일
	(3) 극 갈래의 흐름	☐ [BOOK 2] 3일, 6일 1회, 7일
	(4) 교술 갈래의 흐름	☐ [BOOK 2] 2일, 6일 1회, 7일
4. 한국 문학의 과거와 현재 그리고 미래	(1) 한국 문학의 개념과 범위	☐ [BOOK 2] 4일, 6일 2회, 7일
	(2) 한국 문학의 특성	☐ [BOOK 2] 5일, 6일 2회, 7일

1 일

(2) 서사 갈래의 흐름

생각 열기 서사 갈래는 시대에 따라 어떻게 변화해 왔는가?

고전 소설

한문 소설 《금오신화》

한글 소설 《홍길동전》

현대 소설

제재 1 **구운몽**(김만중)

1 제재 개관

갈래	고전 소설, 장편 소설, 몽자류 소설	성격	환상적, 불교적
배경	• 시간: 중국 당나라 때 • 공간: 현실–중국 남악 형산 연화봉 / 꿈속–장안(당나라의 수도), 변방 지역 등		
시점	3인칭 전지적 시점		
제재	연화봉 승려 성진이 꿈속에서 양소유가 되어 겪는 다양한 일과 깨달음		
주제	❶ 을 통해 부귀영화의 덧없음을 깨닫고 ❷ 의 진정한 가치를 추구함.		
특징	① 꿈과 현실을 오가는 환몽 구조를 지님. ② 현실 공간과 꿈속 공간이 모두 ❸ 적으로 그려짐. ③ 조선 시대 사대부의 입신양명에 대한 욕망이 투영됨. ④ 불교적 색채가 두드러짐.		

2 제목 '구운몽(九雲夢)'의 상징적 의미

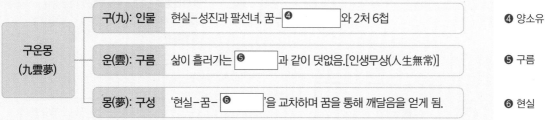

구운몽 (九雲夢)	구(九): 인물	현실–성진과 팔선녀, 꿈–❹ 와 2처 6첩
	운(雲): 구름	삶이 흘러가는 ❺ 과 같이 덧없음.[인생무상(人生無常)]
	몽(夢): 구성	'현실–꿈–❻ '을 교차하며 꿈을 통해 깨달음을 얻게 됨.

❹ 양소유

❺ 구름

❻ 현실

3 이 글의 '환몽 구조'

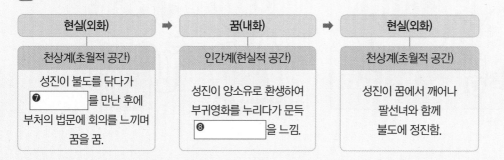

현실(외화)	➡	꿈(내화)	➡	현실(외화)
천상계(초월적 공간)		인간계(현실적 공간)		천상계(초월적 공간)
성진이 불도를 닦다가 ❼ 를 만난 후에 부처의 법문에 회의를 느끼며 꿈을 꿈.		성진이 양소유로 환생하여 부귀영화를 누리다가 문득 ❽ 을 느낌.		성진이 꿈에서 깨어나 팔선녀와 함께 불도에 정진함.

❼ 팔선녀

❽ 인생무상

정답과 해설 **90쪽**

1일

1 서사 갈래의 하위 갈래와 그에 해당하는 문학 작품을 바르게 연결하시오.

(1) 설화 · · ㉠ 〈단군 신화〉

(2) 현대 소설 · · ㉡ 〈혈의 누〉

(3) 고전 소설 · · ㉢ 〈구운몽〉

(4) 개화기 소설 · · ㉣ 〈만세전〉

4 성진이 저지른 세 가지 잘못을 다음과 같이 정리할 때, 빈칸에 들어갈 적절한 말을 이 글에서 찾아 쓰시오.

(1) (ㅇㄱ)에 가서 술에 취함.

(2) 석교에서 팔선녀와 만나 (ㅇㅇ)로 수작함.

(3) 팔선녀의 미색을 사랑하여 세상의 (ㅂㄱ)를 흠모하고 불가의 적막함을 싫어함.

〈구운몽〉

2 이 글에 대한 설명이 맞으면 ○표, 틀리면 ×표를 하시오.

(1) '현실 – 꿈 – 현실'의 구조를 갖춘 몽자류 소설이다.
( )

(2) 조선 시대 때 한양 일대를 배경으로 하고 있다.
( )

(3) 3인칭 전지적 시점으로 사건을 서술하고 있다.
( )

5 성진이 꿈을 꾸고 난 이후 얻은 깨달음과 관련된 사자성어로 적절하지 않은 것은?

① 노생지몽(盧生之夢)

② 일장춘몽(一場春夢)

③ 일취지몽(一炊之夢)

④ 한단지몽(邯鄲之夢)

⑤ 동상이몽(同床異夢)

3 다음에 나타난 성진의 생각을 바탕으로 하여, 아래의 빈칸에 들어갈 적절한 말을 쓰시오.

남자로 세상에 태어나서 어려서는 공맹(孔孟)의 글을 읽고, … 공명을 후세에 드리우는 것이 또한 대장부의 일이라. 우리 부처의 법문은 … 그 도가 높고 아름다우나 적막하기 심하도다.

❱ 성진은 승려로서 실행할 수 없는 (ㅅㅅ)적 삶에 대한 욕망을 느끼고 있다.

6 이 글의 제목과 그 의미를 바르게 연결하시오.

(1) 九 아홉 구 · · ㉠ 구성 : 꿈을 통한 깨달음

(2) 雲 구름 운 · · ㉡ 인물 : 성진과 팔선녀

(3) 夢 꿈 몽 · · ㉢ 주제 : 덧없는 인생

교과서 기출 베스트

[1~2] 다음 글을 읽고 물음에 답하시오.

이때 성진이 동정호에 이르러 물결을 헤치고 수정궁(水晶宮)에 들어가니 용왕이 크게 기뻐하며 몸소 궁문 밖에 나아가 맞이하였다. 성진을 상좌에 앉히고 진찬을 갖추어 잔치를 열어 대접하여 용왕이 손수 잔을 들어 권하자 성진이 가로되,

"술은 마음을 흐리게 하는 광약(狂藥)이라 불가에서는 크게 경계하는 것이니 감히 파계를 하지 못하겠나이다."

용왕이 가로되,

"부처가 다섯 가지 계율로 술을 경계하는 줄을 내 어찌 모르리오만, 궁중에서 쓰는 술은 인간의 광약과 달라서 자못 사람의 기운을 화창케 하고 마음을 방탕하게 아니하나이다."

성진이 용왕이 지성으로 권하니 차마 사양하지 못하고 잇따라 석 잔을 기울였다. 용왕께 하직하고 바람을 타고 연화봉을 향하여 돌아오다 산 아래에 이르러, 스스로 깨닫기를 술기운이 올라 낯이 달아오르니 마음속으로 생각하기를,

'만일 얼굴이 붉으면 사부께서 이상하게 생각하여 크게 꾸짖지 않으리오.'

하고 즉시 냇물로 내려가 웃옷을 벗고 두 손으로 물을 움켜취한 낯을 씻는데, 문득 기이한 향내가 코에 진동하여 향로(香爐) 기운도 아니요, 화초(花草) 향내도 아닌데 사람의 뼛속에 사무쳐 정신이 호탕하여 능히 표현할 수 없었다.

성진이 생각하기를, / '이 물의 상류에 무슨 꽃이 피었기에 이런 신기한 향이 물에서 나는가?'

다시 의복을 정제한 다음 물을 따라 올라가니, 이때에 팔선녀가 석교 위에 앉아서 서로 말하고 있었다. 성진과 팔선녀가 서로 만나니, 성진이 육환장을 놓고 공손히 재배하며 말하였다.

"여보살이여, 빈승은 연화도량 육관 대사의 제자로 스승의 명을 받들어 산 밑에 나갔다가 장차 돌아오는 길이옵니다. 좁은 석교 위에 보살님들이 앉아 있어, 남자와 여자가 같

은 길에 함께 있을 수 없으니, 부디 잠시 발걸음을 옮겨 주시면 길을 빌리고자 합니다."

　　　　　　　　　　　　　　　　　　　- 김만중, 〈구운몽〉

작품의 특징 파악하기

1 이 글에 대한 설명으로 적절하지 <u>않은</u> 것은?
빈출유형

① 전기적 요소를 통해 사건이 전개된다.
② 꿈과 현실을 오가는 구조를 지닌 몽자류 소설이다.
③ 내적 독백을 통해 인물의 심리가 구체적으로 드러난다.
④ 장면 변화에 따라 시점을 달리해 사건을 입체적으로 제시한다.
⑤ 등장인물이 승려인 점, '다섯 가지 계율' 등에서 불교적 색채가 두드러진다.

🔊 도움말
• 전기적 요소 실제로 일어날 수 없는 비현실적 요소를 말함.

인물의 말하기 방식 파악하기

2 용왕의 말하기 방식에 대한 이해로 적절한 것을 〈보기〉에서 모두 골라 묶은 것은?
빈출유형

◦ 보기 ◦

ⓐ 자신의 행위가 잘못되었음을 인정하며 상대를 타이르고 있어.

ⓑ 상대의 입장을 이해하고 있음을 밝혀 상대방을 회유하고 있어.

ⓒ 자신의 경험을 근거로 들어 상대방의 동의를 이끌어 내고 있어.

ⓓ 자신이 제안하는 것은 일반적인 것과 다름을 밝혀 상대방을 구슬리고 있어.

ⓔ 자신의 제안을 수락하지 않을 시 일어나게 될 결과를 들어 상대방을 압박하고 있어.

① ⓐ, ⓒ
② ⓑ, ⓓ
③ ⓒ, ⓔ
④ ⓐ, ⓒ, ⓔ
⑤ ⓑ, ⓓ, ⓔ

[3~5] 다음 글을 읽고 물음에 답하시오.

팔선녀가 답례하여 말하기를,

"우리는 위부인의 시녀들이옵니다. 부인의 명을 받들어 육관 대사께 문안을 하고 돌아가는 길입니다. 첩들이 들으니 '길에서 남자는 왼쪽으로 가고 여자는 오른쪽으로 간다.' 하였으나 ㉠이 다리가 매우 좁고 첩들이 이미 먼저 앉았으니 도인의 말씀이 마땅치 아니하니, 바라건대 다른 길로 행하소서." <중략>

성진이 웃으며 대답하되, / "여러 낭자의 뜻을 보니 행인으로 하여금 길값을 받고자 하려는 듯싶소. 그러나 가난한 중에게 어이 금전이 있으리오. 마침 명주(明珠) 여덟 개가 있으니 이것으로 길값을 치르겠나이다." <중략>

성진이 자신의 ㉡선방(禪房)에 돌아오니 날이 이미 어두워졌다. 성진이 여덟 선녀를 본 후에 정신이 자못 황홀하여 마음에 생각하되,

[A] '남자로 세상에 태어나서 어려서는 공맹(孔孟)의 글을 읽고, 자라서는 요순(堯舜) 같은 임금을 섬겨, 나가서는 장수가 되고 들어와서는 정승이 되어, 비단 옷을 입고 옥대를 차고, 옥궐에 조회(朝會)하고, 눈에 고운 빛을 보고 귀에 좋은 소리를 듣고, 은택이 백성에게 미치고 ⓐ공명을 후세에 드리우는 것이 또한 대장부의 일이라. 우리 부처의 법문은 한 바리때의 밥과 한 병의 물과 두어 권의 경문과 백팔 염주뿐이니 비록 그 도가 높고 아름다우나 적막하기 심하도다.'

생각을 이리하고 저리하여 밤이 깊었는데 문득 눈앞에 팔선녀가 서 있어 놀라서 다시 보니 이미 간 곳이 없더라.

– 김만중, 〈구운몽〉

세부 내용 파악하기

3 ㉠, ㉡과 관련된 이 글의 내용으로 적절하지 <u>않은</u> 것은?

① ㉠에서 성진은 위부인의 시녀들을 만나 언어로 수작한다.
② ㉠에서 성진은 자신을 막아서는 팔선녀의 태도를 못마땅하게 여긴다.
③ ㉠에서 맺은 인연을 계기로 하여 ㉡에서 성진은 세속적 욕망을 갖게 된다.
④ ㉡에서 성진은 법문에 대한 회의감을 느낀다.
⑤ ㉡에서 성진은 정신을 차리지 못하며 팔선녀의 환영을 본다.

인물의 갈등 파악하기

4 [A]에 나타난 성진의 갈등으로 적절한 것은?

① 승려로서의 삶을 강요하는 스승과의 •외적 갈등
② 자신이 원하는 것을 가로막는 현실과의 외적 갈등
③ 자신이 처한 현실과 이상의 괴리로 인한 •내적 갈등
④ 팔선녀와 사랑을 나누지 못하는 신분으로 인한 내적 갈등
⑤ 자신의 신분에 어울리지 않는 행위를 했다는 죄책감으로 인한 내적 갈등

◁)) **도움말**
• **외적 갈등** 등장인물과 그 인물을 둘러싸고 있는 세계, 환경과의 대립을 통해 나타나는 갈등을 말함.
• **내적 갈등** 등장인물의 마음속에 두 가지 이상의 생각이 나타나 벌어지는 갈등을 말함.

상황에 어울리는 사자성어 찾기

5 ⓐ에 어울리는 사자성어를 〈보기〉에서 찾아 쓰시오.

보기
명재경각(命在頃刻)	입신양명(立身揚名)
공평무사(公平無私)	후생가외(後生可畏)

[6~8] 다음 글을 읽고 물음에 답하시오.

"㉠산야(山野) 사람이 대승상을 뵈옵니다."

태사가 이인(異人)인 줄 알고 황망히 답례하기를,

"사부는 어느 곳으로부터 오셨나이까?"

㉡호승이 웃으며 대답하기를, / "평생 고인을 몰라보시니 일찍이, '귀인은 잊기를 잘한다.'라는 말이 옳소이다."

승상이 자세히 보니 과연 얼굴이 익은 듯하였다. 문득 깨달아 능파 낭자를 돌아보며 말하기를,

"내가 지난날 토번을 정벌할 때 꿈에 동정 용궁의 잔치에 참석하고 돌아오는 길에, 한 화상이 법좌(法座)에 앉아서 경을 강론하는 것을 보았는데 노승이 바로 ㉢그 노화상이냐?"

호승이 박장대소하고 가로되,

"옳도다, 옳도다. 비록 그 말이 옳으나 꿈속에서 잠깐 만난 일은 기억하고 십 년 동안 같이 살았던 것은 기억하지 못하니 누가 양 장원을 총명하다 하였는가?"

승상이 망연자실하여 말하기를,

"소유는 십오륙 세 이전에는 부모의 슬하를 떠난 적이 없고, 십육 세에 급제하여 곧바로 직명을 받아 관직에 있었으니, 동으로 연나라에 사신으로 가고 토번을 정벌하러 떠난 것 외에는 일찍이 경사를 떠나지 아니하였거늘, 언제 사부와 함께 십 년을 상종하였으리오?"

노승이 웃으며 말하기를,

"㉣상공이 아직도 춘몽을 깨지 못하였도다."

승상이 말하기를, / "㉤사부는 어찌하면 소유로 하여금 춘몽을 깨게 하실 수 있나이까?"

노승이 이르기를, / "이는 어렵지 않도다."

하고 손에 잡고 있던 석장(錫杖)을 들어 돌난간을 두어 번 두드렸다. 갑자기 네 골짜기에서 구름이 일어나 누대(樓臺) 위를 뒤덮어 지척을 분변하지 못하였다. 승상이 정신이 아득하여 마치 취몽 가운데 있는 듯하여 한참 만에 소리를 질러

말하기를,

"사부는 어찌하여 정도(正道)로 소유를 인도하지 아니하고 환술(幻術)로써 희롱하시나이까?"

승상이 말을 마치지 못하여 구름이 걷히는데 노승은 간 곳이 없고 좌우를 돌아보니 팔 낭자도 간 곳이 없었다.

– 김만중, 〈구운몽〉

세부 내용 파악하기

6 **이 글의 내용으로 적절하지 않은 것은?**

빈출유형

① 양소유는 육관 대사를 보자마자 자신의 스승임을 알아챘다.

② 양소유는 십육 세에 과거에 급제하여 곧바로 관직에 등용되었다.

③ 양소유는 과거에 꿈에서 육관 대사와 만난 사실을 기억하고 있다.

④ 양소유는 자신과 십 년을 함께 살았다는 육관 대사의 말을 믿지 못하고 있다.

⑤ 양소유는 자신이 누린 영화가 하룻밤 꿈에 지나지 않는다는 것을 깨닫지 못하고 있다.

지시하는 인물 파악하기

7 **㉠~㉤ 중 지시하는 대상이 나머지와 다른 것은?**

빈출유형

① ㉠   ② ㉡   ③ ㉢   ④ ㉣   ⑤ ㉤

환몽 구조의 특징 파악하기

8 **이 글에서 〈보기〉의 밑줄 친 부분에 해당하는 내용을 찾아 그대로 쓰시오.**

┌─ 보기 ─

고전 소설에서 환몽 구조는 주로 세속의 삶을 동경하던 주인공이 꿈을 통해 환생하여 영웅적 생애를 누린 뒤, 특별한 문학적 장치나 등장인물의 특정한 행위를 통해 꿈에서 깨어나는 구조를 이룬다.

└─────

[9~11] 다음 글을 읽고 물음에 답하시오.

자신의 몸을 보니 백팔 염주가 걸려 있고 머리를 손으로 만져 보니 갓 깎은 머리털이 가칠가칠하였으니 완연히 소화상의 몸이요 전혀 대승상의 위의가 아니니, 정신이 황홀하여 오랜 후에야 비로소 제 몸이 연화도량의 성진 행자(性眞行者)임을 깨달았다.

그리고 생각하기를, '처음에 스승에게 책망을 듣고 풍도옥으로 가서 인간 세상에 환도하여 양가의 아들이 되었다. 그리고 장원급제를 하여 한림학사를 한 후 출장입상(出將入相), 공명 신퇴(公明身退)하여 두 공주와 여섯 낭자로 더불어 즐기던 것이 다 하룻밤 꿈이로다. 〈중략〉'

"성진아, 인간 부귀를 겪어 보니 과연 어떠하더냐?"

성진이 머리를 조아리고 눈물을 흘리며 하는 말이,

"성진이 이미 깨달았나이다. 제자가 불초하여 생각을 그릇되게 하여 죄를 지었으니 마땅히 인간 세상에 윤회하는 벌을 받아야 하거늘, 사부께서 자비하시어 하룻밤 꿈으로 제자의 마음을 깨닫게 하시니, 사부의 은혜는 천만겁이 지나도 갚기 어렵나이다." / 대사가 말하기를,

[A] "네가 흥을 타고 갔다가 흥이 다하여 돌아왔으니 내가 무슨 간여할 바가 있겠느냐? 또 네가 말하기를, '인간 세상에 윤회한 것을 꿈을 꾸었다.'라고 하니, 이는 꿈과 세상을 다르다고 하는 것이니, 네가 아직도 꿈을 깨지 못하였도다. 옛말에 '장주(莊周)가 꿈에서 나비가 되었다가 다시 나비가 장주가 되었다.'라고 하니, 어느 것이 거짓 것이고, 어느 것이 참된 것인지 분변하지 못하나니, 이제 성진과 소유에 있어 어느 것이 참이며 어느 것이 꿈이냐?"

– 김만중, 〈구운몽〉

9 이 글에서 양소유가 자신이 꿈에서 깨어났음을 깨닫게 한 소재를 2어절로 쓰시오.

10 다음 학생들의 대화에서 빈칸에 들어갈 내용으로 적절한 것은?

빈출유형

[A]에서 나타나는 육관 대사의 말하기 방식은 뭘까?

　　　하여 성진의 깨달음이 부족하다는 것을 일깨우고 있어.

① 고사를 인용
② 비유를 활용
③ 성진과 자신을 비교
④ 성진의 잘못을 나열
⑤ 성진의 과거와 현재의 모습을 대비

11 이 글에서 육관 대사가 성진에게 궁극적으로 말하고자 하는 바로 가장 적절한 것은?

① 꿈과 현실은 결국 다른 것이다.
② 꿈과 현실을 구별하는 것은 무의미하다.
③ 꿈과 현실을 구분해 내는 것은 쉽지 않다.
④ 꿈과 현실을 나눔으로써 삶의 깨달음을 얻을 수 있다.
⑤ 꿈과 현실 중 어느 것이 참이고 어느 것이 거짓인지 분간해야 한다.

제재 2 　만세전(염상섭)

1 제재 개관

갈래	°현대 소설, 중편 소설	성격	사실적, 비판적, 자기반성적
배경	• 시간: 만세(3·1 운동) 전해의 겨울, 1918년		• 공간: 일본과 식민지 조선
시점	1인칭 주인공 시점		
제재	식민지 조선의 지식인이 동경에서 서울로 오는 과정에서 겪은 일		
주제	일본 식민 지배의 ❶⬚⬚⬚ 에 대한 비판과 식민지 조선 지식인의 자기 성찰		
특징	① 주인공이 겪은 일, 보고 들은 것을 사실적으로 그리고 있음. ② 여러 가지 에피소드를 통해 식민 지배의 폭력성을 비판하고 있음. ③ 주인공의 반성적 ❷⬚⬚⬚ 이 뚜렷함. ④ 지금은 거의 쓰이지 않는 어려운 한자어가 많이 쓰임.		

개념 Catch

• **현대 소설**: 개화기 소설(신소설) 이후에 창작되기 시작한 본격적인 근대 소설. 근대적인 국문체로 쓰였고 등장인물이 개성적이고 입체적이며 사건 전개 방식이 일정한 틀에서 벗어나 있다는 특징이 있음.

❶ 폭력성

❷ 자기 성찰

2 주요 사건에 드러난 당대의 사회·문화적 상황

주요 사건	사회·문화적 상황
'나'는 배 안의 목욕탕에서 노동자 모집원 일본인이 어떻게 조선인을 일본의 ❸⬚⬚⬚ 과 탄광을 보내는지 말하는 것을 듣게 됨.	• 조선 농민들의 비참한 삶: 많은 농민들(소작인들)이 힘들게 농사를 짓고도 굶주림을 면하지 못함. • 일본인들의 조선인 노동자 ❹⬚⬚⬚: 일본인들이 거짓으로 조선인들을 꾀어 일본의 공장, 탄광에 데려가 고된 일을 시키고 임금을 제대로 주지 않음.
'나'는 조선인 ❺⬚⬚⬚ 이라는 이유로 형사들에 의해 배 밖으로 불려 나가 짐 검사를 받게 됨.	• 일본인들이 조선인을 멸시함. • 사회주의나 독립운동에 대한 ❻⬚⬚⬚ 가 심했음. • 국가 권력에 의한 검열이 일상화되어 있었음.

❸ 공장

❹ 착취

❺ 유학생

❻ 감시

3 이 글에 나타난 자기반성의 정신

• '나'는 일본에서 유학하는 동안 평온하게 지내면서 조선의 현실, 우리 민족에 대한 관심이 적었음. • '나'는 밭을 가는 것도 '시'이며 행복한 일이라고 하는 등 실상과 관계없는 시를 썼다.	목욕탕에서 일본인들의 대화를 듣고 조선인의 ❼⬚⬚⬚ 을 알게 됨.	• 자신이 '❽⬚⬚⬚⬚'에 지나지 않는다는 사실을 똑바로 보고 자신에 대한 근본적인 반성에 나아감. • 중노동에 시달리는 가난한 농민의 삶과 같은 실제 현실을 문제 삼아야 한다고 생각함.

❼ 실상

❽ 책상 도련님

1 〈보기〉의 ㉠, ㉡에 들어갈 적절한 말을 쓰시오.

> **보기**
>
> (㉠)은 고전 소설과 (㉡)의 사이에 놓여 있는 과도기의 소설로 신소설이라고도 한다. (㉡)은 (㉠) 이후에 창작되기 시작한 소설을 총칭하는 말인데, 일제 강점기, 6·25 전쟁 등 우리나라의 역사 전개에 적극적으로 대응하면서 창작되어 왔다.

〈만세전〉

2 이 글에 대한 설명으로 빈칸에 들어갈 적절한 말을 쓰시오.

(1) 이 글은 (ㅇㅈ ㄱㅈㄱ)를 시대적 배경으로 하고 있다.

(2) 이 글은 식민지 지식인의 (ㅈㅂㅅ)을 드러내고 있다.

(3) 이 글의 원제는 〈묘지〉로, 이는 당대(1910년대 후반) 조선의 암담하고 절망적인 (ㅎㅅ)을 상징한다.

3 다음은 이 글이 수록된 작품 전체에서 보여지는 장소 변화를 나타낸 것이다. 이를 참고하여 〈보기〉의 빈칸에 들어갈 적절한 말을 쓰시오.

```
동경 → 고베 → 시모노 → 부산, → 경성
                세키     김천,    (서울)
                         대전
  ↑_____|
           교과서 수록 부분
```

> **보기**
>
> 이 글은 주인공인 '나'(이인화)의 여정이 '동경-서울-동경'으로 이어진다는 점에서 '원점 회귀형 (ㅇㅈ ㄱㅈ)'를 갖춘 소설이라고 할 수 있다. 이러한 구조는 '나'가 자기 자신과 조선의 현실을 점차 뚜렷하게 인식하게 되는 과정과 연관되어 있다.

4 이 글의 내용으로 볼 때, 〈보기〉의 빈칸에 들어갈 말로 적절한 것은?

> **보기**
>
> 일본에 유학 중이었던 '나'는 ( )가 위독하다는 전보를 받고 귀국길에 오른다.

① 아들 　　 ② 아내 　　 ③ 친구

④ 아버지 　 ⑤ 어머니

5 이 글에서 확인할 수 있는 '나'의 심리로 맞으면 ○표, 틀리면 ×표를 하시오.

(1) '나'는 조선인들을 속여 돈을 버는 일본인들의 행동에 분노하였다. 　　　　　　(　　)

(2) '나'는 조선인임에도 일본인 행세를 하는 궐자의 태도를 보고 개탄스럽게 여겼다. 　(　　)

(3) '나'는 늑장을 부리며 가방 수색을 하던 형사들 때문에 배를 놓칠까 초조하였다. 　(　　)

6 '나'가 관부 연락선에서 겪은 사건으로 흘린 '뜨끈뜨끈한 눈물'의 의미로 적절한 것의 기호를 〈보기〉에서 모두 골라 쓰시오.

뜨끈뜨끈한 눈물 ────

> **보기**
>
> ㉠ 현실 대응과 관련한 무력감
>
> ㉡ 식민 지배의 폭력성에 대한 분노
>
> ㉢ 식민지 사람으로서의 고독감, 슬픔
>
> ㉣ 일본의 식민 통치에 항거하려는 결심
>
> ㉤ 일제 검열의 협조에 대한 내면적 갈등 해소

[1~3] 다음 글을 읽고 물음에 답하시오.

"그래 그런 훌륭한 직업이 무엇인데, 어디 있어요?"

이번에는 그 시골자의 동행인 듯한 사람이, 가만히 듣고 있다가, 욕탕에서 시뻘겋게 단 몸뚱어리를 무거운 듯이 끌어내며 물었다. 그자도 물속에서 불쑥 일어서서 수건을 등 뒤로 넘겨서, 가로잡고 문지르며, ㉠한 번 욕실을 휙 돌아다보고, 그 3인 이외의 사람들이 자기들의 대화에는 무심히 한구석에 앉았는 것을 살펴본 뒤에, 안심한 듯이, 비로소 목소리를 낮추며 입을 벌렸다.

"실상은 쉬운 일이에요. 나도 이번에 가서 해 오면, 세 번째나 되오마는, 내지의 각 회사와 연락해 가지고, 요보들을 붙들어 오는 것인데…… 즉 조선 쿠리(苦力) 말씀이에요. 노동자요. 〈중략〉"

나는 여기까지 듣고 깜짝 놀랐다. 그 ㉡가련한 조선 노동자들이 속아서, 지상의 지옥 같은 일본 각지의 공장으로 몸이 팔려 가는 것이, 모두 ㉢이런 도적놈 같은 협잡 부랑배의 술중(術中)에 빠져서 그러는구나 하는 생각을 할 제 나는 다시 한 번 그자의 상판대기를 쳐다보지 않을 수 없었다.

'옳지, 그래서 이자의 형이 헌병 군조라는 것을 듣고, 이용할 작정으로 이러는 게로군!'

나는 이런 생각도 하여 보며, 가만히 귀를 기울이고 앉았었다. 〈중략〉

눈을 휘둥그렇게 뜨고 귀를 기울이고 앉았던 시골자는, 때를 다 밀었는지, 그 장대한 동색(銅色) 거구를 벌떡 일으켜, 다시 욕탕 속에 출렁 집어넣으면서, ㉣만족한 듯이 또다시 말을 붙였다.

"그래 조선 농군들이 가서, 그런 공사일을 잘들 하나요?"

"잘하구 못하는 것은, 내가 상관할 것 무엇 있소마는, 하여간 요보는 말을 잘 듣고 힘드는 일을 잘하는 데다가 임은(賃銀)이 헐하니까, 안성맞춤이지. 그야 처음 데려갈 때에는 품삯도 많고, 일은 드러누워서 떡 먹기라고 푹 삶아야 하긴 하지만, 그래도 갈 노자며, 처자까지 데리고 가게 하고, 게다가 빚까지 갚아 주는 데야 제 아무런 놈이기로 안 따라나설 놈이 있겠소. ㉤한번 따라나서기만 하면야, 전차(前借)가 있는데, 그야말로 독 안에 든 쥐지. 일이 고되거나 품이 헐하긴 고사하고 굶어 뒈진다기루 하는 수 있나…… 하하하."

— 염상섭, 〈만세전〉

당대의 현실 파악하기

1 이 글에서 알 수 있는 당대의 현실로 적절하지 <u>않은</u> 것은?

① 일본인들이 조선인들을 악랄하게 착취하였다.
② 일본으로 건너간 조선인들은 열악한 환경에서 일해야 했다.
③ 인간을 돈벌이의 수단으로만 여기는 비인간적 행태가 나타났다.
④ 조선인 노동자들 중 일부는 일본에서 고임금을 받으며 생활했다.
⑤ 일본인들 중에는 조선인들을 속여 일본에 팔아넘기는 사람이 있었다.

세부 내용 파악하기

2 ㉠~㉤에 대한 설명으로 적절하지 <u>않은</u> 것은?

① ㉠: '그자'가 주변을 경계하고 있음이 나타난다.
② ㉡: 조선인 노동자에 대한 '나'의 연민이 나타난다.
③ ㉢: '그자'의 말을 들은 '나'가 분노하고 있음이 드러난다.
④ ㉣: 시골자가 '그자'와 동업을 하기로 하여 흡족해하고 있음이 드러난다.
⑤ ㉤: 당시 조선인 노동자들이 고된 노동에서 벗어날 수 없었던 이유가 드러난다.

시대상을 나타내는 어휘 파악하기

3 다음 선생님의 설명을 참고하여, 빈칸에 들어갈 단어를 찾아 2음절로 쓰시오.

> 문학 작품에는 창작 당시에 쓰이던 어휘가 직접 제시되고는 해요. 이 글에서는 '(　　　　)'(이)라는 말이 제시되고 있는데, 이를 통해 당시 일본인들이 조선 사람들을 얕잡아보거나 멸시했음을 알 수 있어요.

작품의 특징 파악하기

4 이 글에 대한 설명으로 적절하지 않은 것은?

① 3·1운동 전해의 겨울을 시대적 배경으로 한다.
② 현재는 많이 쓰이지 않는 한자어가 다수 쓰였다.
③ 주인공의 자기반성적 성찰이 뚜렷하게 드러난다.
④ 주인공의 공간 이동이 두드러지는 °여로형 소설이다.
⑤ 일본인과 조선인들 간의 직접적인 갈등이 두드러진다.

🔊 도움말
• 여로형 소설 주인공의 여행 경로에 따라 내용을 전개하는 소설을 말함.

[4~5] 다음 글을 읽고 물음에 답하시오.

㉠스물두셋쯤 된 책상 도련님인 그때의 나로서는, 이러한 이야기를 듣고 놀라지 않을 수 없었다. 인생이 어떠하니 인간성이 어떠하니 사회가 어떠하니 해야, 다만 심심파적으로 하는 탁상의 공론에 불과할 것은 물론이다. 아버지나, 그렇지 않으면 코빼기도 보지 못한 조상의 덕택으로, 공부 자(工夫字)나 얻어 하였거나, 소설 권이나 들춰 보았다고, 인생이니 자연이니 시니 소설이니 한대야 결국은 배가 불러서, 포만의 비애를 호소함일 따름이요, 실인생 실사회의 이면의 이면, 진상의 진상과는 아무 관계도 연락도 없을 것이다. 그러고 보면 ㉡내가 지금 하는 것, 이로부터 하려는 일이 결국 무엇인가 하는 의문과 불안을 느끼지 않을 수가 없었다. '일 년 열두 달 죽도록 애를 쓰고도, 반년짝은 시래기로 목숨을 이어 나가지 않으면 안 되겠으니까……' 하는 말을 들을 제, 그것이 과연 사실일까 하는 의심이 날만치, 나는 귀가 번쩍하였다. 나도 팔구 세까지는 부모의 고향인 충청도 촌 속에서 자라났고, 그 후에 1년에 한 두어 번씩은, 촌락에 발을 들여놓아 보았지만, 설마 그렇게까지, 소작인의 생활이 참혹하리라고는, 꿈에도 들어 본 일이 없었다.　　　　　– 염상섭, 〈만세전〉

인물의 태도 변화 파악하기

5 〈보기〉는 ㉠이 쓴 시이다. ㉡과 같은 심리적 갈등을 겪은 후의 '나'가 〈보기〉에 대해 보일 반응으로 가장 적절한 것은?

┌─ 보기 ─
│ 　시를 짓는 것보다는 밭을 갈라고 한다. 그러나 밭을 가는 그것이 벌써 시가 아니냐.…… 사람은 흙에서 나와서 흙에 돌아간다. 흙의 방순한 냄새에 취할 수 있는 자의 행복이여! 흙의 복욱(馥郁)한 생기야말로, 너 인간의 끊임없는 새 생명이니라…….
└─

① 육체적 노동의 가치를 지나치게 강조한 작품이다.
② 농촌의 풍경을 낭만적이고 아름답게 그려낸 작품이다.
③ 실제 현실을 인지하지 못한 지식인의 한계가 드러나는 작품이다.
④ 자연과의 합일을 꿈꾸는 화자의 정서가 두드러지게 드러난 작품이다.
⑤ 시를 쓰는 일을 무의미한 일로 여기는 노동자의 인식을 담은 작품이다.

[6~8] 다음 글을 읽고 물음에 답하시오.

"실례올시다만, 여기 이인화(李寅華)란 이가 계십니까?" 하고 묻는다. / "네에, 나요. 왜 그러우?"

나는 궐자의 앞으로 두어 발자국 나서며 이렇게 대답을 하였다. 궐자는 한참 찾아다니다가, 겨우 만난 것이 반갑다는 듯이 빙글빙글 웃으며, 문을 활짝 열어젖히고 서서, 이리 좀 나오라고 명령하듯이 소리를 친다. 학생복에 망토를 두른 체격이며, 제딴은 유창하게 한답시는 일어의 어조가, 묻지 않아도 조선 사람이 분명하나, 그래도 짓궂이 일어를 사용하고 도리어 자기의 본색이 탄로될까 봐 염려하는 듯한 침착지 못한 행색이, 나의 눈에는 더욱 수상쩍기도 하고, 근질근질해 보이기도 하였다. 나의 성명과 그 사람의 어조를 듣고, 우리가 조선 사람인 것을 짐작한 여러 일인의 시선은, 나에게서 그자에게, 그자에게서 나에게로 올지 갈지 하는 모양이었다. 말하자면 우리 두 사람은, 일본 사람 앞에서 희극을 연작(演作)하는 앵무새의 격이었다.

"무슨 이야긴지, 할 말 있건 예서 하구려."

나는 기연가미연가하며, 역시 일어로 대답하였다.

"하여간 이리 좀 나오슈." / 말씨가 벌써 그러한 종류의 위인인 것을 의심할 여지가 없다고 생각한 나는, 그 언사의 오만한 것이 위선 귀에 거슬려서, 다소 불쾌한 어조로,

"그럼 문을 닫고 나가서 기다리우." 하며 소리를 지르고, 다시 내 자리로 와서 주섬주섬 옷을 마저 입기 시작하였다. 여러 사람의 경멸하는 듯한 시선은, 여전히 내 얼굴에 거미줄 늘이듯이 어리는 것을 깨달았다. 더구나 아까 이야기하던 세 사람은, 힐끔힐끔 곁눈질을 하는 것이 분명했으나, 나는 도리어 그 시선을 피하였다. 불쾌한 생각이 목구멍 밑까지 치밀어 오르는 것 같을 뿐 아니라, ㉠어쩐지 기운이 줄고 어깨가 처지는 것 같았다.

― 염상섭, 〈만세전〉

6 **이 글의 서술상 특징으로 가장 적절한 것은?**
빈출
유형
① 장면에 따라 서술자를 바꾸어 사건을 입체적으로 서술하고 있다.
② 작품 밖의 서술자가 인물들의 행동을 객관적으로 서술하고 있다.
③ 작품 밖의 서술자가 인물의 심리와 행동을 직접적으로 서술하고 있다.
④ 작품 속의 인물이 다른 인물을 관찰한 내용을 중심으로 서술하고 있다.
⑤ 작품 속의 인물이 자신의 처한 상황에 대한 심리를 직접적으로 서술하고 있다.

세부 내용 파악하기

7 **이 글에서 드러나는 '나'에 대한 설명으로 적절하지 않은 것은?**
빈출
유형
① '나'는 궐자가 쓰는 일어를 듣고 그가 조선인임을 알아챘다.
② '나'는 자신과 궐자에게 집중되어 있는 시선을 의식하고 있다.
③ '나'는 궐자가 자기의 출신이 탄로날까봐 염려하고 있다고 생각했다.
④ '나'는 자신을 바라보는 궐자의 경멸하는 듯한 시선에 불안감을 느꼈다.
⑤ '나'는 궐자의 오만한 말투와 태도에 대한 불쾌감을 노골적으로 표현했다.

인물의 심리 파악하기

8 **'나'가 ㉠과 같이 느낀 이유로 가장 적절한 것은?**
① 궐자의 무례한 요구로 인한 불쾌감 때문에
② 자신의 존재를 인정받지 못하는 막막함 때문에
③ 자신의 정체가 발각될 것에 대한 불안감 때문에
④ 자신을 바라보는 불합리한 시선에 대한 억울함 때문에
⑤ 조선인에 대한 멸시에도 어쩌지 못하는 것에 대한 무력감 때문에

[9~11] 다음 글을 읽고 물음에 답하시오.

"인제는 2분밖에 안 남았소. 난 갈 테요." 하고 재촉을 하였다. 그제야, 양복쟁이는 눈에 불이 나게 놀리던 손을 쉬고, 서류 뭉텅이를 들어 뵈면서, / "이것만은 잠깐 내가 갖다가 보고, 댁으로 보내 드려도 관계없겠지요?" 하고 일어선다.

나는 ㉠언하(言下)에 ㉡쾌락하였다. 사실 그 속에는, 집에서 온 최근의 편지 몇 장과 소설 초고와 몇 가지 원고 외에는 아무것도 없었다. 애를 써서 기록한 서류라야, 원래 나에게는 사회주의라는 '사' 자나 레닌이라는 '레' 자는 물론이려니와, 독립이라는 '독' 자도 없을 것은, 나의 전공하는 학과만 보아도 알 것이었다. 아니 설령 내가 볼셰비키에 관한 서적을 몇백 권 가졌거나 사회주의를 연구하거나, 그것은 학문의 연구라, 물론 자유일 것이요, 비록 독립사상을 가진 나의 뇌 속을, X광선 같은 것이나 ㉢심사법(心寫法)으로 알았다 할지라도, 실행이 없는 다음에야 조사하기로, 소용이 무엇인가. ―이러한 생각은 나중에 한 것이지만, 그 당장에는 하여간 무사히 ㉣방면되어 배에 오르게 된 것만 다행히 여겨, 궐자들과 같이 허둥지둥 ㉤행구를 수습하여 가지고 나섰다. 〈중략〉

외투 포켓에다가 두 손을 찌르고, 어느 때까지 우두커니 섰던 내 눈에는, 어느덧 뜨끈뜨끈한 눈물이 비어져 나와서, 상기가 된 좌우 뺨으로 흘러내렸다. 찬바람에 산뜩산뜩 스며 들어 가는 것을, 나는 씻으려고도 아니하고 여전히 섰었다.

– 염상섭, 〈만세전〉

당대의 현실 파악하기

9 이 글을 통해 알 수 있는 당시의 시대 상황으로 적절하지 <u>않은</u> 것은?

① 사회주의나 독립운동에 대한 감시가 심했다.
② 국가 권력에 의한 검열이 일상화되어 있었다.
③ 조선인을 대상으로 한 불시 검색이 이루어졌다.
④ 조선인이라는 이유만으로 수모를 겪는 일이 있었다.
⑤ 독립사상을 지녔을 것이라는 의심만으로도 체포가 가능했다.

소재의 의미 파악하기

10 다음은 학생들이 이 글을 읽고 나눈 대화이다. 빈칸에 들어갈 말을 3음절로 쓰시오.

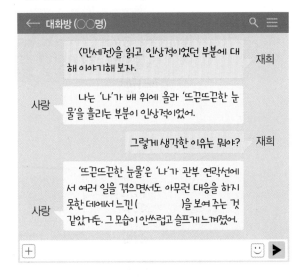

대화방 (○○명)

〈만세전〉을 읽고 인상적이었던 부분에 대해 이야기해 보자. ― 재희

나는 '나'가 배 위에 올라 '뜨끈뜨끈한 눈물'을 흘리는 부분이 인상적이었어. ― 사랑

그렇게 생각한 이유는 뭐야? ― 재희

'뜨끈뜨끈한 눈물'은 '나'가 관부 연락선에서 여러 일을 겪으면서도 아무런 대응을 하지 못한 데에서 느낀 (　　　)을 보여 주는 것 같았거든. 그 모습이 안쓰럽고 슬프게 느껴졌어. ― 사랑

어휘의 사전적 의미 파악하기

11 ㉠~㉤의 뜻으로 적절하지 <u>않은</u> 것은?

① ㉠: 말하는 바로 그 자리 또는 그때.
② ㉡: 요구나 제의 따위를 받아들이지 않고 물리치다.
③ ㉢: 마음을 그대로 읽어 내는 법.
④ ㉣: 붙잡혀 가두어졌던 사람이 풀려나다.
⑤ ㉤: 여행할 때 쓰는 물건과 차림.

2 일

(2) 서사 갈래의 흐름
(4) 교술 갈래의 흐름

생각 열기 교술 갈래는 시대에 따라 어떻게 변화해 왔는가?

교술 갈래는 글쓴이의 체험을 바탕으로 교훈적이거나 이념적인 내용을 서술하는 '알려 주기'의 갈래야.

우리 문학에서 교술 갈래는 어떻게 전개되어 왔는지 알아볼까?

한문 수필

내 오늘 집을 수리하는 것을 보다 깨달은 바가 있어 글로 적어 볼 참이오.

글쓴이가 깨달은 바를 한문으로 적고 있어.

악장

무슨 내용이 이렇게 많지?

새로운 나라의 건국을 찬양한다는 내용을 담고 있어!

제재 1 겨울 나들이(박완서)

1 제재 개관

갈래	현대 소설, 단편 소설, 전쟁 분단 소설	성격	사실적, 비극적, 심리 성찰적
배경	• 시간: 현재−1970년대 중반 겨울 / 과거−1950년대 초반 한국 전쟁 때 • 공간: 서울, 온양		
시점	1인칭 주인공 시점	제재	❶ [　　　]과 분단의 상처, 겨울 여행
주제	전쟁과 분단의 상처에 대한 증언과 그 상처로 고통받는 사람들에 대한 이해, 따뜻한 ❷ [　　　]의 소중함.		
특징	① 사건 및 인물의 말과 행동 등을 사실적으로 그림. ② 여행을 떠났다가 깨달음을 얻은 뒤 다시 돌아오는 '여로 구조'의 작품임. ③ '❸ [　　　]−이해'의 과정을 반복함으로써 진실을 드러냄.		

❶ 전쟁

❷ 애정

❸ 오해

2 한국 전쟁이 등장인물의 삶에 미친 영향

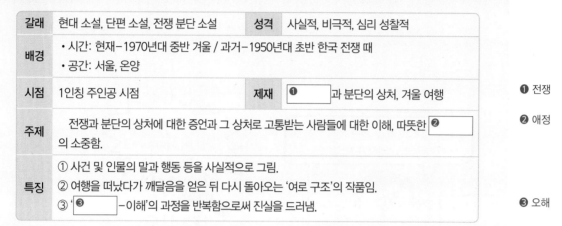

'나'	전쟁 중 이북에 아내와 노부모를 두고 어린 딸 하나만 업고 내려온 지금의 남편과 결혼함.
아주머니	전쟁 중 인민군의 총에 남편이 죽고 홀로 시어머니를 모시며 외아들을 키워 옴.

❹ [　　　]이 삶에 미친 영향
: 가족의 사망 또는 이산으로 가족이 ❺ [　　　]되고 깊은 정신적 상처를 입게 됨.

❹ 전쟁

❺ 해체

3 '나'의 깨달음과 내면적 갈등의 해소

시어머니를 정성껏 보살피고 소식이 끊긴 아들을 지극히 염려하는 아주머니의 모습에서 연민을 느낌.

➡

• 가족과 더불어 서로 ❻ [　　　]하고 상처를 보듬으며 살아가는 삶이 진정으로 의미 있는 것임을 깨달음.
• 전쟁으로 가족과 헤어진 남편과 의붓딸을 위해 정성껏 살아온 자신의 삶 역시 헛되지 않음을 깨달음.

➡

'나'가 서울행을 결심함.
('나'의 내면적 갈등 ❼ [　　　])

❻ 사랑

❼ 해소

4 이 글에 나타난 '대사업'의 의미

(아주머니가 생각하는) 시어머니의 대사업	('나'가 생각하는) 아주머니의 대사업
❽ [　　　]을 멈추지 않는 일(마음으로나마 끝까지 아들을 지켜 내고 싶다는 의지와 책임감)	시어머니의 상처 입은 마음을 깊이 연민하면서 시어머니를 정성껏 보살피는 일

❽ 도리질

〈겨울 나들이〉

1 다음 빈칸에 들어갈 적절한 말을 쓰시오.

(1) 이 글은 오랜 세월이 흘렀음에도 치유되지 않는, 전쟁과 (ㅂㄷ)으로 인한 (ㅅㅊ)를 다룬 작품이다.

(2) '나'의 여행길을 따라 사건이 진행된다는 점에서 (ㅇㄹ ㄱㅈ)를 취하고 있다.

(3) 이 글에서 노파의 (ㄷㄹㅈ)은 시대적 비극으로 인한 상처를 상징한다.

2 다음은 '나'의 여로를 정리한 것이다. 빈칸에 들어갈 적절한 말을 쓰시오.

서울	남편이 북에 두고 온 아내를 그리워하고 있다는 생각이 든 '나'가 헛살았다는 느낌에 빠져 (ㅇㅎ)을 떠남.

↓

(○○)	시어머니를 정성껏 보살피고 소식이 끊긴 아들을 지극히 염려하는 아주머니의 모습을 통해 (ㄱㅈ)의 소중함을 깨달음.

↓

(ㅅㅇ)	깨달음을 얻은 '나'는 집으로 돌아가기로 마음먹고 (ㅇㅈㅁㄴ)와 동행하기로 함.

3 이 글에서 확인할 수 있는 내용이 맞으면 ○표, 틀리면 ×표를 하시오.

(1) 노파는 처음 만난 '나'를 마음에 들어 하지 않아 도리질을 하였다.   (   )

(2) 아주머니는 자신의 남편을 죽게 한 노파를 원망하고 있다.   (   )

(3) '나'는 고부가 보여 준 가족에 대한 사랑에 감동하였다.   (   )

4 다음은 아주머니에 대한 '나'의 심리 변화를 정리한 것이다. 빈칸에 들어갈 적절한 말을 쓰시오.

굽실굽실한 태도로 '나'에게 점심상을 권함.
아주머니의 행동을 돈을 벌기 위한 것으로 여기고 (ㅊㅇㅎ)을 느낌.

↓

자신이 만든 미신을 밝히며 '나'에게 고마워함.
아들에 대한 근심을 달래려 했던 아주머니의 모습에서 (ㅇㅁ)을 느낌.

5 〈보기〉를 참고하여 다음 질문에 대한 답변을 2어절로 쓰시오.

┌ 보기 ─────────────────────┐
│ 〈외부 이야기〉 '나'의 여행   │
│ 〈내부 이야기〉 노파의 도리질에 얽힌 사연 │
└─────────────────────────┘

이 글의 구성은 〈보기〉와 같이 정리해 볼 수 있어요. 이처럼 외부 이야기 속에 내부 이야기가 삽입된 구성 방식을 무엇이라고 할까요?

6 이 글의 내용을 바탕으로 하여 〈보기〉의 ㉠, ㉡에 들어갈 적절한 말을 각각 2음절로 쓰시오.

┌ 보기 ──────────────────────────┐
│ '나'는 노파와 아주머니를 처음 만난 이후 그들의 행동을 거듭 (㉠)하게 된다. 그러나 '나'는 아주머니의 행동, 그리고 그와의 직접적인 대화를 통해 그들을 점차 (㉡)하게 되는데, 이 글에서는 이와 같은 (㉠)와/과 (㉡)의 과정이 반복됨으로써 진실이 드러나게 된다. │
└────────────────────────────────┘

[1~2] 다음 글을 읽고 물음에 답하시오.

"좀 녹여 가고 싶은데 따뜻한 온돌방 있어요?"

아주머니는 얼른 줄행랑처럼 붙은 손님방 중 한 방으로 먼저 들어가 아랫목에 깔아 놓은 다후다 포대기 밑에 손을 넣어 보더니 따뜻하긴 한데 외풍이 세어서 어쩌나 하면서 어쩔 줄을 몰라 했다. 내가 되레 안돼서 내가 그렇게 추워 보여요? 하면서 웃으려고 했지만 뺨이 얼어붙어서 제대로 웃어지지가 않았다.

"네, 꼭 고드름 같아 보여요. 참 안방으로 들어가십시다. 구들도 따뜻하고 난로도 있어요."

그러더니 친동기간처럼 스스럼없이 나를 안채로 잡아끌었다. 난로가 있는데도 삥 둘러 방장을 쳐 놔서 안방은 마치 동굴 속처럼 침침하고 아늑했다. 처음엔 아무도 없는 줄 알았는데 차츰 어둠에 눈이 익자 아랫목에 단정히 앉았는 한 노파를 볼 수 있었다. 미라에다 옷을 입혀 놓은 것처럼 바싹 마른 노파는 무표정하게 나를 바라보며 고개를 좌우로 저었다. 나를 거부하는 몸짓 같아서 나는 어색하게 멈칫댔다. 그러나 아주머니는 한사코 나를 아랫목으로 끌어다 앉히고 손을 노파가 깔고 있는 포대기 밑에 넣어 주었다. 노파의 입이 조금 웃었다. 그러나 고개를 저어 도리질을 하는 것은 멈추지 않았다. 아주머니는 나에게 우리 시어머니예요, 하고는 노파에겐 손님이에요, 하도 추워하시기에 안방으로 모셨어요, 했다. 그것으로 노파와 나와의 인사 소개는 끝났으나 노파는 여전히 도리질을 해 쌓았다. 아주머니는 노파의 도리질에 대해 나에게 아무런 설명도 하지 않았다.

노파는 수척했으나 흰머리를 단정히 빗어 쪽 찌고, 동정이

정갈한 비단 저고리에 푹신한 모직 스웨터를 걸치고 꼿꼿이 앉았는 모습에 특이한 우아함이 있었다. 그것은 지극히 비현실적인 우아함이기도 했다. 도리질도 처음 내가 봤을 때보다 훨씬 유연해져 꼭 미풍에 살랑이는 것처럼 보였다. 아마 저러다가 멎으려니 했으나 아무리 기다려도 멎지는 않았다. 몸이 녹자 잠이 오기 시작했다.

– 박완서, 〈겨울 나들이〉

갈래상 특성 파악하기

1 이 글의 갈래상 특성으로 가장 적절한 것은?
빈출
유형
① 형식이 자유로우며 삶의 교훈을 전달한다.
② 서술자가 자신의 관점에 따라 사건을 전달한다.
③ 압축적인 언어를 통해 개인의 정서를 표현한다.
④ 인생에 대한 관조와 체험을 개성적 문체로 표현한다.
⑤ 인물의 대화와 행동을 중심으로 사건을 직접적이고 현재적으로 표현한다.

세부 내용 이해하기

2 이 글의 내용을 잘못 이해한 것은?
빈출
유형
① 아주머니는 '나'의 처지를 적극적으로 돕고 있어.
도윤

② 영서 '나'는 여인숙에 들어오기 전부터 추위로 떨고 있었어.

③ 형준 '나'는 도리질을 멈추지 않는 노파를 보고 의아하게 생각했어.

④ 정미 아주머니는 난방장치의 고장을 이유로 '나'를 안방으로 데려갔어.

⑤ '나'가 찾아간 여인숙은 노파를 모시는 아주머니가 운영하는 곳이었어.
은우

[3 ~ 5] 다음 글을 읽고 물음에 답하시오.

그것은 6·25 동란 통에 발작한 증세였다. 동란 당시 젊은 면장이던 그녀의 남편은 미처 피난을 못 가서 숨어 살아야 했다. 〈중략〉

어느 야밤을 타 그녀는 남편을 집에서 이십 리쯤 떨어진 광덕산 기슭의 산촌인 그녀의 친정으로 피신을 시켰다. 시어머니와 그녀만이 알게 감쪽같이 그 일은 이루어졌다. 어떻게 된 게 세상은 점점 더 못되게만 돌아가 이웃끼리도 친척끼리도 아무개가 반동이라고 서로 고자질하는 짓이 성행해, 피비린내 나는 끔찍한 일이 이 마을 저 마을에 하루도 안 일어나는 날이 없었다. 끔찍한 나날이었다. 이렇게 되자 그녀는 시어머니까지도 못 미더워지기 시작했다. 어리숙하고 고지식하기만 해 생전 남을 의심할 줄 모르는 시어머니가 행여 누구 꼬임에 빠져 남편이 가 있는 곳을 실토하면 어쩌나 싶어서였다. ㉠시어머니 같은 사람이 살 세상이 아니었다.

그녀는 공부 못하는 아이에게 구굿셈을 익혀 주듯이 끈질기게 허구한 날 시어머니에게 '모른다'를 가르쳤다. 〈중략〉

소름이 쪽 끼치고 간담이 서늘해지는 처참한 비명이었다. 그녀도 뛰어나가고 그녀의 남편까지도 엉겁결에 뛰어나갔다. 잠깐 아무도 분별력이 없었다. 저만치 뒷간 모퉁이에 패잔병인 듯싶은 지치고 남루한 인민군 서너 명이 일제히 총부리를 시어머니에게 겨누고 있었다. 그들도 놀란 것 같았다. 그들은 처음부터 누굴 해치려고 나타났다기보다는 그냥 시어머니와 마주쳤거나 마주친 김에 옷이나 먹을 것을 달랄 작정이었는지도 모른다. 그런데 그들이 무슨 말을 걸기도 전에 시어머니는 그 자리에 꼼짝도 못 하고 못 박힌 채 고개만 미친 듯이 저으며 "몰라요, 난 몰라요."를 딴사람같이 드높고 새된 소리로 되풀이했다. 패잔병 중 한 사람의 눈에 살기가 번뜩이는가 하는 순간 총이 그녀의 남편을 향해 난사됐다. 그녀의 남편은 처참한 모습으로 나동그라지고 그들도 어디

론지 도망쳤다. 이런 일은 일순에 일어났다.

그 후 거의 실성하다시피 한 시어머니를 오랫동안 극진히 봉양한 끝에 어느 만큼 회복은 됐지만 그때 뒷간 모퉁이에서 죽길 기를 쓰고 흔들어 대던 도리질만은 그때 같은 박력만 가셨다 뿐 멈출 줄 모르는 고질병이 되고 말았다. 그래서 도리도리 할머니라는 이 동네 명물 할머니가 됐다.

아주머니는 이런 얘기를 조금도 수다스럽지 않고 담담하고 고즈넉하게 했다.   – 박완서, 〈겨울 나들이〉

인물의 행동에 담긴 의미 파악하기

3 **노파의 도리질에 대한 설명으로 가장 적절한 것은?**
① 전쟁에서 비롯된 충격으로 생긴 상처이다.
② 인민군에 대한 반감을 표현하기 위한 행위이다.
③ 며느리에 대한 거부감을 표현하기 위한 수단이다.
④ 아들을 인민군에게 넘긴 죄책감에서 생겨난 업보이다.
⑤ 자신을 보필하지 않은 며느리에 대한 서운함의 표시이다.

세부 내용 파악하기

4 **㉠의 이유로 가장 적절한 것은?**
① 동란으로 경제적 궁핍을 겪고 있었기 때문에
② 정부의 지나친 통제로 탄압을 받고 있었기 때문에
③ 생존을 위한 논의로 고부간 갈등이 있었기 때문에
④ 전쟁으로 인해 비인간적인 상황이 만연했기 때문에
⑤ 전쟁에 따른 급격한 사회 변화에 적응하지 못했기 때문에

인물의 행동 파악하기

5 **남편을 지키기 위한 아주머니의 노력을 다음과 같이 정리할 때, 빈칸에 들어갈 말을 이 글에서 찾아 3어절로 쓰시오.**

> • 남편의 행방을 철저히 비밀에 부쳤다.
> • (   )

[6 ~ 7] 다음 글을 읽고 물음에 답하시오.

점심값과 방값이 도합 팔백 원이라고 했다. 나는 천 원을 내주면서 그냥 넣어 두세요, 했다. 아주머니는 내가 불쾌할 만큼 굽실굽실 고마워했다. 아까 점심을 시킬 때도 그랬지만 통틀어 천 원인데 몇 푼 떨어지겠다고 저렇게 비굴하게 구나 싶었다. 아주머니의 비굴한 태도가 싫은 건 그만큼 내가 아주머니를 아끼고 좋아하기 때문일지도 몰랐다. 그리고 그 아주머니의 비굴한 태도는 몸에 배지 않고 어색하게 겉돌아 더 보기 흉했다.

아주머니는 내가 준 돈 천 원을 소중하게 스웨터 주머니에 넣고 나더니 지극히 안심스럽고 감사한 얼굴을 하고는 또 한 번 이상스러운 소리를 했다.

"이걸로 노자 해 가지고 서울 갈 겁니다, 오늘요."

"서울을요? 왜요? 하필이면 이 추운 날."

나는 나중 이 추운 날 소리를 하고는 내가 여행을 떠난다고 할 때 남편이 놀라면서 나에게 하던 말과 똑같은 말을 내가 했구나 생각했다. ㉠문득 남편이 서럽도록 보고 싶어졌다.

"우리 아들이, 외아들이 서울에서 대학에 다니고 있어요. 그때 즈이 아버지가 그 지경 당하는 걸 내 등에 업혀서 무심히 보던 녀석이 벌써 그렇게 자랐거든요. 군대도 갔다 오고 삼 학년인데 아주 착실하고 좋은 애죠."

"그렇지만, 지금은 겨울 방학 중일 텐데요."

"네, 그렇지만 학비라도 보탠다고 아이들을 맡아 가르치고 있어 못 내려오죠. 〈중략〉 새 학기 등록금이랑 하숙비까지 다 해서 꽁꽁 뭉쳐 놓았답니다. 겨울날 양식이랑 밑반찬도 넉넉하구요. 딴 영업집들은 이렇게 벌어 놓으면 겨울엔 문을 닫고 집에 가서들 쉬죠. 우린 여인숙이고 또 여기가 살림집이기도 해서지만 늘 한두 방쯤 불을 때 놓고 손님을 기다리죠. 돈 벌자고가 아녜요. 가끔 손님처럼 멋모르고 호숫가를 찾는 이에게 더운 방을 내 드리는 게 그저 좋아

서요. 정말이에요. 그럴 땐 돈 생각 같은 건 정말 안 한다니까요. 그야 몇 푼 주시고 가면 어머님 고기라도 사다 드리면 좋긴 하지만요. 근데 오늘은 그게 아니었어요. 돈 계산부터 츱츱하게 하면서 손님을 기다렸답니다. 정말이지 손님이 안 드셨으면 어쩔 뻔했을까 모르겠어요. 손님, 고마워요."

― 박완서, 〈겨울 나들이〉

6 이 글에 대한 이해로 적절하지 <u>않은</u> 것은?

빈출
유형

① 선희 : 아주머니는 '나'가 건넨 돈을 받고 안 도하고 있어.

② 서준 : '나'는 아주머니를 아끼고 좋아하는 마음을 갖고 있어.

③ 나은 : 아주머니는 오늘 손님이 오기를 간절히 바라고 있었어.

④ 형준 : 아주머니는 '나'가 거스름돈을 받지 않았기 때문에 고마워하고 있어.

⑤ 영서 : '나'는 자신에게 굽실거리는 아주머니의 태도를 못마땅하게 여기고 있어.

인물의 심리 변화 파악하기

7 ㉠의 이유로 가장 적절한 것은?

빈출
유형

① 남편의 진심을 이해할 수 있게 되었기 때문에
② 홀로 남겨진 남편의 외로움을 깨달았기 때문에
③ '나'의 상처에 대해 아주머니에게 위로 받았기 때문에
④ 아주머니의 이상스러운 소리에 남편이 걱정됐기 때문에
⑤ 과거에 얽힌 남편의 사연을 받아들일 준비가 되었기 때문에

2일

[8~10] 다음 글을 읽고 물음에 답하시오.

"어제 글쎄 서울서 이상한 편지가 왔답니다."

"아드님한테서요?"

"아뇨, 아들이 하숙하고 있는 주인집 아주머니한테서요. 벌써 일주일이 넘도록 아들이 하숙집에 들어오지를 않는다는군요. 평소 품행이 허랑한 학생 같으면 이만 일로 고자질 같은 건 않겠는데 하도 착실한 학생이었던지라 만에 하나라도 무슨 일이 있는 게 아닌가 싶어 알리는 거니 어머니가 한번 올라와 수소문을 해 보는 게 어떻겠느냐는 사연이었어요. 허랑한 학생 아니더라도 제집도 아니고 하숙집이것다 나가서 친구 집 같은 데서 며칠 자고 들어올 수도 있는 일 아니겠어요? 그만 일로 편지질을 해서 사람을 놀라게 하는 하숙집 주인도 주인이지만 나도 나죠, 괜히 온갖 방정맞은 생각이 다 나지 뭡니까. ㉠어젯밤에 한잠도 못 자고 뒤척이면서 온갖 주접을 다 떨다 미신을 하나 만들어 냈는데, 글쎄 그게……." / "미신이라뇨?"

"네, 주책이죠. 오늘 우리 여인숙에 손님이 들어 그 돈으로 노자를 해 갖고 서울 가면 아들의 신상에 아무 일이 없을 게고, 꽁꽁 뭉쳐 놓은 돈을 헐어서 노자로 쓰게 되면 아들의 신상에 좋지 않은 일이 있을 게고, 뭐 이런 거랍니다. 이렇게 정해 놓고 손님을 기다리려니 어찌나 초조하고 애가 타는지 혼났어요. 그런데 손님이 내가 만든 미신의 좋은 쪽 점괘가 돼 주신 거죠. 정말 고마워요."

아주머니는 또 한 번 고마워했다. 나는 그런 기묘한 방법으로 외아들의 신상에 대한 크나큰 근심을 달래려 들었던 이 과부 아주머니에 대한 연민으로 가슴이 찡했다. 내가 점괘가 됐다는 게 조금도 언짢지 않았다.

"그럼 곧 떠나시겠네요."

"네, 준빈 다 됐어요. 이웃 사람에게 어머님 부탁도 해 놨구요. 이제 곧 온천장으로 나가는 네 시 반 버스만 오면 돼요."

"동행하게 됐군요." / "참, 그렇군요. 네 시 반 버스로 온천장으로 나가신댔지……."

"아뇨, 서울까지 동행할 거예요."

오늘 안으로 서울로 가리라는 결정을 나는 순식간에 내렸고, 그러자 마음이 그렇게 편안해질 수가 없었다.

– 박완서, 〈겨울 나들이〉

서술상 특징 파악하기

8
빈출
유형
이 글의 서술상 특징으로 가장 적절한 것은?

① 공간에 따른 인물의 심리 변화를 묘사하고 있다.

② 배경 묘사를 통해 인물의 내면을 드러내고 있다.

③ 급격한 장면 전환을 통해 긴장감을 고조시키고 있다.

④ 전지적 시점으로 사건의 내막을 세밀하게 그리고 있다.

⑤ 대화를 통해 인물들 간의 오해가 풀리는 과정을 드러내고 있다.

상황에 어울리는 어휘 찾기

9 **㉠을 표현한 말로 적절하지 않은 것은?**

① 전전반측(輾轉反側)　② 노심초사(勞心焦思)

③ 좌불안석(坐不安席)　④ 전전긍긍(戰戰兢兢)

⑤ 와신상담(臥薪嘗膽)

인물의 심리 변화 파악하기

10 **이 글의 내용을 바탕으로 하여 다음 대화의 빈칸에 들어갈 적절한 말을 2어절로 쓰시오.**

선생님

아주머니와 대화를 나누던 '나'가 갑작스럽게 '서울'로 가겠다는 결정을 내린 이유는 무엇일까요?

아주머니의 마음을 이해하고 연민하게 되면서 (　　　　　　　　)을 깨달았기 때문이에요.

정미

제재 2 **일야구도하기**(박지원)

1 제재 개관

갈래	고전 수필, 한문 수필, 기행 수필	성격	체험적, 분석적, 교훈적, 설득적
제재	하룻밤에 **❶** 을 아홉 번 건넌 경험		
주제	외부의 사물(외물)에 **❷** 되지 않는 삶의 자세		
특징	① 자신의 체험을 바탕으로 주장하고자 하는 바를 뒷받침함. ② 치밀한 관찰력으로 사물의 본질을 꿰뚫어 보는 사색적이고 관조적인 태도를 보임.		

❶ 강

❷ 현혹

2 '낮'과 '밤'의 강물에 대한 인식과 글쓴이의 깨달음

구분	'낮'의 강물	'밤'의 강물	글쓴이의 깨달음
인식 방법	강물의 위태로움을 **❸** (시각)으로 봄.	강물의 위태로움을 귀(청각)로 느낌.	눈과 귀에 의존한다면 보고 듣는 것에 현혹되어 사물을 제대로 인식할 수 없게 됨. ➡ 모든 일은 **❹** 에 달려 있음.
결과	강물을 보고 두려워하느라 소리가 들리지 않음.	듣는 것에 신경이 쏠려 강물 소리가 두려움을 자아냄.	

❸ 눈

❹ 마음먹기

제재 3 **뒤지가 진적**(이희승)

1 제재 개관

갈래	현대 수필	성격	사실적, 해학적, 회고적
제재	일제 강점기의 감옥 생활		
주제	일제 강점기 감옥 현실의 폭로, **❺** 을 읽고 싶은 욕구의 강함.		
특징	① 겪은 일을 사실적으로 그림. ② 일제 강점기 감옥의 현실을 잘 보여 줌. ③ 글쓴이의 **❻** 적 태도가 돋보임.		

❺ 글

❻ 해학

2 글쓴이의 경험과 깨달음

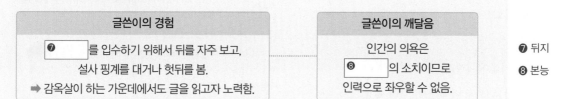

글쓴이의 경험	글쓴이의 깨달음
❼ 를 입수하기 위해서 뒤를 자주 보고, 설사 핑계를 대거나 헛뒤를 봄. ➡ 감옥살이 하는 가운데에서도 글을 읽고자 노력함.	인간의 의욕은 **❽** 의 소치이므로 인력으로 좌우할 수 없음.

❼ 뒤지

❽ 본능

정답과 해설 **93**쪽

1 교술 갈래의 특성을 파악하여 빈칸에 들어갈 적절한 말을 쓰시오.

(1) 개인이 실제로 (ㄱㅎ)한 사실을 서술·전달하는 '(ㅇㄹㅈㄱ)'의 갈래이다.

(2) 글쓴이가 자신을 직접 드러내기 때문에 글쓴이의 (ㄱㅅ)이 강하게 드러난다.

(3) (ㄱㅎ)적이거나 이념적인 내용을 담고 있다.

〈일야구도하기〉

2 이 글에서 확인할 수 있는 내용이 맞으면 ○표, 틀리면 ×표를 하시오.

(1) '나'는 자신이 있는 곳의 강물이 거센 이유가 그곳이 옛 전쟁터였기 때문이라고 생각하였다. (   )

(2) '나'는 강을 건너는 체험을 통해 마음을 다스리면 눈과 귀가 누를 끼치지 못한다는 것을 깨달았다. (   )

(3) 사람들은 낮에는 강물의 요란한 소리에, 밤에는 강물의 물살이 거센 모습에 현혹되어 강물을 건너기를 두려워하였다. (   )

3 다음의 학생이 이 글의 '나'에게 질문한다고 할 때, 빈칸에 들어갈 적절한 말을 쓰시오.

은우

> 강물을 건널 때 어떤 마음가짐을 갖추셨나요?

> 강을 대지, 내 옷, 내 (ㅁ), 내 성정이라고 여기고, 마음속으로 한번 (ㅊㄹ)할 것을 각오하였지요. 그랬더니 두려움과 걱정이 사라지고 편안하게 강을 건널 수 있었습니다.

'나'

〈뒤지가 진적〉

4 다음은 이 글의 일부분이다. 시대적 배경이 드러나는 부분이면 ○표, 아니면 ×표를 하시오.

(1) 왜정 당시 경찰계의 유일한 기관지로서 '경무휘보'란 것이 있었다. (   )

(2) 이 당시에는 전쟁 중의 일본이 경제적 파탄에 직면하고 있었으므로 뒤지조차 구하기 어려웠다. (   )

(3) 젊은 사람이 청소하러 나가서 마치 담배를 훔쳐 들이듯이, 뒤지를 걸터서 감방으로 들여 주곤 하였다. (   )

5 다음은 글쓴이에 대한 정보를 정리한 인물 카드이다. 빈칸에 들어갈 적절한 말을 쓰시오.

> **인물 카드**
>
> • 이름: 이희승
> • 수감 이유: (ㅈㅅㅇㅎㅅㄱ)에 연루됨.
> • 경험: 감옥 생활을 하며 (ㅇㅇㄱㄹ)를 구하기 위해 갖은 노력을 기울임.
> • 깨달음: 인간의 의욕은 (ㅂㄴ)의 소치이므로 인력으로 좌우할 수 없음.

6 다음 글에 나타난 글쓴이의 개성으로 가장 적절한 것은?

> 그리하여 우리는 어떻게 하든지 이 '경무휘보'의 잡지 쪽을 많이 입수(入手)하도록 갖은 노력을 다 기울이었다. / 우선 뒤를 자주 보기로 하였다. 설사가 나니까 한 장만으로 부족하니, 석 장 녁 장씩 달라고 하였다. 가다가는 뒤지를 얻기 위하여 헛뒤를 보는 일도 있었다. 이렇게 하여 다 각각 얻은 뒤지를 서로 돌려 가며 보는 것이었다.
> — 이희승, 〈뒤지가 진적〉

① 설득적   ② 해학적   ③ 허구적
④ 상징적   ⑤ 분석적

교과서 기출 베스트

[1 ~ 3] 다음 글을 읽고 물음에 답하시오.

지금 나는 밤중에 한 줄기의 강을 아홉 번이나 건넜다. 이 강은 북쪽 국경 너머에서 흘러나와 만리장성을 돌파하고는, 유하(楡河)와 조하(潮河), 황화진천(黃花鎭川) 등 여러 강들과 합류하여, 밀운성(密雲城) 아래를 지나면 백하(白河)가 된다. 나는 어제 배로 백하를 건넜는데, 백하가 바로 이 강의 하류였다.

내가 처음 요동(遼東)에 들어섰을 때 바야흐로 한여름이라 뙤약볕 속을 가는데, 갑자기 큰 강이 앞을 가로막으면서 시뻘건 물결이 산더미같이 일어나 끝이 보이지 않았다. 이는 아마 천 리 너머 먼 지역에 폭우가 내린 때문일 터이다.

강물을 건널 적에 사람들이 모두 고개를 쳐들고 하늘을 보기에, 나는 그 사람들이 고개를 쳐들고 하늘을 향해 속으로 기도를 드리나 보다 하였다. 그런데 한참 있다가 안 사실이지만, 강을 건너는 사람이 물을 살펴보면 물이 소용돌이치고 용솟음치니, 몸은 물살을 거슬러 올라가는 듯하고 눈길은 물살을 따라 흘러가는 듯하여, 곧 어지럼증이 나서 물에 빠지게 된다. 그러니 저 사람들이 고개를 쳐든 것은 하늘에 기도를 드리는 것이 아니요, 물을 외면하고 보지 않으려는 짓일 뿐이었다. 또한 ㉠잠깐 새에 목숨이 왔다 갔다 하는 판인데 어느 겨를에 속으로 목숨을 빌었겠는가.

이와 같이 위태로운데도, 강물 소리를 듣지 못하였다. "요동 벌판이 평평하고 드넓기 때문에 강물이 거세게 소리를 내지 않는 것이다."라고 모두들 말하였다. 그러나 이는 강에 대해 잘 모르고 한 말이다. 요하(遼河)가 소리를 내지 않은 적이 없건만, 단지 밤중에 건너지 않아서 그랬을 뿐이다. 낮에는 물을 살펴볼 수 있는 까닭에 눈이 오로지 위태로운 데로 쏠리어, 한창 벌벌 떨면서 두 눈이 있음을 도리어 우환으로 여기는 터에, 또 어디서 소리가 들렸겠는가? 그런데 지금 나는 밤중에 강을 건너기에 눈으로 위태로움을 살펴보지 못하니, 위태로움이 오로지 듣는 데로 쏠리어 귀로 인해 한창 벌벌 떨면서 걱정을 금할 수 없었다.

– 박지원, 〈일야구도하기〉

갈래상 특성 파악하기

1 이 글의 갈래상 특성으로 적절한 것만을 〈보기〉에서 있는 대로 고른 것은?
빈출유형

> **• 보기 •**
> ㄱ. 글쓴이와 작품 속 자아가 일치하여 글쓴이가 자기 자신을 직접 드러낸다.
> ㄴ. 글쓴이의 실제 체험을 다루고 경험한 사실을 전달한다.
> ㄷ. 글쓴이가 만들어낸 허구적 인물을 등장시킨다.
> ㄹ. 개인의 정서를 운율이 있는 언어로 표현한다.
> ㅁ. 인물의 갈등을 중심으로 내용을 서술한다.

① ㄱ, ㄴ   ② ㄱ, ㄹ   ③ ㄴ, ㄷ
④ ㄱ, ㄴ, ㄹ   ⑤ ㄴ, ㄷ, ㅁ

표현상 특징 파악하기

2 이 글의 표현상 특징으로 적절하지 <u>않은</u> 것은?
빈출유형
① 대상의 모습을 과장하여 그 위세를 강조하고 있다.
② 설의적 표현을 통해 대상의 행동에 대한 이유를 판단하고 있다.
③ 시각적 이미지를 통해 대상을 역동적이고 생동감 있게 묘사하고 있다.
④ 다른 사람들의 견해를 직접 인용하여 그들의 생각에 대해 반박하고 있다.
⑤ 유사한 어구의 반복과 열거를 통해 글쓴이의 자연 친화적 태도를 드러내고 있다.

상황에 어울리는 어휘 찾기

3 ㉠과 어울리는 말로 가장 적절한 것은?
빈출유형
① 견강부회(牽強附會)   ② 안분지족(安分知足)
③ 임시변통(臨時變通)   ④ 풍전등화(風前燈火)
⑤ 사상누각(沙上樓閣)

[4~5] 다음 글을 읽고 물음에 답하시오.

나는 마침내 이제 도(道)를 깨달았도다! 마음을 차분히 다스린 사람에게는 귀와 눈이 누를 끼치지 못하지만, 제 귀와 눈만 믿는 사람에게는 보고 듣는 것이 자세하면 할수록 병폐가 되는 법이다.

방금 내 마부가 말에게 발을 밟혔으므로, 뒤따라오는 수레에 그를 태웠다. 그리고 나서 말의 굴레를 풀어 주고 말을 강물에 둥둥 뜨게 한 채로, 두 무릎을 바짝 오그리고 발을 모두어 말 안장 위에 앉았다. ㉠한번 추락했다 하면 바로 강이다. ㉡나는 강을 대지처럼 여기고, 강을 내 옷처럼 여기고, 강을 내 몸처럼 여기고, 강을 내 성정(性情)처럼 여기었다. ㉢그리하여 마음속으로 한번 추락할 것을 각오하자, 나의 귓속에서 마침내 강물 소리가 없어지고 말았다. 그리고 무려 아홉 번이나 강을 건너는 데도 아무런 걱정이 없어, 마치 안석 위에 앉거나 누워서 지내는 듯하였다.

㉣옛적에 우(禹)임금이 강을 건너는데, 황룡이 배를 등에 업는 바람에 몹시 위험하였다. 그러나 죽고 사는 문제에 대한 판단이 먼저 마음속에 분명해지자, 용이든 도마뱀붙이든 그의 앞에서는 대소(大小)를 논할 것이 못 되었다.

소리와 빛깔은 나의 외부에 있는 사물이다. 이러한 외부의 사물이 항상 귀와 눈에 누를 끼쳐서, 사람이 올바르게 보고 듣는 것을 이와 같이 그르치게 하는 것이다. 그런데 하물며 사람이 이 세상을 살아간다는 것은 강을 건너는 것보다 훨씬 더 위험할 뿐 아니라, 보고 듣는 것이 수시로 병폐가 됨에랴! 나는 장차 나의 산중으로 돌아가 대문 앞 계곡의 물소리를 다시 들으며 이와 같은 깨달음을 검증하고, ㉤아울러 처신에 능란하여 제 귀와 눈의 총명함만 믿는 사람들에게도 경고하련다.

– 박지원, 〈일야구도하기〉

세부 내용 파악하기

4 ㉠~㉤에 대한 이해로 적절하지 **않은** 것은?

① ㉠: '나'가 처한 위태로운 상황에 해당한다.

② ㉡: '나'가 강물에 대한 두려움에서 벗어나기 위해 취한 조치에 해당한다.

③ ㉢: '나'가 대상을 감각적으로 인식하여 접근한 사물의 본질에 해당한다.

④ ㉣: '나'의 깨달음에 대한 설득력을 높이기 위하여 고사를 인용한 부분이다.

⑤ ㉤: '나'가 글을 쓴 목적에 해당한다.

작품의 주제 파악하기

5 '나'가 깨달은 도(道)의 내용을 다음과 같이 정리할 때, 빈칸에 들어갈 내용을 쓰시오.

마음을 차분히 다스린 사람		제 귀와 눈만 믿는 사람
귀와 눈이 누를 끼치지 못함.	↔	

[6~7] 다음 글을 읽고 물음에 답하시오.

두 평쯤이나 될까 말까 한 좁은 감방 안에서 7, 8명의 식구가, 때로는 십여 명이 넘는 인구(人口)가 똥통과 동거 생활을 하면서 뒤를 볼 때에는 그래도 뒤지가 필요하였다.

그러므로 경찰서에서는 이 불가피한 청구에 응하기 위하여 뒤지를 공급하고 있었다. 원래 뒤지감의 종이를 따로 만들어 한 움큼씩 묶어서 파는 것이 있었지만, 이 당시에는 전쟁 중의 일본이 경제적 파탄에 직면하고 있었으므로 뒤지조차 구하기 어려웠다.

그리하여 일반으로 신문지나, 읽어 넘긴 잡지 같은 것을 썰어서 뒤지로 쓰고 있는 형편이었다. 감방 안에서 이러한 뒤지의 공급을 받으면, 이것은 도서관에서 책을 대하듯이 귀중한 읽을거리였다. 그런데 경찰서나 형무소에서는 구속되어 있는 사람이 바깥세상의 소식을 아는 것을 지극히 꺼리고 있어서, 신문지 조각 같은 것은 좀체로 들여 주지를 않았다. 만일 우리 동지들의 가족 중에서 음식물의 차입을 할 적에, 신문지로 싸개지를 삼은 것이 있으면, 대개는 난로에 넣어서 태워 버리는 것이 보통이었다. 그래도 혹시 신문지가 남아 있고, 그것을 뒤지로 쓰겠다고 청구하면 읽을거리가 없어지도록 잘게 썰어서 넣어 준다. 그리하여 대개는 한 장이나 두 장밖에는 더 주지 않는다. / 그러면 뒤를 보기 전에 이 신문지 쪽을 한 줄 한 자도 빼놓지 않고 읽는다. 뒤지를 받고서 왜 뒤를 안 보느냐고 따지는 일도 있기 때문에, 똥통 위에 올라앉아서, 그것을 읽어 버리는 일도 있었다.

이러한 재료는 같은 감방에 있는 동지들도 읽어 보기를 열심으로 바라고 있기 때문에 차마 혼자만 보고 없앨 수는 없었다. 그리하여 무슨 꾀를 부리고 무슨 방법을 쓰든지 간에 신문 조각을 돌려 가며 윤독(輪讀)하기로 하는 것이었다.

　　　　　　　　　　　　　　　－ 이희승, 〈뒤지가 진적〉

세부 내용 파악하기

6 이 글의 내용과 일치하지 <u>않는</u> 것은?

빈출유형

① 글쓴이는 뒤지를 귀중한 읽을거리로 여겼다.
② 글쓴이는 좁은 감방에서 여러 명과 함께 생활하였다.
③ 경찰서에서는 죄수들이 바깥의 소식을 아는 것을 꺼렸다.
④ 일제의 경제적 파탄으로 신문지나 잡지 등을 뒤지로 사용해야 했다.
⑤ 글쓴이와 동지들은 바깥에 있는 가족의 도움으로 뒤지를 돌려 읽을 수 있었다.

글쓴이의 개성 파악하기

7 〈보기〉를 참고하여 이 글의 글쓴이가 지닌 개성을 파악한 내용으로 가장 적절한 것은?

빈출유형

> ● 보기 ●
> 수필은 다른 갈래에 비해 글쓴이의 개성이 잘 드러난다. 글에 사용된 문장의 형식이나 표현 등을 살펴보면 글쓴이의 개성을 파악할 수 있다.

① 당시 시대적 상황을 분석한 것을 볼 때 글쓴이는 냉철한 시각을 가진 것 같아.
　도윤

② 자신의 업적을 나열하는 것을 볼 때 글쓴이는 인정받고자하는 욕구가 있는 것 같아.
　주아

③ 동지들이 뒤지를 읽는 이유를 궁금해하는 것을 볼 때 글쓴이는 호기심이 많은 거 같아.
　서준

④ 자신이 처한 열악한 상황을 표현한 것을 볼 때 글쓴이는 해학적인 태도를 지닌 것 같아.
　나은

⑤ 뒤지를 허투루 쓰지 않고 여러 용도로 사용하는 것을 볼 때 글쓴이는 근검절약하는 성격을 지닌 것 같아.
　지호

[8~10] 다음 글을 읽고 물음에 답하시오.

어쨌든 우리는 ⓐ문초를 받는 일 외에는 열흘이 하루같이 아무것도 하는 일 없이 팔짱을 끼고 ⓑ부라질을 하며 온종일 앉아 있으므로, 그 무료하기란 견주어 말할 데가 없었다.

그런데 이러한 글발이 있는 종잇조각이라도 얻어 읽는 경우에는, 한결 ⓒ지리한 시간이 쉽사리 지나는 것만 같았다. 더욱이 문초를 전부 마치고, 그저 구속만 되어 있는 동안은 진정 세월이 더딘 것이 지리하여 견딜 수가 없었다.

그리하여 우리는 어떻게 하든지 이 '경무휘보'의 잡지 쪽을 많이 입수(入手)하도록 갖은 노력을 다 기울이었다.

우선 뒤를 자주 보기로 하였다. 설사가 나니까 한 장만으로 부족하니, 석 장 넉 장씩 달라고 하였다. 가다가는 뒤지를 얻기 위하여 헛뒤를 보는 일도 있었다. 이렇게 하여 다 각각 얻은 뒤지를 서로 돌려 가며 보는 것이었다.

ⓒ그러나 이렇게 들여 주는 뒤지만으로는 진정 갈급질이 나서 못 견딜 지경이었다. 그리하여 다량으로 뒤지를 입수하기에 청소꾼을 이용하는 일이 많았다. 젊은 사람이 청소하러 나가서 마치 담배를 훔쳐 들이듯이, 뒤지를 ⓓ걸터서 감방으로 들여 주곤 하였다. 이와 같이 도둑글을 읽다가 들켜서 뒤지를 빼앗기는 일도 있었고, 뺨을 맞는 일도 한두 번이 아니었다. 그러나 이와 같이 봉변을 당하고도, 그래도 또 잡지 쪽 읽기를 단념하지 못하였다. 이로써 미루어 보면, 사람이 하고 싶어 하는 의욕은 벌을 받거나 모욕을 당하는 것만으로 깨끗이 청산하여 버리지 못하는 것이 역시 인간인가 싶었다.

이런 것도 인력(人力)으로 좌우할 수 없는 본능의 ⓔ소치인 듯하였다. 그 진정한 경지는 실지로 당하여 보지 않고서는 이해하기 어려울 것이다.

– 이희승, 〈뒤지가 진적〉

세부 내용 파악하기

8 ㉠의 이유로 가장 적절한 것은?

① 뒤지의 질이 점점 더 떨어졌기 때문에
② 글을 읽고 싶은 욕구를 충족할 수 없었기 때문에
③ 공급되는 뒤지가 지속적으로 줄어들었기 때문에
④ 많은 사람들이 쓸 뒤지가 더 많이 필요했기 때문에
⑤ 경찰서에서 입수한 뒤지는 내용이 지리했기 때문에

어휘의 사전적 의미 파악하기

9 ⓐ~ⓔ의 사전적 의미로 적절하지 않은 것은?

① ⓐ: 죄나 잘못을 따져 묻거나 심문함.
② ⓑ: 몸을 좌우로 흔드는 짓.
③ ⓒ: 시간이 오래 걸리거나 같은 상태가 오래 계속되어 따분하고 싫증이 남.
④ ⓓ: 어떤 것을 상대에게 옮기어 줌.
⑤ ⓔ: 어떤 까닭으로 생긴 일.

작품의 시대적 배경 파악하기

10 〈보기〉를 참고하여 '경무휘보'를 통해 알 수 있는 이 글의 시대적 배경을 2어절로 쓰시오.

> **┌ 보기 ┐**
> 《경무휘보》는 경찰 관계자를 주요 독자층으로 하며, 경찰 업무와 관련된 기사 외에도 시사, 일반교양·상식, 시와 소설 등도 수록하고 있었다. 필자들은 조선 총독부 사법 기관에 근무하는 판사, 경찰, 관료 및 경성 제국 대학 교수 등 조선에 거주하는 일본인 학자 등의 지식인들이 주를 이루었다.

3 일

(3) 극 갈래의 흐름

현대 희곡

내 꿈을 도로 찾아 주십시오. 생각할 힘을 주시오.

인물의 모습이 꼭 규격화된 틀에 갇혀 살아가는 현대인을 보여 주는 것 같아.

희곡에서는 이런 무대 장치들을 활용해서 인물의 처지나 상황을 보여 주기도 해!

시나리오

넌 나고 난 너야.

고개를 들어라.

조선 시대 때 광해군의 대역이 있었다는 상상을 바탕으로 이렇게 재미있는 영화가 만들어지다니!

이렇게 영화나 드라마를 촬영하기 위해 쓴 대본도 극 갈래에 포함된다는 사실!

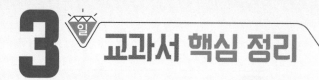

제재 1 봉산 탈춤(작자 미상)

1 제재 개관

갈래	가면극(탈춤) 대본	성격	풍자적, 해학적, 서민적
제재	양반과 말뚝이의 대결	주제	무능하고 탐욕스러운 양반 계층에 대한 풍자와 조롱
특징	① 익살, 과장, 언어유희 등을 사용하여 ❶[ ]가 이루어짐. ② 무대와 객석, 배우와 관객이 엄격하게 구분되지 않음. ③ 재담마다 한데 어울려 추는 ❷[ ]과 음악으로 긴장과 갈등이 해소됨. ④ 서민적인 비속어와 양반 투의 한자어를 동시에 사용하여 언어 사용의 양면성을 보임.		

2 등장인물의 상징성

양반들	• ❸[ ]적 결함을 지닌 우스꽝스러운 모습임. • 글자 놀이를 하며 스스로 무식함을 드러냄. • 말뚝이의 조롱과 야유를 받으면서도 이를 눈치채지 못함.	➡	조선 후기의 부패하고 무능력한 양반의 전형
말뚝이	• 양반을 조롱하고 양반의 위엄을 무시함. • 격식을 차리지 않은 표현으로 양반에 대한 반항심을 드러냄.	➡	양반을 풍자하는 민중 의식의 대변자
취발이	• 힘이 세고 용맹스러움. • 나랏돈을 횡령한 죄를 무마하려고 양반에게 돈을 바침.	➡	경제적 능력을 갖춘 신흥 ❹[ ] 계급

3 이 글에 반영된 사회상

양반들의 권위 실추	양반의 위력	❻[ ]만능주의 시대
양반들이 신체적 결함을 지녔으며, 풍자와 조롱의 대상이 됨.	종잇조각에 불과한 ❺[ ]으로 힘세고 날랜 취발이를 잡아들임.	말뚝이가 돈을 받고 취발이를 풀어 주자고 제안하고, 양반들은 이를 묵인함.

4 이 글에 드러난 가면극(탈춤)의 특징

(1) 악공이나 ❼[   ]이 극의 진행에 참여할 수 있는 여지가 마련되어 있음.

　📖 "여보, 악공들 말씀 들으시오.", "여보, 구경하시는 양반들, 말씀 좀 들어 보시오."

(2) 특별한 무대 장치나 소품이 필요하지 않고 ❽[   ]와 극중 장소가 엄격하게 나뉘지 않음.

　📖 "(채찍을 가지고 원을 그리며 한 바퀴 돌면서) 예에, 이마만큼 터를 잡고 … 문을 하늘로 낸 새처를 잡아 놨습니다."

개념 Catch

• 〈봉산 탈춤〉의 구성: 〈봉산 탈춤〉은 황해도 봉산 지역에서 내려오는 조선 후기의 민속극으로, 일곱 과장으로 구성됨. 각 과장은 독립적으로 전개되며 각각 다양한 주제를 담고 있음.

❶ 풍자

❷ 춤

❸ 신체

❹ 상인

❺ 전령

❻ 황금

❼ 관객

❽ 무대

1 극 갈래의 특성으로 적절한 내용을 괄호 안에서 골라 ○표를 하시오.

(1) 서술자가 따로 (존재한다, 존재하지 않는다).

(2) 사건이 눈앞에서 벌어지는 것처럼 (과거형, 현재형)으로 표현된다.

(3) 극 중 인물들의 대사와 행동을 통해 사건을 (직접적, 간접적)으로 전달한다.

2 다음의 극 갈래와 그에 대한 설명을 바르게 연결하시오.

(1)	탈춤	· · ㉠	조선 시대 때 발달하여 가면(탈)을 쓰고 공연한 극 형식
(2)	창극	· · ㉡	1910년대부터 1940년대까지 대중적 인기를 끈 극 형식
(3)	신파극	· · ㉢	1900년대 들어 판소리를 근간으로 하여 발생한 극 형식
(4)	현대 희곡	· · ㉣	1920년대 토월회의 발족과 함께 등장한 극 형식

〈봉산 탈춤〉

3 〈보기〉의 ㉠~㉣을 재배열하여 이 글에서 반복되는 재담 구조를 정리하시오.

┌─ 보기 ─
㉠ 양반의 안심　　㉡ 양반의 호통
㉢ 말뚝이의 변명　㉣ 말뚝이의 조롱

4 이 글의 등장인물에 대한 설명이 맞으면 ○표, 틀리면 ×표를 하시오.

(1) 양반들은 자신의 권위를 내세우며 허세를 부리는 인물이다. (　　　)

(2) 말뚝이는 신흥 상인 계급으로 양반의 부정적인 면을 비판하는 인물이다. (　　　)

(3) 취발이는 조선 후기에 급속히 성장한 세력으로 나랏돈을 횡령하여 죄를 지은 인물이다. (　　　)

5 이 글에 나타난 '쉬이'와 '춤'의 기능을 다음과 같이 정리할 때, 빈칸에 들어갈 적절한 말을 쓰시오.

쉬이	음악과 춤을 멈추게 하고 새로운 (ㅈㄷ)의 시작을 알림.
춤	(ㄱㄷ)이 일시적으로 해소되었음을 알리고 흥겨운 분위기를 조성함.

6 다음 말뚝이의 말에 사용된 표현 방식과 그 기능을 파악하여 아래의 빈칸에 들어갈 적절한 말을 쓰시오.

개잘량이라는 '양'자에 개다리소반이라는 '반'자 쓰는 양반이 나오신단 말이오.

말뚝이

표현 방식		기능
발음의 유사성을 이용한 (ㅇㅇㅇㅎ)를 함.	→	양반을 (ㅎㅎㅎ)하여 웃음을 유발함.

교과서 기출 베스트

[1~3] 다음 글을 읽고 물음에 답하시오.

말뚝이 (벙거지를 쓰고 채찍을 들었다. 굿거리장단에 맞추어 양반 삼 형제를 인도하여 등장.)

양반 삼 형제 (말뚝이 뒤를 따라 굿거리장단에 맞추어 점잔을 피우나, 어색하게 춤을 추며 등장. 양반 삼 형제 맏이는 샌님[生員], 둘째는 서방님[書房], 끝은 도련님[道令]이다. 샌님과 서방님은 흰 창옷에 관을 썼다. 도련님은 남색 쾌자에 복건을 썼다. 샌님과 서방님은 언청이이며(샌님은 [A] 언청이 두 줄, 서방님은 한 줄이다.) 부채와 장죽을 가지고 있고, 도련님은 입이 삐뚤어졌고 부채만 가졌다. 도련님은 일절 대사는 없으며, 형들과 동작을 같이하면서 형들의 면상을 부채로 때리며 방정맞게 군다.)

말뚝이 (가운데쯤에 나와서) ⊙쉬이. (음악과 춤 멈춘다.) 양반 나오신다아! 양반이라고 하니까 노론(老論), 소론(少論), 호조(戶曹), 병조(兵曹), 옥당(玉堂)을 다 지내고 삼정승(三政丞), 육판서(六判書)를 다 지낸 퇴로 재상(退老宰相)으로 계신 양반인 줄 아지 마시오. 개잘량이라는 '양' 자에 개다리소반이라는 '반' 자 쓰는 양반이 나오신단 말이오.

양반들 야아, 이놈, 뭐야아!

말뚝이 아, 이 양반들, 어찌 듣는지 모르갔소. 노론, 소론, 호조, 병조, 옥당을 다 지내고 삼정승, 육판서 다 지내고 퇴로 재상으로 계신 이 생원네 삼 형제분이 나오신다고 그리하였소.

양반들 (합창) 이 생원이라네. (굿거리장단으로 모두 ⓒ춤을 춘다. 도령은 때때로 형들의 면상을 치며 논다. 끝까지 그런 행동을 한다.)

– 작자 미상, 〈봉산 탈춤〉

작품의 특징 파악하기

1 이 글에 대한 설명으로 적절하지 않은 것은?
① 발음의 유사성을 이용하여 인물을 풍자한다.
② 인물의 외형과 행동을 통한 희화화가 나타난다.
③ 변명에 속는 모습을 통해 인물의 우매함을 드러낸다.
④ 등장인물이 지닌 소도구를 통해 각자의 신분을 드러낸다.
⑤ 인물이 지낸 관직을 나열하여 그의 권위를 예찬하는 태도를 드러낸다.

'쉬이'와 '춤'의 기능 파악하기

2 ⊙과 ⓒ에 대한 이해로 적절하지 않은 것은?
① ⊙은 음악과 춤을 멈추게 하고 있어.
② ⊙은 새로운 재담의 시작을 알리고 있어.
③ ⊙은 관중의 시선이 집중되게 하고 있어.
④ ⓒ은 양반들의 어리석음을 부각하고 있어.
⑤ ⓒ은 극의 비극적 분위기를 조성하고 있어.

인물의 특성 파악하기

3 [A]를 참고하여 ⓐ~ⓒ에 해당하는 탈 이름을 쓰시오.(단, [A]에 제시된 이름으로 쓸 것.)

ⓐ (　　　　) ⓑ (　　　　) ⓒ (　　　　)

36 7일 끝 · 문학

3일

[4~5] 다음 글을 읽고 물음에 답하시오.

말뚝이 쉬이. (반주 그친다.) 여보, 구경하시는 양반들, 말씀 좀 들어 보시오. 짤따란 곰방대로 잡숫지 말고 저 연죽전 (煙竹廛)으로 가서 돈이 없으면 내게 기별이래도 해서 양 칠간죽(洋漆竿竹), 자문죽(自紋竹)을 한 발가웃씩 되는 것을 사다가 육모깍지 희자죽(喜子竹), 오동수복(烏銅壽福) 연변죽을 사다가 이리저리 맞추어 가지고 저 재령(載寧) 나 무리 거이 낚시 걸듯 죽 걸어 놓고 잡수시오.

양반들 뭐야아!

말뚝이 아, 이 양반들, 어찌 듣소. 양반 나오시는데 담배와 훤화(喧譁)를 금하라 그리하였소.

양반들 (합창) 훤화를 금하였다네. (굿거리장단으로 모두 춤을 춘다.)

말뚝이 쉬이. (춤과 반주 그친다.) 여보, 악공들 말씀 들으시 오. 오음 육률(五音六律) 다 버리고 저 버드나무 홀뚜기 뽑 아다 불고 바가지장단 좀 쳐 주오.

양반들 야아, 이놈, 뭐야!

말뚝이 아, 이 양반들, 어찌 듣소. 용두 해금(奚琴), 북, 장구, 피리, 젓대 한 가락도 뽑지 말고 건건드러지게 치라고 그 리하였소.

양반들 (합창) 건건드러지게 치라네. (굿거리장단으로 춤을 춘 다.)

생원 쉬이. (춤과 장단 그친다.) 말뚝아.

말뚝이 예에.

생원 이놈, 너도 양반을 모시지 않고 어디로 그리 다니느냐?

말뚝이 예에, 양반을 찾으려고 찬밥 국 말어 일조식(日早 食)하고, 마구간에 들어가 노새 원님을 끌어다가 등에 솔질을 솰솰하여 말뚝이님 내가 타고 서양(西洋) 영미 (英美), 법덕(法德), 동양 삼국 무른 메주 밟듯 하고, 동 은 여울이요, 서는 구월이라. 동여울 서구월 남드리 북 향산 방방곡곡(坊坊曲曲) 면면촌촌(面面村村)이, 바위 틈틈이, 모래 쨈쨈이, 참나무 결결이 다 찾아다녀도 샌 님 비뚝한 놈도 없습데다.

                             – 작자 미상, 〈봉산 탈춤〉

[A]

인물의 특성 파악하기

4 **말뚝이에 대한 설명으로 적절하지 <u>않은</u> 것은?**

① 양반과 말을 주고받으며 극을 전개하고 있다.
② 극의 중심인물로 평민들의 대변자 역할을 하고 있다.
③ 지배 계층에 대한 거부감과 저항 의식을 지니고 있다.
④ 양반과 평민 사이의 균형을 유지하는 태도를 취하고 있다.
⑤ 양반을 풍자의 대상으로 삼아 특정 소재를 통해 조롱하고 있다.

표현상 특징 파악하기

5 **[A]에 나타난 표현상 특징으로 적절한 것만을 〈보기〉에 서 골라 묶은 것은?**

빈출유형

> ● 보기 ●
>
> ㉠ 특정 어휘를 의도적으로 바꾸어 사용하고 있다.
> ㉡ 대구, 열거를 통해 상황을 과장되게 표현하고 있다.
> ㉢ 발음의 유사성을 활용한 언어유희를 사용하고 있다.
> ㉣ 상대에게 예의를 갖춘 공손한 표현을 사용하고 있다.
> ㉤ 사물을 의인화하여 인물을 해학적으로 표현하고 있다.

① ㉠, ㉡   ② ㉡, ㉢   ③ ㉡, ㉤
④ ㉠, ㉡, ㉢   ⑤ ㉡, ㉣, ㉤

[6~7] 다음 글을 읽고 물음에 답하시오.

생원 쉬이. (음악과 춤을 멈춘다.) 여보게, 동생, 우리가 본시 양반이라, 이런 데 가만히 있자니 갑갑도 하네. 우리 시조 (時調) 한 수씩 불러 보세.

서방 형님, 그거 좋은 말씀입니다.

양반들 (시조를 읊는다.) "…… 반 남아 늙었으니 다시 젊지는 못하리라. ……" 하하. (하고 웃는다. 양반 시조 다음에 말뚝 이가 자청하여 소리를 한다.)

말뚝이 "㉠낙양성 십 리허에, 높고 낮은 저 무덤에……."

생원 다음은 글이나 한 수씩 지어 보세.

서방 그럼 형님이 먼저 지어 보시오.

생원 그러면 동생이 운자(韻字)를 내게.

서방 네, 제가 한번 내 드리겠습니다. '산' 자, '영' 잡니다.

생원 아, 그것 어렵다. 여보게, 동생, 되고 안 되고 내가 부를 터이니 들어 보게. (영시조로) "㉡울룩줄룩 작대산(作大山) 허니, 황천(黃川) 풍산(豊山)에 동선령(洞仙嶺)이라."

서방 하하. (형제, 같이 웃는다.) ㉢거 형님, 잘 지었습니다.

생원 동생 한 귀 지어 보세.

서방 그럼 형님이 운자를 하나 내십시오.

생원 '총' 자, '못' 잘세.

서방 아, 그 운자 벽자(僻字)로군. (한참 끙끙거리다가) 형님, 한마디 들어 보십시오. (영시조로) "㉣짚세기 앞총은 헝겊 총하니, 나막신 뒤축에 거멀못이라." 〈중략〉

생원 그러면 이번엔 파자(破字)나 하여 보자. 주둥이는 하얗 고 몸뚱이는 알락달락한 자가 무슨 자냐?

서방 (한참 생각하다가) 네에, 거 운고옥편(韻考玉篇)에도 없 는 자인데, 그것 참 어렵습니다. 그 피마자(蓖麻子)라고 하 는 자가 아닙니까?

생원 아, 거 동생 참 용할세.

서방 형님, 내가 그럼 한 자 부르리우?

생원 부르게.

서방 논두렁에 살피 짚고 섰는 자가 무슨 잡니까?

생원 (한참 생각하다가) 아, 그것 참 어려운 잘세. ㉤그것은 논 임자가 아닌가?

― 작자 미상, 〈봉산 탈춤〉

가면극(탈춤)의 특징 파악하기

6
빈출
유형
이 글과 같은 가면극(탈춤)의 특징으로 적절하지 <u>않은</u> 것은?

① 관객과 악공을 극에 참여시키기도 한다.

② 주제가 다른 각*과장이 독립적으로 구성된다.

③ 막을 활용하여 시간과 공간의 변화를 표현한다.

④ 지배층의 언어와 민중의 언어가 함께 사용된다.

⑤ 대사뿐만 아니라 음악과 춤도 내용 전개에 활용된다.

🔊 도움말
• **과장** 탈놀이에서, 판소리의 마당에 해당하는 말.

세부 내용 파악하기

7 **㉠~㉤에 대한 설명으로 적절하지 <u>않은</u> 것은?**

① ㉠: 양반의 시조와 유사한 내용의 잡가를 부르는 것 을 통해 양반들의 자기 과시를 비판하고 있다.

② ㉡: 지명을 단순히 나열하여 한시를 지은 것을 통해 양반의 학식이 허구적임을 폭로하고 있다.

③ ㉢: 생원이 지은 한시를 칭찬하는 모습을 통해 양반 들의*허위를 드러내고 있다.

④ ㉣: 운자를 맞추어 한시를 지은 것을 통해 양반이 어 느 정도 교양이 있음을 드러내고 있다.

⑤ ㉤:*파자 놀이가 아닌 수준 낮은 수수께끼를 주고받 는 모습을 통해 양반의 무식함을 나타내고 있다.

🔊 도움말
• **허위** 실속이 없이 겉으로만 꾸민 위세.
• **파자** 한자의 자획을 나누거나 합하여 맞히는 수수께끼.

[8~10] 다음 글을 읽고 물음에 답하시오.

서방 하하, 그것 형님 참 잘 맞혔습니다. (ⓐ이러는 동안에 취발이 살짝 들어와 한편 구석에 서 있다.)

생원 이놈, 말뚝아. / **말뚝이** 예에.

생원 ㉠나랏돈 노랑돈 칠 푼 잘라먹은 놈, 상통이 무르익은 대초빛 같고, 울룩줄룩 배미 잔등 같은 놈을 잡아들여라.

말뚝이 그놈이 심(힘)이 무량대각(無量大角)이요, 날램이 비호(飛虎) 같은데, 샌님의 전령(傳令)이나 있으면 잡아 올는지 거저는 잡아 올 수 없습니다.

생원 오오, 그리하여라. 옜다. 여기 전령 가지고 가거라. (종이에 무엇을 써 준다.)

말뚝이 (종이를 받아 들고 취발이한테로 가서) 당신 잡히었소.

취발이 어데, 전령 보자.

말뚝이 (종이를 취발이한테 보인다.)

취발이 (종이를 보더니 말뚝이에게 끌려 양반의 앞에 온다.)

말뚝이 (취발이 엉덩이를 양반 코앞에 내밀게 하며) 그놈 잡아들였소.

생원 아, 이놈 말뚝아, 이게 무슨 냄새냐?

말뚝이 예, 이놈이 피신(避身)을 하여 다니기 때문에, 양치를 못 하여서 그렇게 냄새가 나는 모양이외다.

생원 그러면 ㉡이놈의 모가지를 뽑아서 밑구녕에다 갖다 박아라. 〈중략〉

말뚝이 샌님, 말씀 들으시오. ㉢시대가 금전이면 그만인데, 하필 이놈을 잡아다 죽이면 뭣 하오? ㉣돈이나 몇백 냥 내라고 하야 우리끼리 노나 쓰도록 하면, 샌님도 좋고 나도 돈냥이나 벌어 쓰지 않겠소. 그러니 ㉤샌님은 못 본 체하고 가만히 계시면 내 다 잘 처리하고 갈 것이니, 그리 알고

계시오. (굿거리장단에 맞추어 일제히 어울려서 한바탕 춤추다가 전원 퇴장한다.)

– 작자 미상, 〈봉산 탈춤〉

작품에 반영된 시대상 파악하기

8 이 글을 통해 알 수 있는 시대상으로 가장 적절한 것은?
빈출유형

① 서양으로부터 신문물이 수입되기 시작했다.

② 궁핍한 경제 상황으로 신분 체제가 무너졌다.

③ 양반의 권위가 백성들에게 영향력을 미쳤다.

④ 탐관오리가 득세하여 평민들이 고통을 받았다.

⑤ 신분에 관계없이 능력이 있으면 관직에 등용되었다.

세부 내용 파악하기

9 ㉠~㉤에 대한 이해로 적절하지 <u>않은</u> 것은?

① ㉠에서는 취발이가 부를 축적하는 과정에서 부정을 저질렀음을 짐작할 수 있군.

② ㉡에서는 양반이 죄를 지은 자에게 응당한 처벌을 내리려 했음을 알 수 있군.

③ ㉢에서는 당시 황금만능주의가 만연했음을 알 수 있군.

④ ㉣에서는 돈에 약한 양반의 심리를 이용하여 양반을 회유하고 있군.

⑤ ㉤에서는 양반이 돈을 받고 부정부패를 묵인하는 모습을 암시하고 있군.

가면극(탈춤)의 특징 파악하기

10 다음 학생의 물음에 대한 답변을 쓰시오.
빈출유형

ⓐ에서는 다음 장면에 나타날 취발이가 미리 무대 한편에 서 있다는 것이 나타나. 여기에서 알 수 있는 가면극(탈춤)의 특징은 무엇일까?

제재 2 파수꾼(이강백)

1 제재 개관

갈래	현대 희곡, 단막극	성격	풍자적, 우화적, 상징적
제재	촌장과 파수꾼 이야기		
주제	거짓 현실에 대한 비판, ❶⬛⬛⬛을 밝히는 일의 소중함과 어려움		
특징	① 널리 알려진 이솝 우화 '양치기 소년'을 바탕으로 현실을 ❷⬛⬛적으로 다룸. ② 상징적인 의미를 띠고 있는 인물들과 소재를 다룸. ③ 해설자가 극에 등장하여 작품 내용을 설명하고, 한 명의 배우가 여러 역을 맡으며, 관객들이 작중 인물을 대신하는 등 실험극의 성격을 보여 줌.		

❶ 진실

❷ 우화

2 등장인물의 특성

촌장	진실을 감추고 거짓으로 공포심을 조장하여 자신의 권력을 유지하려는 위선자
파수꾼 가	망루에 올라 흰 구름을 보고 ❸⬛⬛⬛라고 외쳐 왔으며, 촌장에게 복종하는 인물
파수꾼 나	진실에 관심이 없고 독재 권력의 지배 논리만을 충실하게 따르는 하수인
파수꾼 다	진실을 밝히고 알리려 하였으나 지배 권력의 회유에 굴복하고 마는 나약한 인물
마을 사람들	진실을 제대로 알 수 없는 상황에서 독재 권력에 이용당하는 ❹⬛⬛⬛

❸ 이리 떼

❹ 민중들

3 이 글에 나타난 소재들의 의미

이리 떼	꾸며 낸 거짓, 사람들을 위협하고 공포심을 느끼게 하는 지배 이념
❺⬛⬛⬛	진실, 이리 떼의 실체
망루, 양철 북, 팻말	꾸며 낸 거짓을 널리 알려 불안감을 조성함으로써 민중을 통제하기 위한 수단
딸기	부정한 권력으로 얻은 ❻⬛⬛, 상대방을 설득하기 위한 회유책

❺ 흰 구름

❻ 이익

4 이 글에 반영된 시대 상황

1970년대의 시대 상황		〈파수꾼〉
• 안보를 위협하는 북한의 위험성을 과장하여 독재 정권을 유지하려 함. • 공포 분위기를 조장하여 비판 여론을 탄압함.	⇒	• ❼⬛⬛은 실재하지 않는 적인 이리 떼를 이용하여 자신의 권력을 공고히 하려 함. • 진실을 막기 위해 ❽⬛⬛⬛을 처벌하고, '파수꾼 다'를 황야에서만 살도록 함.

❼ 촌장

❽ 운반인

〈파수꾼〉

1 이 글에 대한 설명이 맞으면 ○표, 틀리면 ✕표를 하시오.

(1) 진실을 밝히는 일의 소중함과 어려움을 우화적으로 보여 주고 있다. ( )

(2) 1950년대의 정치 현실을 양치기 소년의 모티프를 빌려 풍자하고 있다. ( )

(3) 상징적 의미를 지닌 인물들과 소재를 통해 당대 독재 권력에 대한 비판을 드러내고 있다. ( )

2 다음에 나타난 이 글의 특징을 고려하여 빈칸에 들어갈 적절한 말을 쓰시오.

- 한 배우가 여러 역을 맡음.
- 관객들이 작중 인물을 대신함.
- 해설자가 극에 등장하여 작품 내용을 설명함.

↓

(ㅅㅎㄱ)의 성격을 보여 줌.

3 이 글에 나타난 촌장의 특성을 파악하여 빈칸에 들어갈 적절한 말을 쓰시오.

(1) 실재하지 않는 적을 이용하여 자신의 (ㄱㄹ)을 유지하려 한다.

(2) 자신의 잘못을 인정하는 듯하지만 실제로는 파수꾼 다를 회유하는 (ㄱㅎㅎ)을 지녔다.

(3) 이해심이 많아 보이는 얼굴과 달리 마을 사람들을 철저하게 지배하고자 하는 (ㅇㅅㅈ)인 인물이다.

4 다음은 촌장과 파수꾼 다의 갈등 전개 양상을 정리한 것이다. 빈칸에 들어갈 적절한 말을 쓰시오.

갈등의 원인

이리 떼가 없다는 진실을 알게 된 파수꾼 다가 진실을 알리기 위해 촌장에게 (ㅍㅈ)를 보냄.

↓

갈등의 전개

파수꾼 다는 이리 떼의 실체가 (ㅎㄱㄹ)이라는 진실을 마을 사람들에게 알리려고 하며, 촌장은 파수꾼 다를 회유하려 함.

↓

갈등의 해결

결국 촌장의 회유에 넘어간 파수꾼 다는 마을 사람들에게 이리 떼가 나타났다고 (ㄱㅈㅁ)을 하게 됨.

5 다음 설명에 해당하는 등장인물을 〈보기〉에서 골라 쓰시오.

- 대다수의 민중을 상징함.
- 현실을 직시하지 못한 채 독재 권력에 기만당하며 살아가는 인물임.

ㅡ 보기 ㅡ
파수꾼 가   파수꾼 나   파수꾼 다   마을 사람들

6 〈보기〉의 ㉠에 들어갈 말로 가장 적절한 것은?

ㅡ 보기 ㅡ
〈파수꾼〉에 등장하는 소재들은 각각 상징적 의미를 지닌다. 그중 (㉠)은/는 진실을 은폐한 권력자가 취할 수 있는 부정한 대가를 상징하는 것이라고 할 수 있다.

① 팻말   ② 딸기   ③ 망루
④ 양철북   ⑤ 이리 떼

교과서 기출 베스트

[1~3] 다음 글을 읽고 물음에 답하시오.

촌장 나를 이곳에 오도록 해서 고맙다. 한 가지 유감스러운 건, 이 편지를 가져온 ㉠운반인이 도중에서 읽어 본 모양이더라. '㉡이리 떼는 없고, 흰 구름뿐.' 〈중략〉

촌장 얘야, 이리 떼는 처음부터 없었다. 없는 걸 좀 두려워한다는 것이 뭐가 그렇게 나쁘다는 거냐? 지금까지 단 한 사람도 이리에게 물리지 않았단다. 마을은 늘 안전했어. 그리고 사람들은 이리 떼에 대항하기 위해서 단결했다. 난 질서를 만든 거야. 질서, 그게 뭔지 넌 알기나 하니? 모를 거야, 너는. 그건 마을을 지켜 주는 거란다. 물론 저 충직한 ㉢파수꾼에겐 미안해. 수천 개의 쓸모없는 덫들을 보살피고 ㉣양철 북을 요란하게 두들겼다. 하나 말이다, 그의 일생이 그저 헛되다고만 할 순 없어. 그는 모든 사람들을 위해 고귀하게 희생한 거야. 난 네가 이러한 것들을 이해하여 주기 바란다. 만약 네가 새벽에 보았다는 구름만을 고집한다면, 이런 것들은 모두 허사가 된다. 저 파수꾼은 늙도록 헛북이나 친 것이 되구, 마을의 질서는 무너져 버린다. 얘야, 넌 이렇게 모든 걸 헛되게 하고 싶진 않겠지?

다 왜 제가 헛된 짓을 해요? 제가 본 흰 구름은 아름답고 평화로웠어요. 저는 그걸 보여 주려는 겁니다. 이제 곧 마을 사람들이 온다죠? 잘됐어요. 저는 망루 위에 올라가서 외치겠어요.

촌장 뭐라구? (잠시 동안 굳은 표정으로 침묵.) 사실 우습기도 해. 이리 떼? 그게 뭐냐? 있지도 않은 그걸 이 황야에 가득 길러 놓고, 마을엔 가시 울타리를 둘렀다. ㉤망루도 세웠고, 양철 북도 두들기고, 마을 사람들은 무서워서 떨기도 한다. 아하, 언제부터 내가 이런 거짓 놀이에 익숙해졌는지 모른다만, 나도 알고는 있지. 이 모든 것이 잘못되어 있다는 걸 말이다.

― 이강백, 〈파수꾼〉

---

1 이 글에 대한 설명으로 적절한 것은?

빈출유형

① 특별한 갈등 없이 극 중 상황을 전개하고 있다.

② 상징적인 소재와 인물을 등장시켜 주제를 형상화하고 있다.

③ 장면의 전환을 통해 새로운 사건이 일어날 것을 암시하고 있다.

④ 과거와 현재의 교차를 통해 인물의 특성을 구체적으로 드러내고 있다.

⑤ 비극적 상황을 희화화함으로써 당대 현실에 대한 비판적 의식을 나타내고 있다.

세부 내용 파악하기

2 이 글의 등장인물에 대한 이해로 적절하지 않은 것은?

빈출유형

① 파수꾼 다는 촌장이 마을의 안전을 위협한다고 생각하고 있어.

② 파수꾼 다는 직접 나서 진실을 밝히겠다는 의지를 드러내고 있어.

③ 촌장은 자신의 거짓말이 밝혀지는 것을 꺼리고 있어.

④ 촌장은 의도적으로 거짓말을 하여 마을 사람들을 두려움에 떨게 했어.

⑤ 촌장은 마을을 위해서라면 누군가가 희생해도 괜찮다고 생각하고 있어.

외적 준거에 따라 작품 감상하기

3 ㉠~㉤ 중 촌장이 〈보기〉의 ⓐ와 같은 목적을 달성하기 위해 활용한 인물 또는 소재의 기호를 모두 쓰시오.

• 보기 •

〈파수꾼〉은 ⓐ분단 현실을 앞세워 사회 전반에 공포 분위기를 조성하여 사회 질서를 유지했던 1970년대 우리나라의 상황을 우화적 기법을 통해 그려낸 희곡이다.

[4~5] 다음 글을 읽고 물음에 답하시오.

다 그럼 촌장님, 저와 같이 망루 위에 올라가요. 그리구 함께 외치세요. / **촌장** 그래, 외치마. / **다** 아, 이젠 됐어요!

촌장 (혼잣말처럼) 그러나 잘될까? 흰 구름, 허공에 뜬 그것만으로 마을이 잘 유지될까? 오히려 이리 떼가 더 좋은 건 아닐지 몰라. / **다** 뭘 망설이시죠?

촌장 아냐, 아무것두…… 난 아직 안심이 안 돼서 그래. 사람들은 망루를 부순 다음엔 속은 것에 더욱 화를 낼 거야! 아마 날 죽이려고 덤빌지도 몰라. 아니 꼭 그럴 거다. 그럼 뭐냐? 지금까지 이리에게 물려 죽은 사람은 단 한 명도 없었는데, 흰 구름의 첫날 살인이 벌어진다. / **다** 살인이라구요?

촌장 그래, 살인이지. (난폭하게) 생각해 보렴, 도끼에 찍히고 망치로 얻어맞은 내 모습을. 살은 찢기고 피가 샘솟듯 흘러내릴 거다. 끔찍해. 얘, 너는 내가 그런 꼴이 되길 바라고 있지? / **다** 아니에요, 그건!

촌장 아니라구? 그렇지만 내가 변명할 시간이 어디 있니? 난 마을 사람들에게 왜 이리 떼를 만들었던가, 그걸 충분히 설명해 줘야 해. 그럼 그들도 날 이해할 거야.

다 네, 그렇게 말씀하세요.

촌장 하나 지금은 내가 말할 틈이 없다. 사람들이 오면, 넌 흰 구름이라 외칠 거구, 사람들은 분노하여 도끼를 휘두를 테구, 그럼 나는, 나는…… (은밀한 목소리로) 얘, 네가 본 그 흰 구름 있잖니, 그건 내일이면 사라지고 없는 거냐?

다 아뇨, 그렇지만 난 오늘 외치구 싶어요.

촌장 그것 봐. 넌 내가 끔찍하게 죽는 것을 보고 싶은 거야. 더구나 더 나쁜 건, 넌 흰 구름을 믿지도 않아. 내일이면 변할 것 같으니까, 오늘 꼭 외치려고 그러는 거지. 아하, 넌 네가 본 그 아름다운 걸 믿지도 않는구나!

– 이강백, 〈파수꾼〉

인물의 말하기 방식 파악하기

4 **빈출 유형** 촌장의 말하기 방식에 대한 설명으로 가장 적절한 것은?

① 상대의 말을 반복하며 자신의 억울함을 강조하고 있다.

② 상대의 과격한 행동을 비판하여 수치심을 자극하고 있다.

③ 상대의 말에 따른 결과를 과장하여 동정심을 유발하고 있다.

④ 질문을 통해 상대와 자신의 생각이 같음을 강조하고 있다.

⑤ 자신의 말에 순종하지 않을 때 상대가 겪게 될 피해를 제시하여 협박하고 있다.

다른 작품과 비교하기

5 이 글과 다음 만화를 비교한 것으로 적절하지 <u>않은</u> 것은?

	구분	이 글	만화
①	진실 왜곡의 주체	촌장	소년
②	진실 왜곡의 목적	마을 통제	심심풀이
③	진실 왜곡의 내용	이리 떼의 습격	늑대의 습격
④	진실 폭로의 시도	있음.	없음.
⑤	진실 왜곡의 결과	촌장의 피해	소년 자신의 피해

[6~7] 다음 글을 읽고 물음에 답하시오.

나 (관객석 쪽으로 돌아서다가, 흠칫 놀라며) 웬 사람들이 이렇게 몰려오죠?

촌장 마을 사람들이죠. / **나** 마을 사람들요?

촌장 ⊙(관객들을 향해) 어서 오십시오, 주민 여러분. 이 애가 그 말을 꺼낸 파수꾼입니다. 저기 편지를 공개한 식량 운반인, 이 애가 틀림없지요? 네, 그렇다고 확인했습니다. 이리 떼인지 아니면 흰 구름인지, 직접 이 아이의 입을 통하여 들어 봅시다.

(파수꾼 다, 쓰러질 것 같은 걸음으로 망루를 향해 걸어간다. 나가 근심스럽게 쫓아간다.)

나 얘야, 괜찮겠니? / **다** 네.

나 아무래도 걱정이 되는구나. 넌 이리 떼란 말만 들어도 벌벌 떠는 겁쟁이인데. 망루 위에 올라가서 엎드리면 안 돼. 이렇게 많은 사람들이 널 보러 오지 않았니? ⓐ얼마나 큰 영광이냐. 이 기회에 말이다, 넌 너 자신이 파수꾼이라는 걸 힘껏 자랑해야 한다. 알았지, 응?

촌장 그만 올라가게 하십시오.

(파수꾼 다는 망루 위에 올라간다. ⓑ긴 침묵. 마침내 부르짖는다.)

다 ⓒ이리 떼다, 이리 떼! 이리 떼가 몰려온다!

(파수꾼 가의 손이 번쩍 들려지며 그도 외친다. 파수꾼 나는 신이 나서 양철 북을 두드린다. 북소리, 한동안 계속된다.)

가 북소리 중지! 이리 떼는 물러갔다.

촌장 주민 여러분! 이것으로 진상은 밝혀졌습니다. 흰 구름은 없으며 이리 떼뿐입니다. 이 망루는 영구히 유지되어야겠지요. 양철 북도 계속 쳐야 할 것입니다. 여러분, 다음 이리의 습격 때까진 잠시 시간적 여유가 있습니다. 그 틈을 이용하여 돌아가십시오. 가시거든 마을 광장에 다시 모이시기 바랍니다. ⓓ수다쟁이 운반인의 처벌을 논의합시다. 그럼 어서 돌아가십시오. ⓔ이리 떼가 여러분을 물어뜯으러 옵니다.

– 이강백, 〈파수꾼〉

작품의 특징 파악하기

6 ⊙에 대한 설명으로 가장 적절한 것은?

빈출유형

① 무대 밖의 대상이 작중 인물을 대신하게 하여 흥미를 유발한다.

② 무대 밖의 대상을 극의 전개에 개입시켜 중심 역할을 하게 한다.

③ 무대 밖의 대상을 무대 위로 끌어 올려 극에 몰입할 수 있게 한다.

④ 무대 안의 대상이 여러 역을 맡게 하여 등장인물 수의 제약을 극복한다.

⑤ 무대 안의 대상을 대규모 군중에 포함시켜 극의 분위기를 고조시킨다.

세부 내용 파악하기

7 ⓐ~ⓔ에 대한 설명으로 적절하지 않은 것은?

① ⓐ: 파수꾼 나가 촌장의 충실한 하수인으로써의 면모를 지녔음을 드러낸다.

② ⓑ: 파수꾼 다가 진실을 밝히는 데 있어 갈등하고 있음을 드러낸다.

③ ⓒ: 파수꾼 다가 거짓을 고함으로써 촌장의 하수인으로 전락하였음을 보여 준다.

④ ⓓ: 자신의 권력을 유지하기 위해 파수꾼 다를 처벌하는 촌장의 비정함을 드러낸다.

⑤ ⓔ: 공포심을 조장하여 마을의 질서를 유지하려는 촌장의 심리를 드러낸다.

[8~10] 다음 글을 읽고 물음에 답하시오.

나 난 네가 이렇게 용감해질 줄은 몰랐구나.

촌장 고맙다. 정말 잘해 주었다.

나 아냐, 난 몰랐던 건 아니었어. 넌 나에게 용감한 사람이 되마구 약속하질 않았니? 난 그때 이미 알아본 거야. 넌 꼭 훌륭한 파수꾼이 될 거라구.

촌장 얘, 나 좀 보자. (한갓진 곳으로 데리고 가서) 너한테는 안됐다만, ㉠넌 이곳에서 일생을 지내야 한다.

다 네? / **촌장** 마을엔 오지 말아라.

(바람 부는 소리가 거칠게 들려온다.)

촌장 난 저 사람들이 싫어. 내 마음은 너와 함께 딸기 따기에 가 있어. 넌 내 추억이야. 너에게는 내가 늘 그리워하던 것이 있다.

(사이)

촌장 하지만…… 여긴 너무 쓸쓸해.

(사이)

촌장 그럼, 잘 있거라. / **나** 가시려구요, 촌장님?

촌장 사람들이 기다리고 있어서요.

나 제가 저만큼 바래다 드리지요. 몇도 좀 살펴볼 겸 해서요. (함께 걸어 가며) 그런데 말입니다, 양철 북을 치던 내 모습이 멋있지 않던가요? [A]

(촌장과 파수꾼 나, 퇴장한다. 바람 소리만이 더욱 거칠어진다. 잠시 후, 망루 위의 파수꾼이 "이리 떼다!" 외친다. 파수꾼 다는 양철 북을 두드리기 시작한다.)

— 막 —

— 이강백, 〈파수꾼〉

서술상 특징 파악하기

8 **이 글에 대한 설명으로 적절한 것은?**
빈출유형

① 서술자의 개입을 통해 인물의 갈등이 해소되고 있다.

② 음향 효과를 활용하여 인물의 심리를 드러내고 있다.

③ 인물 간의 오해와 이해를 통해 주제를 형성하고 있다.

④ 화려한 무대와 소품을 활용하여 관객들의 시선을 집중시키고 있다.

⑤ 같은 행위를 반복하는 주인공의 모습을 통해 인물의 상징성을 강화하고 있다.

인물의 의도 파악하기

9 **이 글의 전체 내용을 고려했을 때, ㉠에 담긴 촌장의 의도가 무엇인지 쓰시오.**
빈출유형

인물의 특성 파악하기

10 **다음 선생님의 질문에 적절한 대답을 한 학생은?**

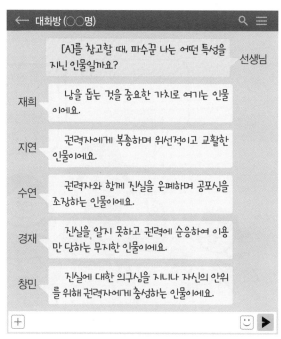

① 재희 ② 지연 ③ 수연 ④ 경재 ⑤ 창민

(1) 한국 문학의 개념과 범위

생각 열기 · 한국 문학이란 무엇인가?

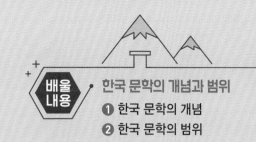

교과서 핵심 정리

제재 1 **용소와 며느리바위**(작자 미상)

1 제재 개관

갈래	설화, 전설	성격	전기적, 교훈적, 불교적
제재	용소, 며느리바위	주제	탐욕에 대한 경계(인과응보, 권선징악)
특징	① ❶ ☐ (사투리)을 사용하여 토속적인 정감과 현장감을 나타냄. ② 같은 말이 반복되고 군말의 사용이 나타남. ③ 과장되고 비현실적인 내용이 나타남. ④ 화자(제보자)가 청자(채록자)에게 ❷ ☐ 하는 형식을 취함.		

개념 Catch

• **구비 문학**: 입에서 입으로 전하여 오는 문학을 말함. 설화, 민요, 무가, 판소리, 민속극 등이 있음.

❶ 방언

❷ 구술

2 이 글에 나타나는 구비 문학·전설의 특징

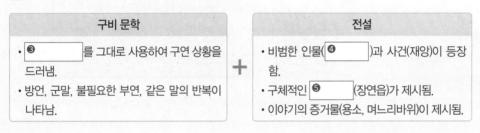

구비 문학
• ❸ ☐ 를 그대로 사용하여 구연 상황을 드러냄. • 방언, 군말, 불필요한 부연, 같은 말의 반복이 나타남.

+

전설
• 비범한 인물(❹ ☐)과 사건(재앙)이 등장함. • 구체적인 ❺ ☐ (장연읍)가 제시됨. • 이야기의 증거물(용소, 며느리바위)이 제시됨.

❸ 구어체

❹ 도승/중

❺ 장소

3 '금기(禁忌)'와 그 기능

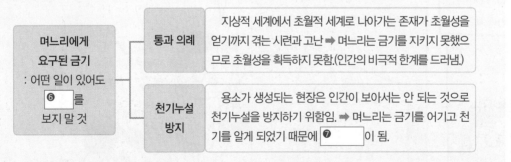

며느리에게 요구된 금기 : 어떤 일이 있어도 ❻ ☐ 를 보지 말 것	통과 의례	지상적 세계에서 초월적 세계로 나아가는 존재가 초월성을 얻기까지 겪는 시련과 고난 ➡ 며느리는 금기를 지키지 못했으므로 초월성을 획득하지 못함.(인간의 비극적 한계를 드러냄.)
	천기누설 방지	용소가 생성되는 현장은 인간이 보아서는 안 되는 것으로 천기누설을 방지하기 위함임. ➡ 며느리는 금기를 어기고 천기를 알게 되었기 때문에 ❼ ☐ 이 됨.

❻ 뒤

❼ 화석

4 증거물에 따른 주제

증거물	원인		주제
❽ ☐	'장재 첨지'가 인색하여 벌을 받음.	➡	인간의 탐욕에 대한 경계(인과응보, 권선징악)
며느리바위	'며느리'가 '금기'를 어겨 벌을 받음.	➡	인간의 경솔함에 대한 경계

❽ 용소

1 한국 문학의 개념에 대한 설명이 맞으면 ○표, 틀리면 ×표를 하시오.

(1) 한국 문학은 한민족의 사상과 정서를 한국어로 표현한 문학이다. ( )

(2) 선인(先人)들이 창작한 한문 문학은 한국 문학에 포함되지 않는다. ( )

(3) 국외에 있는 한민족이 창작한 한국어 문학은 한국 문학에 포함된다. ( )

〈용소와 며느리바위〉

2 이 글에 대한 설명으로 빈칸에 들어갈 적절한 말을 쓰시오.

(1) 이 글은 황해도 장연읍의 (ㅈㅅ)을 채록한 것으로, 전설의 갈래적 특징과 (ㄱㅂ) 문학의 특징이 잘 반영되어 있는 작품이다.

(2) 인색한 부자 영감이 벌을 받는다는 점에서 이 글의 주제가 (ㅌㅇ)에 대한 경계임을 알 수 있다.

(3) 이 글은 (ㅂㅇ)을 사용하여 토속적인 정감과 현장감을 나타낸다.

3 이 글에서 ㉠이 상징하는 의미를 파악하여 빈칸에 들어갈 적절한 말을 쓰시오.

> "당신 집에 인제 조금 있다가 큰 재앙이 내릴 테니까, 당신 빨리 집으루 들어가서, 평소에 제일 귀중하게 생각하는 것이 무어 있는지, 두세 가지만 가지구서 빨리 나와서는, 저 ㉠불타산을 향해서 빨리 도망질하라구."

▶ 불타산은 며느리가 (ㅈㅇ)을 피해 구원을 받을 수 있는 초월적 세계이다.

4 이 글에 나타난 '금기(禁忌)'의 기능을 파악하여 빈칸에 들어갈 적절한 말을 쓰시오.

'금기'의 기능

통과 의례 → (ㅈㅅㅈ) 세계에서 초월적 세계로 나아가는 존재가 초월성을 얻기까지 겪는 시련과 고난

천기누설 방지 → (ㅇㅅ)가 생성되는 현장을 인간이 보지 못하게 하기 위한, 천기누설을 방지하는 장치

5 이 글의 등장인물과 그에 대한 설명을 바르게 연결하시오.

(1)
장재 첨지

㉠ 인간의 행위를 심판하는 인물이자 구원자

(2)
며느리

㉡ 이기적이고 탐욕스러운 인물

(3)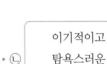
도승(중)

㉢ 착하지만 세속적 미련을 버리지 못하는 인물

6 다음 글에 나타난 특징으로 적절하지 않은 것은?

> 이 여인이 가는데 갑자기 뇌성벽력을 하면서 그 벼락 치는 소리가 나니까, 깜짝 놀래서 뒤를 돌아봤단 말야. 그러니까 그 자리에서 그만 화석이 됐어.

① 인과적 ② 교훈적 ③ 비극적
④ 문어적 ⑤ 비현실적

4일

4 ^일 교과서 기출 베스트

[1~3] 다음 글을 읽고 물음에 답하시오.

용소는 장연읍에서 한 이십 리 되는 거리에 있는데, 장연읍에서 그 서도 민요로 유명한 몽금포 타령이 있는 데거든. 그 몽금포 가는 길 옆에 그 인지 바로 길 옆에 그 용소라는 것이 있는데 그 전설이 어떻게 됐냐 할 거 같으면, 그렇게 옛날 옛적 얘기지. 옛날에 그 지금 용소 있는 자리가 장재(長者) 첨지네 집터 자리라 그래. 장재 첨지네 집터 자린데, 거게서 그 영감이 수천 석 하는 부자루 아주 잘살구 거기다 좋은 집을 짓구서 있었는데, 그 영감이 아주 깍쟁이가 돼서, 뭐 다른 사람 도무지 뭐 도와두 주지 않구, 돈만 모으던 그런 유명한 영감이래서 거기 사람들이 말하자면, '돼지, 돼지' 하는 그런 영감이라네. 〈중략〉

소리를 질러두 그대루 그 중이 이제 가지를 않구섬날 독경(讀經)을 하구 있으니까, 이 영감이 성이 나서 지금은 대개 삽이라는 게 있지마는 옛날에는 저 그것을 뭐이라구 하나, 부삽이라구 하나. 그거 있는데 그걸루 두엄 더미에서 쇠똥을 퍼 가주구서는,

"우리 집에 쌀은 줄 거 없으니까 이거나 가져가라."

하구서는 ㉠바랑에다가 쇠똥을 옇단 말야. 그래두 그 중은 조금두 낯색두 변하지 않구서, 거저 '나미아미타불'만 부르다가 그 쇠똥을 걸머진 채 바깥으루 나오는데, 그 마당 옆에 우물이 있었는데 우물가에서 그 장재 첨지의 며느리가 인제 쌀을 씻구 있다가, 그 광경을 보구서, 그 중 보구서는 얘기하는 말이,

"우리 아버지 천생이 고약해서 그런 일이 있으니까. 조금두 나쁘게 생각하지 말라구."

그러면서 쌀, 씻든 쌀을 바가지에다 한 바가지 퍼섬낭, 그 바랑에다 여 줬단 말야.

– 작자 미상, 〈용소와 며느리바위〉

구비 문학의 특징 파악하기

1 ^{빈출 유형} **이 글에 나타난 구비 문학의 특징으로 적절하지 않은 것은?**

① 같은 말을 불필요하게 반복하고 있다.

② 군말의 사용이 빈번하게 나타나 있다.

③ 화자가 청자에게 구술하는 형식을 취하고 있다.

④ 고사를 인용하여 상황을 구체적으로 설명하고 있다.

⑤ 방언을 사용하여 토속적인 정감과 현장감을 드러내고 있다.

🔊 도움말
• **군말** 하지 않아도 좋을 쓸데없는 군더더기 말.
• **구술(口述)하다** 입으로 말하다.

인물의 태도 파악하기

2 ^{빈출 유형} **이 글의 등장 인물에 대한 이해로 적절하지 않은 것은?**

① 며느리는 장재 첨지를 대신해 중에게 시주하였다.

② 중은 장재 첨지가 악행을 할 것을 예상하고 있었다.

③ 중은 장재 첨지의 행위에 대해 불편함을 표현하였다.

④ 장재 첨지는 부자임에도 다른 사람들을 돕지 않았다.

⑤ 며느리는 장재 첨지의 성품을 알고 있었으며 이를 중에게 알려 주었다.

인물의 성격 파악하기

3 **㉠에서 알 수 있는 장재 첨지의 성격을 쓰시오.**

[4~6] 다음 글을 읽고 물음에 답하시오.

그 중이 며느리 보고 하는 말이, / "당신 집에 인제 조금 있다가 큰 재앙이 내릴 테니까, 당신 빨리 집으루 들어가서, 평소에 제일 귀중하게 생각하는 것이 무어 있는지, 두세 가지만 가지구서 빨리 나와서는, 저 불타산을 향해서 빨리 도망질하라구." 〈중략〉

어린애를 업구 명지 도토마리를 이구, ㉠개를 불러 가지구 그 불타산을 향해서 얼마쯤 가는데, 그때까지 아주 명랑하던 하늘이 갑자기 흐리면서 뇌성벽력을 하더니 말야. 근데 그 중이 먼저 무슨 주의를 시켰냐면,

㉡"당신, 가다가서 뒤에서 아무런 소리가 나두 절대루 뒤를 돌아보면 안 된다."

는 거를 부탁을 했는데, 이 여인이 가는데 갑자기 뇌성벽력을 하면서 그 벼락 치는 소리가 나니까, 깜짝 놀래서 ㉢뒤를 돌아봤단 말야. 그러니까 그 자리에서 그만 화석이 됐어. 그 사람이 그만 화석이 되구 말았다는 게야. 개두 그렇게 화석이 돼서 그 자리에 서 있다고 하는데, A[그 지금두 그 불타산 아래서 얼마 내려오다가서 그 비슥하니 거기 사람들은 이것이 며느리가 화석 된 게라고 하는 바위가 있는데,] 역시 사람 모양 하고, 뭐 머리에 뭐 인 거 같은 거 하구, 그 아래 개 모양 겉은, 그런 화석이 아직도 있단 말야. 한데 그때 그 이 벼락을 치면서 그 ㉣장재 첨지네 그 집이 전부 없어지면서 그만 거기에 몇백 길이 되는지 모르는 이제 ㉤큰 소(沼)가 됐단 말야. 한데 그 소가 어느만침 넓으냐 하면, 여기 어린이 놀이터보담두 더 넓은데, 이거 고만 두 배쯤 되는 품인데 그 소에서 물이 얼마나 많이 나오는지, 물 나오는 소리가 쿵쿵쿵쿵쿵쿵 하면서 그 곁에 가면 이제 지반이 울린단 말야. 이리이리 너무 물이 많이 나와서 그 물을 가지구서 몇만 석 되는, 이제 말할 것 같으면 수천 정보에 그 평야에, 논에 물을 소에서 나오는 물 가지구서 대는데, 〈중략〉 도무지 끝을 몰른다는,

그만침 깊은 소가 됐단 말야.

– 작자 미상, 〈용소와 며느리바위〉

인물의 행동과 소재의 의미 파악하기

4 ㉠~㉤에 대한 설명으로 적절하지 **않은** 것은?

① ㉠은 여인이 소중하게 여기는 대상이다.
② ㉡은 여인이 구원을 받기 위해 따라야 하는 행동이다.
③ ㉢은 세속적 욕망에 대한 미련을 나타내는 행동이다.
④ ㉣은 여인이 중의 주의를 어긴 결과이다.
⑤ ㉤은 부의 공평한 재분배를 바라는 민중의 소망이 반영된 공간이다.

소재의 기능 이해하기

5 다음 대화에서 ⓐ에 들어갈 내용으로 적절하지 **않은** 것은?

이 글에서 작용하는 '금기'의 기능은 뭘까?

'금기'는 (ⓐ)(이)야.

① 인간의 비극적 한계를 드러내는 장치
② 초월적 세계로 나아가는 존재가 겪는 시련
③ 하늘의 비밀이 새어 나가지 않도록 하는 방안
④ 지상적 존재가 초월적 세계로 나갈 수 있는 방법
⑤ 이기적이고 탐욕스러운 악인이 구원받을 수 있는 방도

갈래상 특징 파악하기

6 A[ ]에 나타난 전설의 특징을 〈보기〉와 같이 정리할 때, 빈칸에 들어갈 적절한 말을 쓰시오.

> ● 보기 ●
> 전설은 증거물을 통해 이야기의 ( )을 강조한다.

제재 2 촉규화(최치원)

1 제재 개관

갈래	한시, 오언 율시	성격	비유적, 체념적, 애상적, 탄식적
제재	촉규화	주제	자신을 알아주지 않는 시대에 대한 개탄
특징	① 자연물을 통해 자신의 처지와 심정을 **❶** 적으로 드러냄. ② 선경후정의 방식으로 시상을 전개함.		

2 시적 대상을 통한 화자 이해

	시적 대상(**❷**)	화자
1, 2구	거칠고 쓸쓸한 곳에 탐스럽게 핌.	어려운 환경 속에서 뛰어난 학문적 경지에 이름.
3, 4구	**❸** 를 날리며 피어 있음.	완숙한 학문적 경지에 이름.
5, 6구	수레 탄 사람이 알아봐 주지 않음.	임금, 고관대작 등이 자신의 능력을 알아주지 않음.
7, 8구	천한 땅에서 태어나 버림받음.	**❹** 의 6두품 출신인 것을 부끄러워하고 탄식함.

제재 3 평상이 있는 국숫집(문태준)

1 제재 개관

갈래	자유시, 서정시	성격	묘사적, 서정적, 교훈적
제재	소박한 국숫집 손님들의 이야기	주제	평범한 사람들이 주고받는 위로와 교감
특징	① 국숫집에 모인 사람들을 묘사하며 시상을 전개함. ② 열린 공간과 소박한 소재를 통해 평범한 사람들의 **❺** 을 표현함. ③ '쯧쯧쯧쯧'이라는 음성 상징어에 중의적 의미를 부여하여 주제 의식과 정서를 드러냄.		

2 공간·소재의 의미와 기능

❻	• 평등·수평적 공간 • 눈을 맞추며 인정을 나누는 공간 • 화자의 긍정적인 체험을 풀어낸 공간 ➡ 정겹고 소박한 느낌을 줌.	푸조나무	**❼** 을 만들어 휴식과 위안을 주는 유익한 소재 ➡ 푸근한 느낌을 연상시키고 주제 의식을 강조함.
삼거리 슈퍼	소박하고 친근한 느낌을 주는 소재	**❽**	일상적으로 먹는 소박한 음식 ➡ 친근하며 따뜻한 느낌을 줌.

〈촉규화〉

1 이 시에 대한 설명이 맞으면 ○표, 틀리면 ×표를 하시오.

(1) 최치원이 지은 오언 율시의 한시로, 자신을 알아주지 않는 시대에 대한 개탄을 담고 있다. (　　　)

(2) 이 시의 화자는 자신의 출신과 처지를 부끄러워하며, 자신이 인정받지 못하는 상황에 대해 저항하는 태도를 보인다. (　　　)

2 이 시의 표현상 특징에 해당하는 내용을 괄호 안에서 찾아 ○표를 하시오.

(1) 이 시에서는 자연물을 통해 화자의 처지와 심정을 (비유적, 반어적)으로 나타내고 있다.

(2) 1~4구에서 촉규화의 (정서, 모습)을/를 묘사하고, 5~8구에서 촉규화의 (정서, 모습)을/를 그려내는 방식을 사용하여 시상을 전개하고 있다.

3 다음은 이 시의 5, 6구이다. ㉠과 ㉡의 의미를 대비하여 빈칸에 들어갈 적절한 말을 쓰시오.

> ㉠수레 탄 사람 누가 보아 주리
> ㉡벌 나비만 부질없이 찾아드네.

▶ ㉠은 화자의 능력을 알아줄 (ㄱㄱㅎ ㅅㅂ)의 사람들을, ㉡은 화자가 (ㅂㅅ)에 나아가는 데 큰 도움이 되지 않는 사람들을 뜻한다.

〈평상이 있는 국숫집〉

4 이 시에 대한 설명이 맞으면 ○표, 틀리면 ×표를 하시오.

(1) 이 시에서는 평상이라는 열린 공간과 국수라는 소박한 소재를 통해 평범한 사람들의 인정을 나타내고 있다. (　　　)

(2) 국숫집에서 우연히 마주친 친정 오빠에 대한 반가움을 중심으로 주제를 드러내고 있다. (　　　)

5 이 시의 표현상 특징에 해당하는 내용을 괄호 안에서 찾아 ○표를 하시오.

(1) 이 시의 시적 대상은 국숫집에 모인 사람들로, 화자는 시적 대상을 (묘사, 분석)하며 시상을 전개하고 있다.

(2) 이 시에서는 '(우리, 친정 오빠)'라는 표현을 통해 화자와 사람들이 정서적으로 하나가 되는 모습이 나타나고 있다.

6 다음은 이 시에 쓰인 음성 상징어의 의미를 정리한 것이다. 빈칸에 들어갈 적절한 말을 쓰시오.

쯧쯧쯧쯧

| 국수가 찬물에 헹궈질 때 나는 소리 | 상대방의 처지가 안타까울 때 가볍게 혀를 차는 소리 |

▶ 중의적 의미를 지닌 음성 상징어는 (ㄱㅅㅈ)의 정겨운 분위기를 보여 주고, '(ㄱㄱ)과 위로'라는 이 시의 주제를 인상적으로 그려 낸다.

[1~3] 다음 시를 읽고 물음에 답하시오.

㉠거친 밭 언덕 쓸쓸한 곳에	寂寞荒田側(적막황전측)
㉡탐스러운 꽃송이 가지 눌렀네.	繁花壓柔枝(번화압유지)
매화 비 그쳐 향기 날리고	香輕梅雨歇(향경매우헐)
㉢보리 바람에 그림자 흔들리네.	影帶麥風欹(영대맥풍의)
수레 탄 사람 누가 보아 주리	車馬誰見賞(거마수견상)
㉣벌 나비만 부질없이 찾아드네.	蜂蝶徒相窺(봉접도상규)
㉤천한 땅에 태어난 것 스스로 부끄러워	自慚生地賤(자참생지천)
사람들에게 버림받아도 참고 견디네.	堪恨人棄遺(감한인기유)
	– 최치원, 〈촉규화〉

표현상 특징 파악하기
1 이 시의 표현상 특징으로 적절하지 <u>않은</u> 것은?

빈출
유형

① 설의적 표현을 사용하여 화자의 처지를 부각하고 있다.

② 역설적 표현을 사용하여 화자의 체념적 태도를 드러내고 있다.

③ 계절감을 나타내는 시어를 통해 대상의 아름다움을 보여 주고 있다.

④ 대조적인 의미를 지닌 시어를 통해 화자가 처한 상황을 드러내고 있다.

⑤ 대상의 모습을 묘사한 뒤, 이어 화자의 정서를 그려 내는 방식을 사용하고 있다.

외적 준거에 따라 작품 감상하기
2 〈보기〉를 참고하여 이 시를 이해한 내용으로 적절하지 <u>않은</u> 것은?

빈출
유형

보기

최치원은 6두품 출신으로 12세에 당나라로 유학을 떠나 6년 만에 당의 빈공과에 장원으로 급제하였다. 황소의 난이 일어나자 〈격황소서〉를 지어 당 전역에 문장으로 이름을 떨쳤으나, 이방인으로서 겪는 한계에 회의를 느끼고 결국 29세에 신라로 돌아온다. 이 무렵 신라 사회는 진골 귀족들이 득세하였으며 지방에서는 도적 떼와 반란이 횡행했다. 골품제의 모순과 왕권의 미약으로 개혁 의지를 실현하는 데 실패한 최치원은 40여 세 장년의 나이에 관직을 버리고 은거한다.

① 지호 — ㉠은 최치원이 당나라에서 이방인으로서 겪은 쓸쓸함을 드러내는 배경이야.

② 주아 — ㉡은 최치원이 지닌 뛰어난 학문적 경지를 빗댄 말이라고도 볼 수 있어.

③ 도윤 — ㉢은 최치원이 당나라에서 겪은 '황소의 난'이라고 할 수 있어.

④ 영서 — ㉣은 최치원이 벼슬에 진출하는 데 큰 도움이 되지 않는 사람들을 뜻해.

⑤ 서준 — ㉤은 최치원이 신라의 6두품 출신인 자신의 처지를 드러내는 말이야.

한국 문학의 개념 파악하기
3 이 시를 한국 문학으로 볼 수 있는 근거를 〈보기〉에서 찾아 그 기호를 모두 쓰시오.

보기

ⓐ 시를 쓴 이가 우리나라의 사람이다.

ⓑ 한시의 형식적 특징을 따르고 있다.

ⓒ 우리 민족 고유의 '한'의 정서를 담고 있다.

ⓓ 한자의 음과 뜻을 빌려 우리말을 표기하고 있다.

ⓔ 현실에 대한 화자의 비판적 사상을 드러내고 있다.

정답과 해설 **96**쪽

[4~6] 다음 시를 읽고 물음에 답하시오.

㉠평상이 있는 국숫집에 갔다

붐비는 국숫집은 삼거리 슈퍼 같다

평상에 마주 앉은 사람들

세월 넘어온 친정 오빠를 서로 만난 것 같다

국수가 찬물에 헹궈져 건져 올려지는 동안

쯧쯧쯧쯧 쯧쯧쯧쯧,

손이 손을 잡는 말

눈이 눈을 쓸어 주는 말

병실에서 온 사람도 있다

식당 일을 손 놓고 온 사람도 있다

사람들은 평상에만 마주 앉아도

마주 앉은 사람보다 먼저 더 서럽다

세상에 이런 짧은 말이 있어서

세상에 이런 깊은 말이 있어서

국수가 찬물에 헹궈져 건져 올려지는 동안

쯧쯧쯧쯧 쯧쯧쯧쯧,

큰 푸조나무 아래 우리는

모처럼 평상에 마주 앉아서

– 문태준, 〈평상이 있는 국숫집〉

표현상 특징 파악하기

4
빈출유형
이 시의 표현상 특징으로 적절한 것은?

① 반어적 표현을 통해 주제 의식을 드러내고 있다.

② 감각의 전이를 통해 대상의 모습을 묘사하고 있다.

③ 색채어를 대비하여 화자의 정서를 형상화하고 있다.

④ 음성 상징어를 통해 시에 담긴 정서를 드러내고 있다.

⑤ 청자에게 말을 건네는 어투를 통해 친근감을 표현하고 있다.

> 🔊 **도움말**
> • **감각의 전이** 하나의 감각적 이미지가 다른 감각적 이미지로 전이되어 나타나는 표현 방식.

시어의 의미 파악하기

5
빈출유형
다음 대화에서 ⓐ에 들어갈 내용으로 적절하지 <u>않은</u> 것은?

① 소박하면서도 정겨운 이미지의 공간을 뜻해.

② 화자의 긍정적인 체험을 풀어낸 공간을 뜻해.

③ 누구나 편하게 쉴 수 있는 수평적인 공간을 뜻해.

④ 사람들이 타인과의 차이를 발견하고 이를 극복해 가는 공간을 뜻해.

⑤ 사람들이 눈을 마주치며 서로 따뜻한 위로의 말을 나누는 공간을 뜻해.

외적 준거에 따라 작품 감상하기

6
이 시에서 〈보기〉의 밑줄 친 부분에 해당하는 시구를 찾아 쓰시오.

> **보기**
>
> <u>이 시구</u>는 평상에 마주 앉은 사람들이 서로의 아픔에 공감하고 연민을 느끼는 모습을 표현하고 있다. 이처럼 상대의 일을 자기 일처럼 여기는 사람들의 모습에서, 작은 떡 하나도 나누어 먹고 이웃을 사촌이라 할 정도로 공동체 의식이 뚜렷한 한국인의 정서를 엿볼 수 있다.

5 일

(2) 한국 문학의 특성

생각
열기 한국 문학의 특성은 무엇인가?

제재 1 흥보가(작자 미상)

1 제재 개관

갈래	판소리 사설	성격	풍자적, 해학적, 교훈적, 서민적
제재	(교과서 수록 부분) 가난한 흥보의 가련한 삶의 모습		
주제	(교과서 수록 부분) 가난한 이들의 삶의 애환		
특징	① 3·4조, 4·4조의 운문과 ❶ ⬚ 이 혼합됨. ② 흥보의 가난한 상황을 해학적으로 표현함. ③ 양반의 허위의식, 부패한 관리, 물질 ❷ ⬚ 등을 풍자함.		

개념 Catch

• **판소리 사설**: 판소리를 글로 엮어 가사로서 표현한 것을 말함. '창'과 '아니리'의 반복으로 이루어짐.

❶ 산문

❷ 만능주의

2 이 글에 나타난 해학적 장면

① '해학'의 개념: 인물이 처한 상황을 과장하거나 ❸ ⬚ 하여 웃음을 유발하는 방식. 대상에 대한 애정 어린 시선을 바탕에 둠.

② 해학적으로 표현한 부분과 그 효과

• 가난한데도 자식을 너무 쉽게 갖고 많이 낳음. • 자식들이 너무 많아 강아지 항렬로 이름을 지음. • 자식들의 옷을 해 입힐 돈이 없어 멍석에 구멍을 내어 씌움. • 멍석을 함께 쓰고 있어 자식들이 불편을 겪음. • 멍석을 쓴 자식들을 '흑태', '칼 쓴 죄인'에 비유함.	흥보 가족이 처한 비극적 상황을 열거, 과장, ❹ ⬚ 등의 방법을 통해 해학적으로 표현함. ➡ ❺ ⬚ 을 유발하여 관객의 심리적 긴장을 이완함.

❸ 희화화

❹ 비유

❺ 웃음

3 이 글에서 풍자하는 당대의 현실

① '풍자'의 개념: 사회의 일면이나 부정적인 인물을 웃음거리로 만들어 비꼬거나 조롱하는 방식. 대상에 대한 ❻ ⬚ 적이고 공격적인 관점을 바탕으로 함.

② 현실을 풍자하고 있는 부분과 당대의 현실

• 흥보가 자식들에게 밥을 먹이기 위해 매품을 팔려고 함. • 흥보가 꾀수애비에게 선수를 빼앗겨 매품팔이에 실패하고 돌아옴.	많은 민중이 극심한 ❼ ⬚ 을 겪음.
아전이 범죄를 저지른 관리를 위해 대신 매품을 팔 사람을 찾음.	관리들이 범죄에 연루되고 부패함.
흥보가 아전 앞에서 말을 높이지도 낮추지도 못하고 어색한 말투로 말하다가 매품팔이 제안에 갑자기 말을 높임.	❽ ⬚ 의 동요가 일어남.
매품을 팔아 노잣돈을 벌어 온 흥보가 돈타령을 부름.	물질 만능주의의 풍조가 생겨남.

❻ 비판

❼ 가난

❽ 신분제

5일

1 한국 문학의 전통과 특질에 대한 설명이 맞으면 ○표, 틀리면 ×표를 하시오.

(1) 문학의 전통을 두 가지 측면으로 나누었을 때 갈래, 서사 구조, 인물 유형은 형식적 측면에, 주제, 미의식, 가치관은 내용적 측면에 해당된다. (   )

(2) 문학을 대할 때에는 전통을 잇되 현실에 맞게 새롭게 가꾸고자 하는 창조적 계승의 태도가 중요하다. (   )

(3) 일반적으로 한(恨)의 정서, 자연 친화의 태도와 가치관, 풍자와 해학 등을 한국 문학의 특질로 본다. (   )

2 다음 (1), (2)와 관련 깊은 내용을 바르게 연결하시오.

· ㉠ 공격성을 띤 웃음

(1) 해학 ·

· ㉡ 연민을 띤 웃음

(2) 풍자 ·

· ㉢ 애정 어린 시선

· ㉣ 비판적 관점

〈흥보가〉

3 흥보에 대한 설명으로 적절한 것에만 ✓표를 하시오.

ㄱ. 몰락한 양반이다. ·············· ☐
ㄴ. 집안의 생계를 뒷전으로 한다. ········· ☐
ㄷ. 양반으로서의 체면을 중요시한다. ······· ☐
ㄹ. 가장으로서의 권위를 지니고 있다. ······ ☐
ㅁ. 재물에 매우 인색하여 돈을 쓰지 않는다. ·· ☐

4 다음 글에 나타난 표현상의 특징과 그 효과를 파악하여 빈칸에 들어갈 적절한 말을 쓰시오.

> [아니리] 흥보가 이리 고생을 허고, 가난허게는 지내도 자식은 부자였다. 내외간에 금슬이 좋아 자식을 풀풀이 낳는디, 일 년에 꼭꼭 한 배씩, 한 배에 둘씩, 셋씩, 내외간에 서로 보고 웃음만 웃어도 그냥 입태를 허여, 그럭저럭 보태 낳은 자식들이, 깜부기 없이 꼭 아들만 스물아홉을 조롯이 낳았것다.

특징	현실적으로 불가능한 일을 (ㄱㅈ)되게 말하여 가난한 흥보의 비극적인 상황을 해학적으로 나타냄.
효과	(ㅇㅇ)을 유발하여 흥보의 비극적 상황으로 인한 관객들의 심리적 긴장을 이완함.

5 이 글에서 풍자하고 있는 당대 현실의 모습을 파악하여 빈칸에 들어갈 적절한 말을 쓰시오.

현실을 풍자하고 있는 부분		당대의 현실
범죄를 저지른 관리를 위해 대신 (ㅁㅍ)을 팔 사람을 찾는 아전의 모습	→	관리들이 (ㅂㅍ)함. : 관리들이 범죄에 연루되고, 아전이 고을 좌수의 형벌을 대신할 사람들을 찾음.

6 다음 구절에 나타난 판소리의 표현 방법으로 적절한 것은?

> '쥘 처먹고 똥 눈다고 날 못살게 허느냐?'

① 비유적 표현 ② 과거형 시제 ③ 장면의 극대화
④ 문어체의 사용 ⑤ 비속어의 사용

교과서 기출 베스트

[1~3] 다음 글을 읽고 물음에 답하시오.

가 [중모리] 멍석자리, 거적문으 부검지로 이불 삼아, 춘하추동 사시절을 품을 팔아 연명혈 제, 상하 전답 기음매고, 전세 대동 방애 찧기, 상고 무역 삯짐 지고, 초상난 집 부고 전키, 묵은 집에 토담 쌓고, 새집에 앙토허고, 대장간 풀무 불기, 십 리 대돈 승교 메고, 오 푼 받고 마철 걸기, 두 푼 받고 똥제 치고, 백 냥 받고 송장 치기, ㉠생전 못 해 보던 일로 이렇듯 벌건마는, 하로를 품을 팔면 사오일씩 앓고 나니 생계 부지되겠느냐? 흥보 아내 품을 팔 제, 오뉴월 밭 매기와 구시월 김장허기, 한 말 받고 벼 훑기와 물레질, 베 짜기며, 빨래질, 헌 옷 깁기, 혼장 대사(婚葬大事) 진일허기, 채소밭에 오줌 주기, 갖은 질쌈 베매기와 소주 곱고, 장 댈이기, 물방아 쌀 까불기, 보리 갈 제 거름 넣기, 못자리 때 망풀 뜨기, 아기 낳고 첫국밥을 손수 지어 먹은 후으 몸조리할 때에는 절구질로 땀을 내며, ㉡한시 반 때 놀지 않고, 이렇듯 품을 팔어 생불여사로 지내는구나.

나 [아니리] 〈중략〉 수다(數多)헌 자식들을 의복 지어 입힐 수 없어, 흥보가 꾀 하나를 생각해 가지고, 부잣집을 다니며 신짚을 얻어다가 멍석을 절어 가되, 목이 들고 날 만허게 절어 가다 궁글 내고, 절어 가다 궁글 내고, 이십팔수로 궁글 내어, 자식들을 앉혀 놓고 강상죄인 칼 씌우듯 멍석을 딱 씌워 노니, 몸뚱이는 안 보이고 대글빡만 멍석 위에 흑태(黑太) 메주 넣어 논 뿐이 되었겄다. 이놈들이 울어도 앉어 울고, 잠을 자도 앉어 자고, 이러고 앉었다가,

[자진모리] 그중 한 명 똥 마려면 저만 빠져 가련만, 이놈들 미련하야 뭇놈이 다 나갈 적, 그중의 키 적은 놈 미처 목을 못 빼 노면 발이 땅에 안 닿으니, 육성으로 목 매달려, "아이고, 나 죽는다! 밥을 며칠썩 굶은 놈들이 뭘 처먹고 똥 눈다고 날 못살게 허느냐?" 죽는다고 소리치며, 개자식 놈, 쇠 자식 놈, 똥 누는 놈이 욕을 먹고, 그중에 짓궂인 놈

옆에 놈을 집어뜯고 정색허고 앉았으면, 누가 헌 줄 몰라 쓸어잡고 욕설을 허는구나.

– 작자 미상, 〈흥보가〉

판소리의 장단 이해하기

1 (가)에 대한 이해로 적절한 것은?

① 조금 느린 장단으로 사연을 서술하는 대목에 해당된다.

② 조금 빠른 장단으로 흥겨움을 표현하는 대목에 해당된다.

③ 빠른 장단으로 연이어 벌어지는 사건을 서술하는 대목에 해당된다.

④ 가장 빠른 장단으로 극적이고 긴박한 사건을 서술하는 대목에 해당된다.

⑤ 가장 느린 장단으로 사건을 느슨하고 애절하게 서술하는 대목에 해당된다.

세부 내용 파악하기

2 (나)의 내용과 일치하는 것은?
빈출유형

① 흥보는 다투는 자식들을 보고 욕설을 하며 달래었다.

② 흥보는 자식들에게 줄 옷을 하나씩 만들어 입히었다.

③ 흥보는 자식들에게 먹일 메주를 멍석 위에 늘어놓았다.

④ 흥보의 자식들은 멍석 옷 때문에 앉은 채로 생활해야 했다.

⑤ 흥보의 자식들은 자신들을 위한 흥보의 노력에 눈물을 흘리었다.

인물의 처지 파악하기

3 ㉠과 ㉡에서 알 수 있는 흥보 가족의 처지를 쓰시오.

[4~5] 다음 글을 읽고 물음에 답하시오.

[아니리] 날이 차차 해동허여 뭇놈들이 멍석 벗고 양지밭으로 나앉으니, 아궁이에서 자고 난 듯 불고양이 모양이요, 한데 엉켜 노는 것은 문쥐 떼 노는 형상인디, 하로는 이놈들이 제각기 입맛대로 음식 타령을 내어 저희 어머니를 조를 것다. ㉠한 놈이 나앉으며, "아이고, 어머니! 나는 서리 쌀밥에 육개장국 후춧가루 얼근히 쳐서, 더운 김에 한 그릇만 주시오!" 홍보 마누라 한숨 쉬며 "이 자식아, 전에 먹던 입맛은 있다마는, 죽도 먹지 못하는디 턱없는 육개장을 어디 있어 달라느냐?" ㉡한 놈이 곁에서 주먹으로 가슴을 치며, "어, 그놈 허는 말을 듣고 침을 자꾸 생켰드니, 육체가 됐나 부다. 어무니! 육체에는 꿀물이 제일 좋대요. 나는 밀수나 달게 타서 한 대접만 갖다 주시오!" 또 ㉢한 놈이 나앉으며, "아이고, 어머니! 나는 술찌게미나 보리 겨나 제발 덕분에 배부를 것 좀 주시오!" 한참 이리헐 즈음에, ㉣홍보 큰아들놈이 썩 나앉는디, 수염에 가지가 돋친 놈이 고동뿌사리 성음으로 ㉤저희 어머니를 부르것다. "어무니이!" "어따, 이놈아! 너는 왜 그리 목에 식구가 많으냐?" "어머니 아부지와 공론허고, 날 장가 좀 디려 주시오!"

[진양조] 홍보 마누라 기가 막혀, "어따, 이놈아! 야, 이놈아, 말 들어라. 우리가 형세가 있고 보면, 네 장개가 여태 있으며, 중헌 가장을 못 멕이고, 어린 자식을 벳기겠느냐? 못 멕이고, 못 입히는 어미 간장이 다 녹는다. 제발 덕분으 조르지를 말어라."

[아니리] 이렇듯 마누라가 울음을 우니, 홍보가 가만히 듣더니만, "여보, 마누라. 울지 마오. 나 오늘 읍내 좀 갔다 오리다." "읍내는 무엇하러 가시오?" "환자 섬이나 얻어 와야 저 자식들을 구원하지 않겠소?" "여보, 영감, 저 모냥에 환자 먹고 도망헌다고 안 줄 것이니, 가지 마오." 홍보가 화를 버쩍 내어, "가장이 출입을 헐라는디, 여편네가 방정맞

은 소리를 허는고? 그, 무슨 일을 꼭 믿고만 다니나? 구사일생(九死一生)으로 알고 가지. 잔소리 말고 내 도복이나 이리 내와!"

　　　　　　　　　　　　　　　– 작자 미상, 〈흥보가〉

표현상 특징 파악하기

4 **이 글에 나타난 표현상 특징으로 적절하지 않은 것은?**

빈출
유형

① 명령형 어조를 통해 흥보의 가부장적 면모를 드러내고 있다.

② 수적 표현을 통해 아들의 목소리를 해학적으로 나타내고 있다.

③ 비유적 표현을 통해 흥보 자식들의 지저분한 모습을 드러내고 있다.

④ 사자성어를 통해 아내의 만류에도 환자를 빌려 오려는 흥보의 입장을 드러내고 있다.

⑤ 반어적 표현을 통해 부모의 상황을 헤아려 주지 않는 자식들에 대한 원망을 드러내고 있다.

인물의 태도 파악하기

5 **이 글에서 ㉠~㉤이 한 말로 적절하지 않은 것은?**

①　　어머니, 저는 흰 쌀밥에 육개장을 먹고 싶습니다.
㉠

②　　어머니, 저는 감기가 걸려서 꿀물을 마시고 싶습니다.
㉡

③　　어머니, 저는 술을 거르고 남은 찌꺼기라도 먹고 싶습니다.
㉢

④　　어머니, 저는 장가가 가고 싶습니다.
㉣

⑤　　자식을 못 먹이고 못 입히는 마음이 슬프구나.
㉤

[6~8] 다음 글을 읽고 물음에 답하시오.

[아니리] A[가다가 별안간 걱정이 생겼것다. '내가 아무리 궁수남아가 되었을망정, 나는 반남 박씨인디, 아전을 보고 '허시오'를 헐 수는 없고, '허게'를 했다가는 저 사람들이 듣기 싫어 환자를 안 줄 터이니, 이 일을 어찌하면 좋드라?' 한참 생각다가, "옳다! 좋은 수가 있다. 아전들을 보고 인사를 헐 때, 말끝을 '고' 자, '제' 자로 달아 가지고 웃음으로 따질밖에 수가 없구나."] 질청에를 들어가니, 호장 이하 아전들이 우 일어나며, "아니, 여 박 생원 아니시오?" "여, 참, 여러분 본 지 경세우경년이로고. 하하하하. 그래, 각 댁은 다 태평허신지 모르제. 하하하하하." "아, 우리야 편습니다마는 그, 백씨장 기후(氣候) 안녕허시오?" "아, 우리 백씨장이사 여전허시제. 하하하하하." "그런데 박 생원 이게 어쩐 걸음이시오?" "글쎄, 그, 가솔은 많고, 양도가 부족허여 환자 섬이나 얻을까 허고 왔지마는, 그, 여러분, 처분이 어떨런지 모르제. 하하하." "아니 백씨장이 만석 거부인디 박 생원이 환자 자신단 말이 어쩐 말이오?" "글쎄, 거, 형제간이라도 너무 자조 얻어다 먹고 보니 염치가 없드고. 하하하하." "그도 그럴 것이오. 백씨장 속을 누가 모르겠소. 그런디 참, 박 생원 그, 매 더러 맞어 봤소?" "뭐? 아니, 매 맞는 말은 왜 해?" "그렇게 그, 갚기 어려운 환자를 자실 게 아니라, 내려온 짐에 매를 좀 맞으시오." "아니, 환자 대신 매를 맞어? 왜? 내가 밥을 굶었다니까 매를 굶은 사람인 줄로 아나?" "그런 게 아니라, 우리 골 좌수(座首)가 병영 영문(兵營營門)에 상사범을 당했는디, 좌수 대신으로 곤장 열 개만 맞고 오시면, 한 개에 석 냥씩, 열 개면 서른 냥은 굳은 돈이요, 무론 뉘가 가던지 말 타고 가라고 마삯 닷 냥까지, 서른닷 냥을 주기로 했으니 거, 다녀오시랴오?" 흥보가 돈 말을 듣더니 대번에 '허시오'로 올라가는디 "여, 여, 여보시오, 가고 말고요. 내가 가기는 가겠소마는 아, 거

양반도 곤장을 때리오?" "아, 병영 영문은 무상소하문이오." "거 대단하오 그려." — 작자 미상, 〈흥보가〉

인물 간의 관계 및 태도 파악하기

6 이 글의 박 생원에 대한 설명으로 적절하지 않은 것은?
빈출유형

① 아전들 앞에서 백씨장을 욕보이지 않으려 하였다.
② 아전들과 일면식이 있는 사이로 안부를 물으며 인사를 나누었다.
③ 아전들이 말하기 전까지 매품팔이가 있다는 사실을 알지 못하였다.
④ 양반의 위신을 고려하여 아전들에게 자신이 찾아온 목적을 숨겼다.
⑤ 백씨장과 달리 가난한 처지로 아전들을 만나 환자를 빌리려 하였다.

글에 반영된 당대의 모습 파악하기

7 이 글을 통해 추측할 수 있는 당대의 모습으로 적절하지 않은 것은?
빈출유형

① 죄를 짓더라도 돈을 이용해 형벌을 피할 수 있었다.
② 관리들이 서민들의 삶을 보살피지 않고 부패하였다.
③ 아전들이 매품을 소개하고 제안하며 부정을 저질렀다.
④ 서민들이 생활이 빈곤하여 생계유지를 위해 매품을 팔고자 하였다.
⑤ 양반들은 돈보다 체면을 중요시하여 양반의 체통을 지키고자 하였다.

글에 반영된 사회상 파악하기

8 〈보기〉를 참고하여 A[ ]에서 드러나는 당시의 사회상을 2어절로 쓰시오.

> **보기**
> 조선 후기에는 부를 축적한 농민과 상인들이 등장하고, 이들이 몰락한 양반의 신분을 사서 신분 상승을 이루는 경우가 생겨났다.

[9~10] 다음 글을 읽고 물음에 답하시오.

[중모리] 흥보가 내려간다. 병영 일백구십 리를 허위허위 내려가며, 신세 자탄(身世自歎)으로 울음을 운다. "아이고, 아이고, 내 신세야. 천지가 삼기고, 사람이 삼겨 날 적 별로 후박이 없으련만, 박흥보는 박복허여 매품이란 말이 웬 말인가?" 그렁저렁 길을 걸어 병영 영문을 당도허여, 치어다보니 대장기요, 내려 굽어보니 숙정패로구나. 심산 맹호 위용같이 용 자 붙인 군로 사령들이 이리 가고 저리 갈 적, 흥보는 근본이 숫헌 사람이라, 벌벌벌 떨면서 들어간다.

[아니리] 〈중략〉 흥보가 삼문간에 들어가서 동헌 마당을 굽어보니, 죄인들이 너댓씩 형판에 엎져서 볼기를 맞는지라. 흥보 마음에는 그것이 돈 버는 사람들인 줄 알았겄다. '아이고, 저 사람들은 일찍 와서 돈 많이 번다. 수백 냥씩 버는구나. 나도 볼기 좀 까고 엎져 볼까?' 흥보가 볼기를 까고 삼문간에 엎졌을 제, 취열마당에서 사령들이 우 쏟아져 나오더니, "이런 일 좀 보게! 병영 영문 설립지후(設立之後)로 삼문간에서 볼기전 보는 놈이 생겨났네!" 사령 중에 흥보 아는 사령 하나가 나오더니, "아, 여보, 박 생원 아니시오?" "알아맞혔고." "아, 그 왜 이러고 엎졌소?" "매 맞으러 왔지." 저 사령 알아듣고, "박 생원 꿇았소, 꿇아." "여보게, 꿇다니? 그게 어쩐 허는 말인가?" "다른 말씀이 아니라 아까 조사 후에 어떤 놈이 흥보 씨 대신이라고 곤장 열 개 맞고, 돈 삼십 냥 짊어지고 한 오십 리 갔을 것이오." "여보게, 그놈이 어떻게 생겼든가?" "키는 조그만허고, 모기 눈, 주

걱턱에 쥐털수염 거사리고, 곤장 열 개를 맞는디, 그놈 담차게 맞습디다." "아이고, 이 일을 어쩔그나! 우리 마누라 우는 통에, 뒷집 꾀수애비란 놈이 알고 발등거리를 허였구나."

– 작자 미상, 〈흥보가〉

인물의 심리 파악하기

9 빈출유형 **이 글에 나타난 흥보의 심리로 적절한 것은?**

① 매품을 팔지 못하게 되자 즐거워하고 있다.
② 매를 맞으러 병영에 들어서는 것을 두려워하고 있다.
③ 병영 영문을 지키는 군사들의 위용에 감탄하고 있다.
④ 볼기를 맞는 사람들을 보고 연민의 감정을 느끼고 있다.
⑤ 돈을 벌어 가면 아내가 좋아할 거라는 생각에 기뻐하고 있다.

세부 내용 파악하기

10 빈출유형 **다음 선생님의 질문에 대한 답변으로 적절한 것은?**

이 글에서 흥보가 매품을 팔지 못하게 된 이유는 무엇일까요?

① 꾀수애비가 흥보 대신이라고 하며 매품을 가로챘기 때문이다.
② 사령들이 흥보가 매를 맞고 받아야 할 돈을 뒤로 빼돌렸기 때문이다.
③ 꾀수애비가 흥보 행세를 하여 매품을 팔고 돈을 받아갔기 때문이다.
④ 사령들이 꾀수애비에게 뇌물을 받고 흥보 대신 매품을 팔게 했기 때문이다.
⑤ 흥보에게 매를 팔기로 한 사람이 마음을 바꾸어 다른 사람에게 매품을 팔게 했기 때문이다.

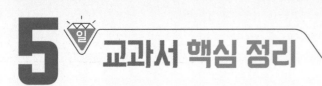

제재 2 ㉮ 묏버들 갈힌 것거 (홍랑) ㉯ 춘망사 (설도)

1 ㉮ 제재 개관

갈래	평시조	성격	감상적, 애상적
제재	묏버들, 이별	주제	임에 대한 ❶ 과 사랑의 다짐
특징	① 상징적 소재가 사용됨. ② 도치법이 사용됨. ③ 임에게 말을 거는 듯한 대화적 어조가 드러남.		

2 ㉮ '묏버들'의 상징적 의미

① 이별의 정표

② 임을 그리워하는 화자의 ❷

③ 임에 대한 사랑의 마음

④ 임이 자신을 잊지 않기를 바라는 마음

3 ㉯ 제재 개관

갈래	한시, 오언 절구	성격	애상적, 체념적
제재	꽃잎, 풀잎	주제	임에 대한 그리움
특징	① 정형시 율격에 맞추기 위한 ❸ 가 사용됨. ② 기승전결의 구조로 전구와 결구가 대구됨.		

4 ㉯ 자연과 인간사의 대조

'꽃잎'(자연): 자연의 ❹ 원리에 따라 때가 되면 꽃이 피고 짐.	↔	'임'(인간): 화자가 몹시 바라는데도 화자에게로 돌아오지 않음.

임이 언제 돌아올지 알 수 없는 상황에 대한 ❺   을 강조함.

제재 3 거산호 · II (김관식)

1 제재 개관

갈래	자유시, 서정시	성격	상징적, 의지적, 자연 친화적
제재	산	주제	산에 기거하며 ❻ 을 닮고자 함.
특징	① 속세와 자연의 대비가 뚜렷하게 드러남. ② 산의 장점을 열거하였음. ③ ❼ 적 표현을 통해 산에 기거하고자 하는 마음을 강조함.		

2 속세와 자연에 대한 화자의 상반된 태도

속세	← '장거리 등지고' 거리를 두어 멀리함.	화자	'북창을 열어', '산을 향하여' 더욱 가까이 마주하려 함. →	❽

〈묏버들 갈히 것거〉

1 이 시에 대한 설명으로 빈칸에 들어갈 적절한 말을 쓰시오.

(1) 이 시는 조선 중기의 기생 홍랑이 지은 (ㅍㅅㅈ)로, 임과 사랑에 빠졌다가 헤어지며 부른 (ㅇㅂ)의 노래이다.

(2) 이 시에서는 묏버들이라는 상징적 소재와 임에게 말을 거는 듯한 (ㄷㅎㅈ) 어조를 사용하여 임에 대한 그리움과 (ㅅㄹ)을 표현하고 있다.

2 다음 시에 나타난 소재의 상징적 의미를 파악하여 빈칸에 들어갈 적절한 말을 쓰시오.

> 묏버들 갈히 것거 보내노라 님의 손디
> 자시는 창(窓)밧긔 심거 두고 보쇼셔
> 밤비예 새닙곳 나거든 날인가도 너기쇼셔

(1) '묏버들'의 상징적 의미는?
  ▶ (ㅇㅂ)의 정표이자 임을 그리워하는 화자의 (ㅂㅅ)

(2) '새닙'의 상징적 의미는?
  ▶ 임이 (ㅎㅈ)라고 여기길 원하는 대상

〈춘망사〉

3 이 시에 대한 설명이 맞으면 ○표, 틀리면 ✕표를 하시오.

(1) 오언 절구의 한시로 각 행의 글자 수가 모두 다섯 글자로 같다. ( )

(2) 사랑과 이별, 그리고 그에 따른 그리움이라는 인간의 보편적인 정서를 다루고 있다. ( )

(3) 자연사와 인간사를 대조하여 임이 언젠가 돌아올 것을 기대하는 화자의 심정을 강조하고 있다. ( )

4 이 시의 시상 흐름에 따른 시구를 바르게 연결하시오.

(1) **기구**
: 꽃잎이 지는 모습을 바라봄.

· · ㉠ 만날 날은 아득타, 기약이 없네.

(2) **승구**
: 오지 않은 임을 만나지 못해 안타까워함.

· · ㉡ 무어라, 맘과 맘은 맺지 못하고

(3) **전구**
: 임과 마음을 맺지 못함.

· · ㉢ 꽃잎은 하염없이 바람에 지고

(4) **결구**
: 풀잎만 맺고 있어 안타까워함.

· · ㉣ 한갓되이 풀잎만 맺으려는고.

〈거산호·Ⅱ〉

5 이 시에 나타난 '장거리'와 '산'의 속성을 비교하여 빈칸에 들어갈 적절한 말을 쓰시오.

장거리

(ㅅㅅ)의 공간
: 시끄럽고 번잡함.

↔

산

자연의 공간
: 고요하고 너그러우며 (ㄱㅎ)함.

6 다음 시구에 드러난 화자의 태도를 파악하여 빈칸에 들어갈 적절한 말을 쓰시오.

> 장거릴 등지고 산을 향하여 앉은 뜻은

▶ 자연 속에서의 삶을 (ㅈㅎ)함.

[1~5] 다음 시를 읽고 물음에 답하시오.

가　㉠묏버들 갈히 것거 ⓐ보내노라 님의손ᄃᆡ

　　㉡자시는 창(窓)밧긔 심거 두고 보쇼셔

　　밤비예 ㉢새닙곳 나거든 날인가도 너기쇼셔

　　　　　　　　　　　　　　　　　– 홍랑, 〈묏버들 갈히 것거〉

나　㉣꽃잎은 하염없이 ㉤바람에 지고　風花日將老(풍화일장로)

　　㉥만날 날은 아득타, 기약이 없네.　佳期猶渺渺(가기유묘묘)

　　무어라, 맘과 맘은 맺지 못하고　　不結同心人(불결동심인)

　　한갓되이 ㉦풀잎만 맺으려는고.　　空結同心草(공결동심초)

　　　　　　　　　　　　　　　　　– 설도, 〈춘망사〉

갈래의 형식적 특징 파악하기

1 **(가)와 (나) 갈래의 형식적 특징으로 적절하지 않은 것을 다음 표에서 모두 골라 묶은 것은?**
빈출
유형

(가)	ㄱ. 3장 6구 45자 내외로 구성되어 있다. ㄴ. 종장 첫 구를 제외하면 글자 수를 한두 글자 정도 어기는 것은 허용한다. ㄷ. 시상의 흐름에 특별한 제한이 없다.
(나)	ㄹ. 네 행의 글자 수가 모두 다섯 글자로 같다. ㅁ. 각 행의 글자 수를 한두 글자 정도 어기는 것은 허용한다. ㅂ. 시상의 흐름에 특별한 제한이 없다.

① ㄱ, ㄴ　　② ㄴ, ㄷ　　③ ㄷ, ㄹ
④ ㄹ, ㅁ　　⑤ ㅁ, ㅂ

표현상 특징 파악하기

2 **(나)의 표현상 특징으로 적절한 것은?**
빈출
유형
① 색채어를 대비하여 주제 의식을 부각하고 있다.
② 풍자의 방식을 활용하여 대상을 비판하고 있다.
③ 음성 상징어를 사용하여 생동감을 나타내고 있다.
④ 특정한 행위를 통해 화자의 정서를 드러내고 있다.
⑤ 화자가 처한 상황을 과장하여 시적 분위기를 강조하고 있다.

시어나 시구의 의미 파악하기

3 **㉠~㉦에 대한 설명으로 적절한 것은?**
빈출
유형
① ㉠과 ㉤은 계절적인 배경을 드러낸다.
② ㉠과 ㉣은 떠나간 임의 심정을 대변하는 대상이다.
③ ㉡과 ㉥은 화자의 염원과 관련이 있다.
④ ㉢과 ㉣은 임이 화자로 여기길 원하는 대상이다.
⑤ ㉢과 ㉦은 화자가 임에게 건네는 이별의 정표이다.

표현상 특징 파악하기

4 **ⓐ의 표현상 특징으로 적절한 것은?**
① 대구법을 통해 운율을 형성하고 있다.
② 역설법을 통해 화자의 정서를 드러내고 있다.
③ 설의법을 통해 화자의 의도를 강조하고 있다.
④ 도치법을 통해 화자의 마음을 강조하고 있다.
⑤ 돈호법을 통해 독자의 주위를 환기시키고 있다.

화자의 정서 파악하기

5 **(가)와 (나)에 공통적으로 드러난 화자의 정서를 3음절로 쓰시오.**

[6~8] 다음 시를 읽고 물음에 답하시오.

오늘, 북창(北窓)을 열어,

장거릴 등지고 산을 향하여 앉은 뜻은

사람은 맨날 변해 쌓지만

태고(太古)로부터 푸르러 온 산이 아니냐.

고요하고 너그러워 수(壽)하는 데다가

보옥(寶玉)을 갖고도 자랑 않는 겸허한 산.

마음이 본시 산을 사랑해

평생 산을 보고 산을 배우네.

그 품 안에서 자라나 거기에 가 또 묻히리니

내 이승의 낮과 저승의 밤에

아아(峨峨)라히 뻗쳐 있어 다리 놓는 산.

네 품이 내 고향인 그리운 산아

미역취 한 이파리 상긋한 산 내음새

ⓐ산에서도 오히려 산을 그리며

꿈 같은 산정기(山精氣)를 그리며 산다.

— 김관식, 〈거산호〉

6 이 시에 대한 설명으로 적절하지 <u>않은</u> 것은?

표현상 특징 파악하기

빈출유형

① 자연물이 지닌 긍정적인 속성들을 열거하고 있다.

② 자연물을 직접 부르며 고조된 정서를 나타내고 있다.

③ 자연물을 의인화하여 대상에 대한 애정을 드러내고 있다.

④ 감각의 전이를 활용하여 대상을 구체적으로 묘사하고 있다.

⑤ 후각적 심상을 동원하여 대상을 감각적으로 형상화하고 있다.

7 이 시에 나타난 화자의 태도를 다음과 같이 정리할 때, ㉠, ㉡에 들어갈 대상과 그 의미로 적절하지 <u>않은</u> 것은?

대상의 의미 파악하기

빈출유형

부정적 태도 ← ㉠ ← 화자 → 긍정적 태도 → ㉡

① ㉠: 장거리 – 속세, 시끄럽고 번잡한 공간

② ㉠: 북창 – 장거리가 보이는 곳, 화자가 꺼리는 대상

③ ㉠: 사람 – 가변적인 존재, 화자가 지향하지 않는 대상

④ ㉡: 산 – 가진 것을 자랑하지 않는 존재, 화자가 닮고 싶어 하는 대상

⑤ ㉡: 자연 – 화자가 지향하는 삶이 있는 곳, 화자가 함께하고 싶어 하는 대상

8 다음은 ⓐ에 사용된 표현법과 그 효과이다. 빈칸에 들어갈 적절한 말을 각각 3음절과 2음절로 쓰시오.

표현상 특징 파악하기

표현법	( )
효과	산에 대한 화자의 간절한 ( )과 그리움을 강조한다.

1 서사 갈래에 해당하지 <u>않는</u> 것은?

① 신적인 존재가 주인공인 신화

② 판소리 사설을 소설화한 판소리계 소설

③ 계몽과 애국 정신을 드러낸 개화기 소설

④ 여행지에서의 체험과 느낌을 서술한 기행문

⑤ 굿을 할 때 무당이 구연하는 노래인 서사 무가

2 다음 글을 읽고 아래 대화의 빈칸에 들어갈 적절한 말을 쓰시오.

> "사부는 어찌하면 소유로 하여금 춘몽을 깨게 하실 수 있나이까?"
>
> 노승이 이르기를,
>
> "이는 어렵지 않도다."
>
> 하고 손에 잡고 있던 석장(錫杖)을 들어 돌난간을 두어 번 두드렸다. 갑자기 네 골짜기에서 구름이 일어나 누대(樓臺) 위를 뒤덮어 지척을 분변하지 못하였다.
>
> – 김만중, 〈구운몽〉

 선생님

제시된 부분은 이 글에서 고전 소설의 특징이 잘 드러나는 장면 중 하나예요. 어떤 특징을 찾을 수 있을까요?

현실에서 일어날 수 없는 ( )적 요소가 자주 활용되는 고전 소설의 특징을 발견할 수 있어요.

 선희

3 다음 글에 나타난 인물의 말하기 방식으로 적절하지 <u>않은</u> 것은?

> "〈중략〉 내가 생각하니 천하에 유도(儒道)·선도(仙道)·불도(佛道)가 가장 높으니 이를 삼교(三敎)라고 이른다. 유도는 생전(生前)의 사업과 신후(身後)에 이름을 전할 뿐이요, 신선은 예로부터 구하여 얻은 자가 드무니 진시황·한 무제·현종 황제를 보면 알 수 있다. 내가 벼슬에서 물러난 후로부터 밤에 잠이 들면 꿈속에서 매양 포단 위에서 참선하는 모습을 보니 이는 필연 불가와 인연이 있는 것이라. 내가 장차 장자방이 적송자(赤松子)를 따른 것을 본받아 집을 버리고 스승을 구하여 남해를 건너 관세음보살을 찾고, 오대(五臺)에 올라 문수보살(文殊菩薩)께 예를 하여 불생불멸(不生不滅)의 도를 얻어 진세 고락을 벗고자 하되, 그대들과 반평생을 해로하다가 갑자기 이별하려 하니 슬픈 마음이 자연스레 곡조에 나타난 것이오."
>
> – 김만중, 〈구운몽〉

① 유도와 선도와 불도를 비교하고 있다.

② 구체적인 예를 통해 선도의 한계를 지적하고 있다.

③ 옛 인물의 사례를 들어 자신의 계획을 말하고 있다.

④ 자신의 실패 경험을 통해 유도의 단점을 제시하고 있다.

⑤ 꿈의 내용을 토대로 자신과 불가의 인연을 강조하고 있다.

4 다음 글을 바탕으로 하여 시어머니의 '도리질'의 의미를 〈보기〉와 같이 정리할 때, 빈칸에 들어갈 적절한 말을 각각 쓰시오.

> 그들은 처음부터 누굴 해치려고 나타났다기보다는 그냥 시어머니와 마주쳤거나 마주친 김에 옷이나 먹을 것을 달랄 작정이었는지도 모른다. 그런데 그들이 무슨 말을 걸기도 전에 시어머니는 그 자리에 꼼짝도 못 하고 못 박힌 채 고개만 미친 듯이 저으며 "몰라요, 난 몰라요."를 딴사람같이 드높고 새된 소리로 되풀이했다. 패잔병 중 한 사람의 눈에 살기가 번뜩이는가 하는 순간 총이 그녀의 남편을 향해 난사됐다. 그녀의 남편은 처참한 모습으로 나동그라지고 그들도 어디론지 도망쳤다.
> ― 박완서, 〈겨울 나들이〉

┌─ 보기 ─
│ '도리질'은 (   )을 지키려는 시어머니의 굳은
│ (   )가 담긴 행위이다.
└─

5 ㉠에 대한 이해로 적절한 것은?

> 나 (관객석 쪽으로 돌아서다가, 흠칫 놀라며) 웬 사람들이 이렇게 몰려오죠?
> 촌장 마을 사람들이죠. 〈중략〉
> 촌장 ㉠(관객들을 향해) 어서 오십시오, 주민 여러분.
> ― 이강백, 〈파수꾼〉

① 시대상을 상징하는 소재가 제시되고 있다.
② 음향을 통해 인물의 심리를 드러내고 있다.
③ 관객을 작중 인물로 설정하여 극에 참여시키고 있다.
④ 배우가 해설자로 등장하여 극의 내용을 설명하고 있다.
⑤ 배우 한 명이 여러 역할을 맡고 있음이 드러나고 있다.

6 〈보기〉는 이 극의 특징이다. ㉠~㉤ 중 다음 글에 나타나지 않는 특징의 기호를 쓰시오.

> 말뚝이 쉬이. (춤과 반주 그친다.) 여보, 악공들 말씀 들으시오. 오음 육률(五音六律) 다 버리고 저 버드나무 홀뚜기 뽑아다 불고 바가지장단 좀 쳐 주오.
> 양반들 야아, 이놈, 뭐야!
> 말뚝이 아, 이 양반들, 어찌 듣소. 용두 해금(奚琴), 북, 장구, 피리, 젓대 한 가락도 뽑지 말고 건건드러지게 치라고 그리하였소.
> 양반들 (합창) 건건드러지게 치라네. (굿거리장단으로 춤을 춘다.)
> ― 작자 미상, 〈봉산탈춤〉

┌─ 보기 ─
│ ㉠ 무대와 악공 사이에 경계가 없다.
│ ㉡ 언어유희를 통해 양반을 풍자한다.
│ ㉢ '쉬이'를 활용하여 춤과 반주를 멈추게 한다.
│ ㉣ 춤을 통해 갈등이 일시적으로 해소되었음을 알린다.
│ ㉤ 말뚝이가 양반을 조롱한 후 변명하는 재담 구조를 보인다.
└─

7 다음 글에 활용된 표현 방식으로 적절하지 않은 것은?

> 강물은 두 산 사이에서 쏟아져 나와, 바윗돌과 부딪치며 거세게 다툰다. 그 화들짝 놀란 듯한 파도, 분노를 일으킨 듯한 물결, 슬피 원망하는 듯한 여울물은 내달아 부딪치고 휘말려 곤두박질치며 울부짖고 고함치는 듯하여, 항상 만리장성을 쳐부술 듯한 기세를 지니고 있다. 전거(戰車) 만 채, 전기(戰騎) 만 대(隊), 전포(戰砲) 만 문, 전고(戰鼓) 만 개로도, 무너져 내려앉고 터져 나오며 짓누르는 저 강물의 소리를 비유하기에 부족하다.
> ― 박지원, 〈일야구도하기〉

① 열거법   ② 과장법   ③ 의인법
④ 반어법   ⑤ 직유법

1 다음 글을 읽고 〈보기〉의 ⓐ, ⓑ에 들어갈 적절한 말을 쓰시오.

> 근데 그 중이 먼저 무슨 주의를 시켰냐면,
> ㉠"당신, 가다가서 뒤에서 아무런 소리가 나두 절대루 뒤를 돌아보면 안 된다."
> 는 거를 부탁을 했는데, 이 여인이 가는데 갑자기 뇌성벽력을 하면서 그 벼락 치는 소리가 나니까, 깜짝 놀래서 뒤를 돌아봤단 말야. 그러니까 그 자리에서 그만 화석이 됐어.
>
> – 작자 미상, 〈용소와 며느리바위〉

> **보기**
> 이 글에서 ㉠은 해서는 안 되는 행동인 (ⓐ)에 해당한다. (ⓐ)는 본능과 욕구를 참지 못하는 인간의 (ⓑ)를 드러내는 기능을 한다.

2 ㉠~㉤에 대한 이해로 적절하지 <u>않은</u> 것은?

> ㉠거친 밭 언덕 쓸쓸한 곳에 　寂寞荒田側
> 　　　　　　　　　　　　　　　적 막 황 전 측
> ㉡탐스러운 꽃송이 가지 눌렀네. 　繁花壓柔枝
> 　　　　　　　　　　　　　　　번 화 압 유 지
> 매화 비 그쳐 향기 날리고 　　　香輕梅雨歇
> 　　　　　　　　　　　　　　　향 경 매 우 헐
> 보리 바람에 그림자 흔들리네. 　影帶麥風欹
> 　　　　　　　　　　　　　　　영 대 맥 풍 의
> ㉢수레 탄 사람 누가 보아 주리 　車馬誰見賞
> 　　　　　　　　　　　　　　　거 마 수 견 상
> 벌 나비만 부질없이 찾아드네. 　蜂蝶徒相窺
> 　　　　　　　　　　　　　　　봉 접 도 상 규
> ㉣천한 땅에 태어난 것 스스로 부끄러워 自慚生地賤
> 　　　　　　　　　　　　　　　자 참 생 지 천
> 사람들에게 버림받아도 ㉤참고 견디네. 堪恨人棄遺
> 　　　　　　　　　　　　　　　감 한 인 기 유
> 　　　　　　　　　　　– 최치원, 〈촉규화〉

① ㉠: 촉규화가 피어 있는 환경을 나타낸다.
② ㉡: 화자의 완숙한 학문적 경지를 의미한다.
③ ㉢: 화자와 경쟁하고 대립하는 인물을 의미한다.
④ ㉣: 화자의 낮은 신분과 비천한 출신을 의미한다.
⑤ ㉤: 자신의 처지에 대한 화자의 체념적 태도를 드러낸다.

3 다음 시의 시적 대상이 나눌 법한 대화로 적절하지 <u>않은</u> 것은?

> 평상이 있는 국숫집에 갔다
> 붐비는 국숫집은 삼거리 슈퍼 같다
> 평상에 마주 앉은 사람들
> 세월 넘어온 친정 오빠를 서로 만난 것 같다
> 국수가 찬물에 헹궈져 건져 올려지는 동안
> 쯧쯧쯧쯧 쯧쯧쯧쯧,
> 손이 손을 잡는 말 / 눈이 눈을 쓸어 주는 말
> 병실에서 온 사람도 있다
> 식당 일을 손 놓고 온 사람도 있다
> 사람들은 평상에만 마주 앉아도
> 마주 앉은 사람보다 먼저 더 서럽다
> 세상에 이런 짧은 말이 있어서
> 세상에 이런 깊은 말이 있어서
> 국수가 찬물에 헹궈져 건져 올려지는 동안
> 쯧쯧쯧쯧 쯧쯧쯧쯧,
> 큰 푸조나무 아래 우리는
> 모처럼 평상에 마주 앉아서
>
> – 문태준, 〈평상이 있는 국숫집〉

① 그래, 몸은 좀 어때? 많이 힘들지? 곧 좋아질 거니까 힘내.

② 아이들 키우느라 수고가 많네. 여기 슈퍼에서 과자를 골라 봐. 내가 사줄게.

③ 어머니 돌아가시고 많이 애통했겠구나. 어머니는 좋은 곳으로 가셨을 거야.

④ 그동안 얼마나 고생했니…… 얼굴 수척해진 것 좀 봐. 내 마음이 더 아프구나.

⑤ 식당 일을 할 때 쉬는 시간이 정해지지 않아서 많이 고되지? 국수를 먹으면서라도 잠깐 쉬어.

4 다음 글에 대한 설명으로 적절하지 않은 것은?

[중모리] 멍석자리, 거적문으 부검지로 이불 삼아, 춘하추동 사시절을 품을 팔아 연명헐 제, 상하 전답 기음매고, 전세 대동 방애 찧기. 상고 무역 삯짐 지고, 초상난 집 부고 전키, 묵은 집에 토담 쌓고, 새집에 앙토허고, 대장간 풀무 불기, 십 리 대돈 승교 메고, 오 푼 받고 마철 걸기, 두 푼 받고 똥제 치고, 백냥 받고 송장 치기, 〈중략〉 한시 반 때 놀지 않고, 이렇듯 품을 팔어 생불여사로 지내는구나.

– 작자 미상, 〈흥보가〉

① 현재형 시제를 사용하여 서술하고 있다.
② 3·4조, 4·4조 율격의 운문체를 사용하고 있다.
③ 조금 느린 장단에 맞추어 사연을 서술하고 있다.
④ 인물이 생계를 위해 했던 일들을 열거하고 있다.
⑤ 인물의 처지를 간결한 표현을 통해 드러내고 있다.

5 다음 시의 '산'에 대한 화자의 태도로 적절하지 않은 것은?

오늘, 북창(北窓)을 열어,
장거릴 등지고 산을 향하여 앉은 뜻은
사람은 맨날 변해 쌓지만
태고(太古)로부터 푸르러 온 산이 아니냐.
고요하고 너그러워 수(壽)하는 데다가
보옥(寶玉)을 갖고도 자랑 않는 겸허한 산.
마음이 본시 산을 사랑해
평생 산을 보고 산을 배우네.

– 김관식, 〈거산호·Ⅱ〉

① 산에 대한 애정과 친밀감을 드러내고 있다.
② 산을 현실의 도피처로 삼아 가까이 하고자 한다.
③ 산을 훌륭한 성품을 지닌 존재처럼 그리고 있다.
④ 산을 삶의 자세를 가르쳐 주는 스승처럼 여기고 있다.
⑤ 산을 가까이 함으로써 자연 속의 삶에 대한 지향을 드러내고 있다.

[6~7] 다음 시를 읽고 물음에 답하시오.

가 묏버들 갈히 것거 보내노라 님의손뒤
자시는 창(窓)밧긔 심거 두고 보쇼셔
밤비예 새닙곳 나거든 날인가도 너기쇼셔

– 홍랑, 〈묏버들 갈히 것거〉

나 꽃잎은 하염없이 바람에 지고   風花日將老(풍화일장로)
만날 날은 아득타, 기약이 없네.   佳期猶渺渺(가기유묘묘)
무어라, 맘과 맘은 맺지 못하고   不結同心人(불결동심인)
한갓되이 풀잎만 맺으려는고.   空結同心草(공결동심초)

– 설도, 〈춘망사〉

6 (가)와 (나)의 형식적인 특징에 대한 설명으로 적절하지 않은 것은?

① (가)의 종장 첫 구는 3음절로 고정되어 있다.
② (가)는 초장, 중장, 종장의 3장 형식을 취한다.
③ (나)는 기승전결의 짜임으로 구성되어 있다.
④ (가)와 (나)는 모두 특정한 구절의 마지막 글자에 운자를 사용하고 있다.
⑤ (가)는 정해진 형식을 벗어나는 것이 가능한 반면 (나)는 정해진 형식에 대한 제한이 엄격하다.

7 (나)의 표현상 특징을 고려하여 〈보기〉의 ㉠, ㉡에 들어갈 적절한 말을 쓰시오.

┌ 보기 ┐
이 시에서는 자연의 순환 원리에 따라 꽃이 피고 지는 것과 화자가 몹시 바라는데도 임이 돌아오지 않는 상황을 (㉠)하고 있다. 이를 통해 임이 언제 돌아올지 알 수 없는 상황에 대한 화자의 (㉡)을 강조한다.

[1~2] 다음 글을 읽고 물음에 답하시오.

가 "그래 조선 농군들이 가서, 그런 공사일을 잘들 하나요?"

"잘하구 못하는 것은, 내가 상관할 것 무엇 있소마는, 하여
간 요보는 말을 잘 듣고 힘드는 일을 잘하는 데다가 임은
(賃銀)이 헐하니까, 안성맞춤이지. 그야 처음 데려갈 때에
는 품삯도 많고, 일은 드르누워서 떡 먹기라고 푹 삶아야
하긴 하지만, 그래도 갈 노자며, 처자까지 데리고 가게 하
고, 게다가 빚까지 갚아 주는 데야 제 아무런 놈이기로 안
따라나설 놈이 있겠소. 〈중략〉"

나는 좀 더 들으려고, 일부러 머뭇머뭇하며 앉았으려니까,
승객이 다 올라탔는지, 별안간에 욕객의 한 떼가 디밀어 들
어오기에, 금시초문의 그 무서운 이야기를, 곰곰 생각하며
몸을 훔치기 시작하였다. — 염상섭, 〈만세전〉

나 **촌장** 오다 보니까 저쪽 덫에 이리가 치어 있습니다.

나 이리요? 어느 쪽이요?

촌장 저쪽요, 저쪽. 찔레 넝쿨 밑이던가요…….

나 드디어 붙잡는군요! 〈중략〉

촌장 이것, 네가 보낸 거냐? / **다** 네, 촌장님.

촌장 나를 이곳에 오도록 해서 고맙다. 한 가지 유감스러운
건, 이 편지를 가져온 운반인이 도중에서 읽어 본 모양이
더라. '이리 떼는 없고, 흰 구름뿐.' 그 수다쟁이가 사람들
에게 떠벌리고 있단다. 〈중략〉

다 왜 제가 헛된 짓을 해요? 제가 본 흰 구름은 아름답고 평
화로웠어요. 저는 그걸 보여 주려는 겁니다. 이제 곧 마을
사람들이 온다죠? 잘됐어요. 저는 망루 위에 올라가서 외
치겠어요. 〈중략〉

(파수꾼 다는 망루 위에 올라간다. 긴 침묵. 마침내 부르짖는다.)

다 이리 떼다, 이리 떼! 이리 떼가 몰려온다!

— 이강백, 〈파수꾼〉

1 다음은 (가)와 (나)의 갈래상 특성을 비교한 것이다. ①~
④ 중 오류가 있는 부분을 찾고, 이를 〈조건〉에 맞게 고쳐
쓰시오.

> ① (가)와 (나)는 모두 서술자를 통해 이야기를 전달
> 한다.
> ② (가)와 (나)는 모두 인물이 겪는 사건이나 갈등을
> 중점적으로 다룬다.
> ③ (가)는 과거형으로, (나)는 현재형으로 이야기를
> 전개한다.
> ④ (가)는 시간, 공간의 제약이 없으나 (나)는 시간,
> 공간의 제약을 받는다.

• 조건 •

'…번에서 …의 내용을 …로 고친다.'의 문장 형식으
로 쓸 것.

2 (나)를 바탕으로 하여 다음의 ㉠, ㉡ 중 적절한 것을 선택
하고, 그렇게 생각한 이유를 〈조건〉에 맞게 서술하시오.

촌장의 말을 믿고 있는가? → 예 → 파수꾼 나
아니요 → 파수꾼 다 — 촌장의 권위에 굴복하는가? → 예 → ㉠
아니요 → ㉡

• 조건 •

1. (나)에 드러난 파수꾼 다의 행동을 근거로 삼을 것.
2. '파수꾼 다는 … 때문에 ㉠ 혹은 ㉡이다.'의 문장
형식으로 쓸 것.

[3~4] 다음 글을 읽고 물음에 답하시오.

가 이와 같이 위태로운데도, 강물 소리를 듣지 못하였다. "요동 벌판이 평평하고 드넓기 때문에 강물이 거세게 소리를 내지 않는 것이다."라고 모두들 말하였다. 그러나 이는 강에 대해 잘 모르고 한 말이다. 요하(遼河)가 소리를 내지 않은 적이 없건만, 단지 밤중에 건너지 않아서 그랬을 뿐이다. 낮에는 물을 살펴볼 수 있는 까닭에 눈이 오로지 위태로운 데로 쏠리어, 한창 벌벌 떨면서 두 눈이 있음을 도리어 우환으로 여기는 터에, 또 어디서 소리가 들렸겠는가? 그런데 지금 나는 밤중에 강을 건너기에 눈으로 위태로움을 살펴보지 못하니, 위태로움이 오로지 듣는 데로 쏠리어 귀로 인해 한창 벌벌 떨면서 걱정을 금할 수 없었다.

　나는 마침내 이제 도(道)를 깨달았도다! 마음을 차분히 다스린 사람에게는 귀와 눈이 누를 끼치지 못하지만, 제 귀와 눈만 믿는 사람에게는 보고 듣는 것이 자세하면 할수록 병폐가 되는 법이다.　　　　　　　　　　　－ 박지원, 〈일야구도하기〉

나 그러나 이렇게 들여 주는 뒤지만으로는 진정 갈급질이 나서 못 견딜 지경이었다. 그리하여 다량으로 뒤지를 입수하기에 청소꾼을 이용하는 일이 많았다. 젊은 사람이 청소하러 나가서 마치 담배를 훔쳐 들이듯이, 뒤지를 걸러서 감방으로 들여 주곤 하였다. 이와 같이 도둑글을 읽다가 들켜서 뒤지를 빼앗기는 일도 있었고, 뺨을 맞는 일도 한두 번이 아니었다. 그러나 이와 같이 봉변을 당하고도, 그래도 또 잡지 쪽 읽기를 단념하지 못하였다. 이로써 미루어 보면, 사람이 하고 싶어 하는 의욕은 벌을 받거나 모욕을 당하는 것만으로 깨끗이 청산하여 버리지 못하는 것이 역시 인간인가 싶었다. 이런 것도 인력(人力)으로 좌우할 수 없는 본능의 소치인 듯하였다. 그 진정한 경지는 실지로 당하여 보지 않고서는 이해하기 어려울 것이다.　　　　　　　－ 이희승, 〈뒤지가 진적〉

3 다음은 (가)와 (나)를 읽은 학생들의 감상을 정리한 것이다. ㉠, ㉡에 들어갈 말을 〈조건〉에 맞게 서술하시오.

	학생의 감상	수필의 특징
지호	(가)를 읽고 어떤 상황에서도 마음가짐이 중요하다는 것을 알게 되었어.	㉠
정미	(나)의 글쓴이는 절망적인 상황에서도 희망을 잃지 않는 낙천적인 인물일 것 같아.	㉡

─ 조건 ─
1. 교술 갈래에서는 글쓴이와 작품 속 자아가 일치한다는 점을 고려할 것.
2. 학생들의 감상을 고려하여 ㉠, ㉡을 각각 쓸 것.

4 (가)를 바탕으로 하여 다음의 ⓐ에 들어갈 말을 〈조건〉에 맞게 서술하시오.

	낮의 강물	밤의 강물
인식 방법	눈(시각)으로 살펴봄.	귀(청각)로 소리를 들음.
인식에 따른 결과	ⓐ	

─ 조건 ─
1. '눈과 귀 등을 통해 바깥의 어떤 자극을 알아차림.'이라는 뜻의 단어를 포함할 것.
2. '…에 의존하여 …이 생긴다.'의 문장 형식으로 쓸 것.

6 창의·융합·코딩 **서술형 테스트**

[5~6] 다음 글을 읽고 물음에 답하시오.

가 그 불타산을 향해서 얼마쯤 가는데, 그때까지 아주 명랑하던 하늘이 갑자기 흐리면서 뇌성벽력을 하더니 말야. 근데 그 중이 무슨 주의를 시켰냐면,

"당신, 가다가서 뒤에서 아무런 소리가 나두 절대루 뒤를 돌아보면 안 된다."

는 거를 부탁을 했는데, 이 여인이 가는데 갑자기 뇌성벽력을 하면서 그 벼락 치는 소리가 나니까, 깜짝 놀래서 뒤를 돌아봤단 말야. 그러니까 그 자리에서 그만 화석이 됐어. 그 사람이 그만 화석이 되구 말았다는 게야. 개두 그렇게 화석이 돼서 그 자리에 서 있다고 하는데, 그 지금두 그 불타산 아래서 얼마 내려오다가서 그 비슥하니 거기 사람들은 이것이 며느리가 화석 된 게라고 하는 바위가 있는데, 역시 사람 모양하고, 뭐 머리에 뭐 인 거 겉은 거 하구, 그 아래 개 모양 겉은, 그런 화석이 아직도 있단 말야. 한데 그때 그 이 벼락을 치면서 그 장재 첨지네 그 집이 전부 없어지면서 그만 거기에 몇백 길이 되는지 모르는 이제 큰 소(沼)가 됐단 말야.

 – 작자 미상, 〈용소와 며느리바위〉

나 [아니리] 이렇듯 마누라가 울음을 우니, 흥보가 가만히 듣더니만, "여보, 마누라. 울지 마오. 나 오늘 읍내 좀 갔다 오리다." "읍내는 무엇하러 가시오?" "환자 섬이나 얻어 와야 저 자식들을 구원하지 않겠소?" 〈중략〉 "도복은 엇다 두셨소?" "원, 참! 그, 집안 살림살이가 어떻게 될라고 그, 여편네가 가장 도복 엇다 둔지도 모르나? 거, 장 안에 보오. 장 안에." "아이고, 우리 집에 무슨 장이 있단 말이오?" "거 ㉠닭이장은 장이 아니란 말이오? 내 갓도 이리 내오시오." "갓은 엇다 두셨소?" "뒤안 굴뚝 속에 가 보시오." "아이구, 어찌 갓을 굴뚝 속에다 두셨단 말이오?"

 – 작자 미상, 〈흥보가〉

---

5 다음은 (가)와 (나)의 공통점을 찾는 구조도이다. ㄱ, ㄴ 중 적절한 것이 무엇인지 〈조건〉에 맞게 서술하시오.

창의 코딩

> (가)와 (나)의 공통점은 무엇인가?
>
> ㄱ. 전기적 사건이 발생한다. ㄴ. 말로 된 문학이다.

● 조건 ●
1. (가), (나)에서 ㄱ 혹은 ㄴ의 특징이 나타나는 부분을 근거로 제시할 것.
2. '(가)의 …, (나)의 …을/를 참고할 때, … 는 점에서 ㄱ 혹은 ㄴ의 특징이 공통적으로 나타난다.'의 문장 형식으로 쓸 것.

---

6 (나)의 ㉠과 〈보기〉의 ⓐ에 공통적으로 사용된 표현법과 그 효과를 〈조건〉에 맞게 서술하시오.

융합

● 보기 ●

어사또 들어가 단정히 앉아 좌우를 살펴보니, 당 위의 모든 수령 다담상을 앞에 놓고 진양조가 높아 가는데, 어사또의 상을 보니 어찌 아니 통분하랴. 모서리 떨어진 개상판에 닥나무 젓가락, 콩나물, 깍두기, 막걸리 한 사발 놓았구나. 상을 발길로 탁 차 던지며 운봉 영장의 갈비를 가리키며,

ⓐ"갈비 한 대 먹고지고." – 작자 미상, 〈춘향전〉

● 조건 ●
1. 한국 문학의 대표적인 특질인 '자연 친화', '한의 정서', '풍자', '해학' 중 하나를 골라 답안에 포함할 것.
2. '…을/를 통해 …(으)로 표현하여 …을/를 유발한다.'의 문장 형식으로 쓸 것.

[7~8] 다음 시를 읽고 물음에 답하시오.

가 묏버들 갈히 것거 보내노라 님의손딕
자시는 창(窓)밧긔 심거 두고 보쇼셔
밤비예 새닙곳 나거든 날인가도 너기쇼셔

– 홍랑, 〈묏버들 갈히 것거〉

나 꽃잎은 하염없이 바람에 지고   風花日將老(풍화일장로)
만날 날은 아득타, 기약이 없네   佳期猶渺渺(가기유묘묘)
무어라, 맘과 맘은 맺지 못하고   不結同心人(불결동심인)
한갓되이 풀잎만 맺으려는고   空結同心草(공결동심초)

– 설도, 〈춘망사〉

다 거친 밭 언덕 쓸쓸한 곳에   寂寞荒田側(적막황전측)
탐스러운 꽃송이 가지 눌렀네.   繁花壓柔枝(번화압유지)
매화 비 그쳐 향기 날리고   香輕梅雨歇(향경매우헐)
보리 바람에 그림자 흔들리네.   影帶麥風欹(영대맥풍의)
수레 탄 사람 누가 보아 주리   車馬誰見賞(거마수견상)
벌 나비만 부질없이 찾아드네.   蜂蝶徒相窺(봉접도상규)
천한 땅에 태어난 것 스스로 부끄러워   自慚生地賤(자참생지천)
사람들에게 버림받아도 참고 견디네.   堪恨人棄遺(감한인기유)

– 최치원, 〈촉규화〉

7 창의 코딩

(가)~(다)의 공통점을 〈보기〉와 같이 나타낼 때, ㉠에 들어갈 내용을 〈조건〉에 맞게 서술하시오.

－ 보기 －

(가)   (나)   (다)
묏버들   꽃잎, 풀잎   꽃송이, 벌 나비

㉠

－ 조건 －

1. 〈보기〉에 제시된 소재의 특성과 그 소재에 담긴 의미를 고려할 것.
2. '…을 통해 …을/를 드러내고 있다.'의 문장 형식으로 쓸 것.

8 창의 융합

〈보기〉를 참고하여 ⓐ의 개념을 밝히고, (가)~(다)가 ⓐ의 어떤 범위에 해당되는지 〈조건〉에 맞게 서술하시오.

－ 보기 －

한국 문학 정의에 따르면 나라 밖에 거주하는 한민족이 한국어로 지은 문학, 휴전선 저쪽의 북한에서 생산된 한국어 문학도 ⓐ한국 문학에 포함된다.

근대 이전의 선인들은 주로 한자와 한문을 사용하여 문학 활동을 하였으므로 선인들이 한문으로 쓴 문학도 한국 문학에 포함된다. 최근에는 한민족 문학이란 말이 널리 쓰이는데, 변화하는 시대에 발맞추어 우리의 시야를 넓혀 국외 한민족의 문학에도 관심을 갖자는 뜻이 담겨 있다.

－ 조건 －

1. ⓐ의 개념은 'ⓐ란 …을/를 말한다.'와 같은 문장 형식으로 쓸 것.
2. (가)~(다) 중 ⓐ에 포함되지 않는 시가 있을 경우, 그 이유를 밝혀 쓸 것.

6일

[1~2] 다음 글을 읽고 물음에 답하시오.

"소유는 십오륙 세 이전에는 부모의 슬하를 떠난 적이 없고, 십육 세에 급제하여 곧바로 직명을 받아 관직에 있었으니, 동으로 연나라에 사신으로 가고 토번을 정벌하러 떠난 것 외에는 일찍이 경사를 떠나지 아니하였거늘, 언제 사부와 함께 십 년을 상종하였으리오?"

노승이 웃으며 말하기를,

"상공이 아직도 춘몽을 깨지 못하였도다."

승상이 말하기를, / "사부는 어찌하면 소유로 하여금 춘몽을 깨게 하실 수 있나이까?"

노승이 이르기를, / "이는 어렵지 않도다."

하고 손에 잡고 있던 석장(錫杖)을 들어 돌난간을 두어 번 두드렸다. 갑자기 네 골짜기에서 구름이 일어나 누대(樓臺) 위를 뒤덮어 지척을 분변하지 못하였다. 승상이 정신이 아득하여 마치 취몽 가운데에 있는 듯하여 한참 만에 소리를 질러 말하기를,

"사부는 어찌하여 정도(正道)로 소유를 인도하지 아니하고 환술(幻術)로써 희롱하시나이까?"

승상이 말을 마치지 못하여 구름이 걷히는데 노승은 간 곳이 없고 좌우를 돌아보니 팔 낭자도 간 곳이 없었다. 승상이 매우 놀라 어찌할 바를 모르는 중에 높은 대와 많은 집들이 한순간에 없어지고 자기의 몸은 작은 암자의 포단 위에 앉았는데, 향로에 불은 이미 사라지고 지는 달이 창가에 비치고 있었다.

자신의 몸을 보니 백팔 염주가 걸려 있고 머리를 손으로 만져 보니 갓 깎은 머리털이 가칠가칠하였으니 완연히 소화상의 몸이요 전혀 대승상의 위의가 아니니, 정신이 황홀하여 오랜 후에야 비로소 제 몸이 연화도량의 성진 행자(性眞行者)임을 깨달았다.

그리고 생각하기를, '처음에 스승에게 책망을 듣고 풍도옥으로 가서 인간 세상에 환도하여 양가의 아들이 되었다. 그리고 장원급제를 하여 한림학사를 한 후 출장입상(出將入相), 공명 신퇴(公明身退)하여 두 공주와 여섯 낭자로 더불어

즐기던 것이 다 하룻밤 꿈이로다. 이는 필연 사부가 나의 생각이 그릇됨을 알고 나로 하여금 이런 꿈을 꾸게 하시어 인간 부귀와 남녀 정욕이 다 허무한 일임을 알게 한 것이로다.'

– 김만중, 〈구운몽〉

1 이 글의 서술상 특징으로 적절한 것은?

① 상징적 배경을 설정하여 결말을 암시하고 있다.
② 비현실적인 요소를 활용하여 서사를 전개하고 있다.
③ 인물의 대화를 통해 갈등의 전개 양상을 드러내고 있다.
④ 시간적 배경을 상세하게 묘사하여 사건의 사실성을 높이고 있다.
⑤ 인물의 회상을 통해 상황에 따른 인물의 심리 변화를 그려내고 있다.

2 다음은 설화인 '조신의 꿈'의 내용을 만화로 나타낸 것이다. (가)와 다음에서 공통적으로 드러나는 '꿈'의 기능을 〈조건〉에 맞게 서술하시오.

┌─ 조건 ─
'꿈은 … 하여 …(이)라는 깨달음을 얻게 한다.'의 문장 형식으로 쓸 것.
└─

정답과 해설 102쪽

[3~5] 다음 글을 읽고 물음에 답하시오.

가 나는 여기까지 듣고 깜짝 놀랐다. 그 가련한 조선 노동자들이 속아서, 지상의 지옥 같은 일본 각지의 공장으로 몸이 팔려 가는 것이, 모두 이런 도적놈 같은 협잡 부랑배의 술중(術中)에 빠져서 그러는구나 하는 생각을 할 제 나는 다시 한번 그자의 상판대기를 쳐다보지 않을 수 없었다. 〈중략〉

궐자는 벙벙히 듣고 앉았는 그 두 사람의 얼굴을 등분(等分)해 보고 빙긋 웃고 나서, 또다시 말을 계속한다.

"왜 남선 지방에, 응모자가 많고 북으로 갈수록 적은고 하니, 이 남쪽은 내지인이 제일 많이 들어가서 모든 세력을 잡기 때문에, 북으로 쫓겨서 남만주로 기어들어가거나, 남으로 현해탄을 건너서거나 두 가지 중에 한 가지밖에 없는데, 누구나 그늘보다는 양지가 좋으니까 '제미 일 년 열두 달 죽도록 농사를 지어야 주린 배를 불리긴 고사하고 반년 짝은 강냉이나 시래기로 부증이 나서 뒈질 지경이면, 번화한 대판, 동경으로 나가서 흥청망청 살아 보겠다.'는 수작으로, 나두 나두 하고 청을 하다시피 해 오는 터인데, 그러나 북선 지방은 인구도 적거니와, 아직 우리 내지인의 세력이 여기같이는 미치지를 못했으니까, 비교적 그놈들은 평안히 살지만, 그것도 미구에는 동냥 쪽박을 차고 나서게 되리다. 하하하."

– 염상섭, 〈만세전〉

나 그녀의 시어머니는 이십오 년 동안을 자는 시간만 빼고는 허구한 날 도리질을 하는 게 일이란다. 〈중략〉 시어머니는 마치 죽는 날까지 놓여날 수 없는 업보처럼 그 짓을 고통스럽게, 그러나 엄숙하게 감당하고 있는 것이었다.

㉠그것은 6·25 동란 통에 발작한 증세였다. 동란 당시 젊은 면장이던 그녀의 남편은 미처 피난을 못 가서 숨어 살아야 했다. 처음엔 집에 숨어 있었지만 새로 득세한 패들의 기세에 심상치 않은 살기가 돌기 시작하고부터는 집에 숨겨 놓는다는 게 암만해도 불안했다.

어느 야밤을 타 그녀는 남편을 집에서 이십 리쯤 떨어진 광덕산 기슭의 산촌인 그녀의 친정으로 피신을 시켰다. 시어머니와 그녀만이 알게 감쪽같이 그 일은 이루어졌다. 〈중략〉 이렇게 되자 그녀는 시어머니까지도 못 미더워지기 시작했다. 어리숙하고 고지식하기만 해 생전 남을 의심할 줄 모르는 시어머니가 행여 누구 꼬임에 빠져 남편이 가 있는 곳을 실토하면 어쩌나 싶어서였다. 시어머니 같은 사람이 살 세상이 아니었다.

– 박완서, 〈겨울 나들이〉

3 **(가)와 (나)의 공통점으로 적절한 것은?**
① 과거와 현재를 교차하여 사건을 전개하고 있다.
② 특정 사건에 대한 인물 간의 갈등이 고조되고 있다.
③ 중심인물의 대화와 행동을 관찰하여 제시하고 있다.
④ 다양한 인물들의 심리를 드러내어 사건의 전말을 제시하고 있다.
⑤ 역사적 사건에 얽힌 인물이 겪는 사건을 중심으로 내용을 전개하고 있다.

4 **(가)에서 알 수 있는 당시 조선인들의 현실로 적절하지 않은 것은?**
① 농사를 지음에도 불구하고 굶주림에 시달렸다.
② 일본인들에게 속아 일본 각지의 공장에 팔려갔다.
③ 일본의 세력에 대항하기 위해 남만주로 넘어갔다.
④ 살기 어려워짐에 따라 일본의 도시로 진출하려 했다.
⑤ 일본의 수탈로 조선의 농촌이 피폐해져 극심한 가난에 시달렸다.

5 **㉠에 대한 설명으로 적절하지 않은 것은?**
① 현재에서 과거로 장면이 바뀌는 부분이다.
② 주요 사건이 벌어진 시대적 배경을 드러낸다.
③ 이야기가 외화에서 내화로 전환되는 부분이다.
④ 인물들 사이에 벌어진 갈등의 원인을 드러낸다.
⑤ 인물이 특정 행동을 하는 이유가 제시될 것임을 암시한다.

[6~8] 다음 글을 읽고 물음에 답하시오.

가 생원 다음은 글이나 한 수씩 지어 보세.

서방 그럼 형님이 먼저 지어 보시오.

생원 그러면 동생이 운자(韻字)를 내게.

서방 네, 제가 한번 내 드리겠습니다. '산' 자, '영' 잡니다.

생원 아, 그것 어렵다. 여보게, 동생, 되고 안 되고 내가 부를 터이니 들어 보게. (영시조로) "㉠울룩줄룩 작대산(作大山)허니, 황천(黃川) 풍산(豊山)에 동선령(洞仙嶺)이라."

서방 하하. (형제, 같이 웃는다.) 거 형님, 잘 지었습니다.

생원 동생 한 귀 지어 보세.

서방 그럼 형님이 운자를 하나 내십시오.

생원 '총' 자, '못' 잘세.

서방 아, 그 운자 벽자(僻字)로군. (한참 낑낑거리다가) 형님, 한마디 들어 보십시오. (영시조로) "㉡짚세기 앞총은 헝겊총하니, 나막신 뒤축에 거멀못이라."

– 작자 미상, 〈봉산 탈춤〉

나 촌장 애야, 이리 떼는 처음부터 없었다. 없는 걸 좀 두려워한다는 것이 뭐가 그렇게 나쁘다는 거냐? 지금까지 단 한 사람도 이리에게 물리지 않았단다. 마을은 늘 안전했어. 그리고 사람들은 이리 떼에 대항하기 위해서 단결했다. 난 질서를 만든 거야. 〈중략〉

ⓐ다 왜 제가 헛된 짓을 해요? 제가 본 흰 구름은 아름답고 평화로웠어요. 저는 그걸 보여 주려는 겁니다. 이제 곧 마을 사람들이 온다죠? 잘됐어요. 저는 망루 위에 올라가서 외치겠어요. 〈중략〉

촌장 (관객들을 향해) 어서 오십시오, 주민 여러분. 이 애가 그 말을 꺼낸 파수꾼입니다. 저기 편지를 공개한 식량 운반인, 이 애가 틀림없지요? 네, 그렇다고 확인했습니다. 이리 떼인지 아니면 흰 구름인지, 직접 이 아이의 입을 통하여 들어 봅시다.

– 이강백, 〈파수꾼〉

6 (가)와 (나)의 특징을 비교한 내용으로 가장 적절한 것은?

① (가)는 연행을 목적으로 하는 반면 (나)는 독자의 교화를 목적으로 한다.

② (가)는 계급 간의 차별을 지적하는 반면 (나)는 계급 간의 차별에 정당성을 부여한다.

③ (가)는 극의 전개에 관객 참여의 가능성이 있는 반면 (나)는 관객 참여의 가능성이 없다.

④ (가)는 공연을 위한 무대 장치가 필요한 반면 (나)는 특별한 무대 장치가 필요하지 않다.

⑤ (가)는 인물이 스스로 허구성을 폭로하는 방법으로 대상을 풍자하는 반면, (나)는 우화적 기법으로 사회를 풍자한다.

7 ㉠과 ㉡의 공통점으로 적절하지 않은 것은?

① 무의미한 내용이 단순히 나열되어 있다.

② 양반들이 자신의 유식함을 과시하고 있다.

③ 한자를 사용하여 제시된 운자를 지키고 있다.

④ 양반들이 스스로 자신의 무식을 드러내고 있다.

⑤ 양반들의 학식과 허세에 대한 풍자가 드러나 있다.

8 〈보기〉를 참고하여 (나)의 ⓐ가 상징하는 바와 그렇게 생각한 근거를 〈조건〉에 맞게 서술하시오.

보기
〈파수꾼〉이 발표된 1974년 당시, 권력자들은 우리나라의 분단 현실을 앞세우며 사회 전반에 공포 분위기를 확산시켰고, 정권에 유리한 방향으로 사회 질서를 유지해 나가려 하였다. 이러한 상황에서 진실을 말하고자 하였던 많은 지식인이 정권의 탄압을 받았다.

조건
1. 근거는 (나)의 내용을 참고하여 쓸 것.
2. 'ⓐ가 … 는 것을 볼 때, ⓐ는 …을/를 상징한다.'의 문장 형식으로 쓸 것.

[9~10] 다음 글을 읽고 물음에 답하시오.

가 이와 같이 위태로운데도, 강물 소리를 듣지 못하였다. "요동 벌판이 평평하고 드넓기 때문에 강물이 거세게 소리를 내지 않는 것이다."라고 모두들 말하였다. 그러나 이는 강에 대해 잘 모르고 한 말이다. 요하(遼河)가 소리를 내지 않은 적이 없건만, 단지 밤중에 건너지 않아서 그랬을 뿐이다. 낮에는 물을 살펴볼 수 있는 까닭에 눈이 오로지 위태로운 데로 쏠리어, 한창 벌벌 떨면서 두 눈이 있음을 도리어 우환으로 여기는 터에, 또 어디서 소리가 들렸겠는가? 그런데 지금 나는 밤중에 강을 건너기에 눈으로 위태로움을 살펴보지 못하니, 위태로움이 오로지 듣는 데로 쏠리어 귀로 인해 한창 벌벌 떨면서 걱정을 금할 수 없었다. 〈중략〉

소리와 빛깔은 나의 외부에 있는 사물이다. 이러한 외부의 사물이 항상 귀와 눈에 누를 끼쳐서, 사람이 올바르게 보고 듣는 것을 이와 같이 그르치게 하는 것이다. 그런데 하물며 사람이 이 세상을 살아간다는 것은 강을 건너는 것보다 훨씬 더 위험할 뿐 아니라, ㉠보고 듣는 것이 수시로 병폐가 됨에랴!

– 박지원, 〈일야구도하기〉

나 그러나 이렇게 들여 주는 뒤지만으로는 진정 갈급질이 나서 못 견딜 지경이었다. 그리하여 다량으로 뒤지를 입수하기에 청소꾼을 이용하는 일이 많았다. 젊은 사람이 청소하러 나가서 마치 담배를 훔쳐 들이듯이, 뒤지를 걸터서 감방으로 들여 주곤 하였다. 이와 같이 도둑글을 읽다가 들켜서 뒤지를 빼앗기는 일도 있었고, 뺨을 맞는 일도 한두 번이 아니었다. 그러나 이와 같이 봉변을 당하고도, 그래도 또 잡지 쪽 읽기를 단념하지 못하였다. 이로써 미루어 보면, 사람이 하고 싶어 하는 의욕은 벌을 받거나 모욕을 당하는 것만으로 깨끗이 청산하여 버리지 못하는 것이 역시 인간인가 싶었다. ㉡이런 것도 인력(人力)으로 좌우할 수 없는 본능의 소치인 듯하였다. 그 진정한 경지는 실지로 당하여 보지 않고서는 이해하기 어려울 것이다. – 이희승, 〈뒤지가 진적〉

9 (가)와 (나)의 갈래상 특징을 다음과 같이 설명할 때, ㄱ~ㄷ에 들어갈 말이 알맞게 짝 지어진 것은?

> (가)와 (나)는 모두 (ㄱ) 갈래에 해당하는 글이에요. 따라서 글쓴이의 (ㄴ)이 강하게 드러나지요. 이러한 글은 주로 글쓴이의 체험을 바탕으로 한 (ㄷ)이나 교훈, 인생에 대한 성찰 등의 내용을 담고 있답니다.

	ㄱ	ㄴ	ㄷ
①	서사	개성	허구적 사건
②	서사	상상력	허구적 사건
③	교술	개성	깨달음
④	교술	상상력	깨달음
⑤	교술	비판 의식	비평

10 ㉠과 ㉡에서 글쓴이가 궁극적으로 말하고자 하는 바로 가장 적절한 것은?

① ㉠: 자연 친화적 태도의 중요성
  ㉡: 글을 읽고 싶은 욕구의 강함.
② ㉠: 인생을 살아가는 것의 위험성
  ㉡: 읽는 것에 대한 갈증과 열망
③ ㉠: 외물에 현혹되지 않는 자세의 중요성
  ㉡: 인력으로 좌우할 수 없는 인간의 의욕
④ ㉠: 마음가짐을 다스릴 줄 아는 태도의 필요성
  ㉡: 욕망을 청산하는 자세의 필요성
⑤ ㉠: 상황을 올바르게 인식할 수 있는 마음가짐의 중요성
  ㉡: 글을 읽고자 노력하는 태도의 중요성

[11 ~ 13] 다음 글을 읽고 물음에 답하시오.

소리를 질러두 그대루 그 중이 이제 가지를 않구섬날 독경(讀經)을 하구 있으니까, 이 영감이 성이 나서 지금은 대개 삽이라는 게 있지마는 옛날에는 저 그것을 뭐이라구 하나, 부삽이라구 하나. 그거 있는데 그걸루 두엄 더미에서 쇠똥을 퍼 가주구서는,

"우리 집에 쌀은 줄 거 없으니까 이거나 가져가라."

하구서는 바랑에다가 쇠똥을 옇단 말야. 그래두 그 중은 조금두 낯색두 변하지 않구서, 거저 '나미아미타불'만 부르다가 그 쇠똥을 걸머진 채 바깥으루 나오는데, 그 마당 옆에 우물이 있었는데 우물가에서 그 장재 첨지의 며느리가 인제 쌀을 씻구 있다가, 그 광경을 보구서, 그 중 보구서는 얘기하는 말이,

"우리 아버지 천생이 고약해서 그런 일이 있으니까, 조금두 나쁘게 생각하지 말라구."

그러면서 쌀, 씻든 쌀을 바가지에다 한 바가지 퍼섬낭, 그 바랑에다 여 줬단 말야. 그러니께 그 중이 며느리 보고 하는 말이,

"당신 집에 인제 조금 있다가 큰 재앙이 내릴 테니까, 당신 빨리 집으루 들어가서, 평소에 제일 귀중하게 생각하는 것이 무어 있는지, 두세 가지만 가지구서 빨리 나와서는, 저 ㉠불타산을 향해서 빨리 도망질하라구."

〈중략〉 어린애를 업구 명지 도토마리를 이구, 개를 불러 가지구 그 불타산을 향해서 얼마쯤 가는데, 그때까지 아주 명랑하던 하늘이 갑자기 흐리면서 뇌성벽력을 하더니 말야. 근데 그 중이 먼저 무슨 주의를 시켰냐면,

"당신, 가다가서 뒤에서 아무런 소리가 나두 절대루 뒤를 돌아보면 안 된다."는 거를 부탁을 했는데, 이 여인이 가는데 갑자기 뇌성벽력을 하면서 그 벼락 치는 소리가 나니까, 깜짝 놀래서 뒤를 돌아봤단 말야. 그러니까 그 자리에서 그만 화석이 됐어. 그 사람이 그만 화석이 되구 말았다는 게야.

– 작자 미상, 〈용소와 며느리바위〉

11 이 글의 갈래상 특징으로 적절한 것만을 〈보기〉에서 고른 것은?

┌─ 보기 ─
ㄱ. 민족이나 국가 차원에서 전해진다.
ㄴ. 구체적인 장소와 증거물이 제시된다.
ㄷ. 비범하거나 영웅적인 인간이 등장한다.
ㄹ. 흥미와 재미를 위주로 하며 교훈성을 띠고 있다.
ㅁ. 신적인 인물을 중심으로 하여 이야기가 전개된다.

① ㄱ, ㄴ   ② ㄴ, ㄷ   ③ ㄷ, ㄹ
④ ㄱ, ㄴ, ㅁ   ⑤ ㄷ, ㄹ, ㅁ

12 이 글의 등장인물에 대한 이해로 가장 적절한 것은?

① 영서: 중은 장재 첨지의 악행을 막으려다 실패했어.

② 지호: 중은 선악에 따라 인간의 행위를 심판하고 있어.

③ 주아: 장재 첨지는 중에게 소리를 질러 벌을 받은 거네.

④ 도윤: 며느리는 혼자 두고 온 장재 첨지가 마음에 걸렸던 거 같아.

⑤ 선희: 며느리는 결국 장재 첨지의 죄로 인해 재앙을 피하지 못했어.

13 이 글에 나타난 ㉠의 상징적 의미를 〈조건〉에 맞게 서술하시오.

┌─ 조건 ─
'…(으)로 볼 때, ㉠은 … 을/를 의미한다.'의 문장 형식으로 쓸 것.

[14~16] 다음 글을 읽고 물음에 답하시오.

가 거친 밭 언덕 쓸쓸한 곳에　　寂寞荒田側(적막황전측)
　　탐스러운 꽃송이 가지 눌렀네.　繁花壓柔枝(번화압유지)
　　매화 비 그쳐 향기 날리고　　香輕梅雨歇(향경매우헐)
　　보리 바람에 그림자 흔들리네.　影帶麥風敧(영대맥풍의)
[A] ┌ 수레 탄 사람 누가 보아 주리　車馬誰見賞(거마수견상)
　　├ 벌 나비만 부질없이 찾아드네.　蜂蝶徒相窺(봉접도상규)
　　├ 천한 땅에 태어난 것 스스로 부끄러워　自慚生地賤(자참생지천)
　　└ 사람들에게 버림받아도 참고 견디네.　堪恨人棄遺(감한인기유)
　　　　　　　　　　　　　　　　　　－ 최치원, 〈촉규화〉

나 [중모리] 저 아전 거동을 보아라. 궤문(櫃門)을 절컥 열 더니마는 엽전 닷 냥을 내어주니, 흥보가 받아 손에 들고, "여러분, 내 다녀오리다." "예, 평안히 다녀오오." 질청 문 밖 썩 나서서, "얼씨구나! 얼씨구나! 얼씨구나, 좋네! 지화 자자, 좋을시고. 돈 봐라, 돈 돈. 돈 좋다, 돈 봐라. 얼씨구 나 좋을시고! 오늘 걸음은 잘 걸었다. 이 돈 닷 냥 가지고 가면 열흘은 살겠구나." 저의 집으로 들어가며, "여보 마누 라! 어데 갔소? 대장부 한 번 걸음으 엽전 서른닷 냥이 들 어를 온다. 거적문 열소. 돈 들어갑네."

[중중모리] 흥보 마누래 나온다. 흥보 마누래가 나오며, "어 디 돈? 어디 돈? 돈 봅시다, 어디 돈? 이 돈이 웬 돈이오? 일수 월수변을 얻어 왔소? 체계 변전을 얻어 왔소?" "아 니, 그 돈이 아니로세. 일수, 월수변을 왜 얻으며, 체계 변 전을 왜 얻겠나?" "그러면 이 돈이 웬 돈이오? 길거리에 떨어진 돈을 오다가다 줏어 왔소?"

[B] ┌ "아니, 그 돈이 아니로세. 이 돈 근본을 이를진대, 대장
　　├ 부 한 번 걸음에 공돈같이 생긴 돈이로세. 돈 돈 돈, 돈
　　├ 봐라. 못난 사람도 잘난 돈. 잘난 사람은 더 잘난 돈. 생
　　├ 살지권(生殺之權)을 가진 돈. 부귀공명이 붙은 돈. 맹상
　　├ 군의 수레바퀴같이 둥글둥글 도는 돈. 얼씨구 좋구나.
　　└ 기화자 좋네. 얼씨구나, 돈 봐라."
　　　　　　　　　　　　　　　　　　－ 작자 미상, 〈흥보가〉

14 (가)와 (나)의 표현상의 특징에 대한 설명으로 적절하지 않은 것은?
① (가)는 비유적 표현을 활용하여 시상을 전개하고 있다.
② (가)는 설의적 의문을 통해 화자의 정서를 드러내고 있다.
③ (나)는 특정한 단어나 문장을 반복하여 운율감을 형성하고 있다.
④ (나)는 인물이 처한 상황과 분위기에 따라 장단을 다르게 설정하고 있다.
⑤ (가)와 (나)는 모두 수레와 관련된 중국의 고사를 활용하여 표현의 효과를 높이고 있다.

15 [A]와 [B]에 나타난 내용으로 적절한 것은?
① [A]에는 고위 관직들에 대한 비판이, [B]에는 가난한 처지에 대한 연민이 나타난다.
② [A]에는 화자의 처지에 대한 한탄이, [B]에는 황금만능주의 풍조에 대한 풍자가 나타난다.
③ [A]에는 참고 견뎌야만 하는 화자의 체념이, [B]에는 부의 소중함에 대한 예찬이 나타난다.
④ [A]에는 화자의 출신에 대한 부끄러움이, [B]에는 양반의 허위허식에 대한 풍자가 나타난다.
⑤ [A]에는 촉규화가 피어 있는 풍경에 대한 묘사가, [B]에는 돈이 지닌 속성에 대한 희화화가 나타난다.

16 (나)에 나타난 흥보의 심리로 가장 적절한 것은?
① 아전을 통해 돈을 벌게 되어 흥에 겨워하고 있다.
② 가장의 책임을 다하지 못한 미안함을 느끼고 있다.
③ 아전에게 돈을 빌리게 되어 비참함을 느끼고 있다.
④ 더 많은 돈을 벌어오지 못한 책임감을 느끼고 있다.
⑤ 아전에게 대장부로서의 면모를 보여 의기양양해 하고 있다.

7

기말고사 기본 테스트 2회

[1~3] 다음 글을 읽고 물음에 답하시오.

가 "제자 성진은 아득하여 꿈과 참을 분별하지 못하겠사오니, 사부는 설법을 베풀어 제자로 하여금 깨닫게 하소서."
대사가 응낙하여 이르기를, / "이제 마땅히 《금강경》 큰 법을 베풀어 너의 마음을 깨닫게 할 것이다. 잠시 후에 새로 들어올 제자들이 있을 것이니 너는 잠깐 기다리라." 〈중략〉
팔선녀가 대사 앞에 나아와 합장 고두하고 사뢰기를,
"제자들이 비록 위 부인을 모시고 있으나 실로 배운 것이 없어 세속 정욕을 잊지 못하였는데, 대사의 자비하심을 입어 하룻밤 꿈을 꾸어 크게 깨달았나이다. 이제 제자들이 위 부인께 하직하고 불문(佛門)에 돌아왔사오니 사부의 밝은 가르침을 바라나이다."
대사가 말하기를, / "여선들의 뜻이 비록 아름다우나 불법이 깊고도 머니, 큰 역량과 큰 발원이 없으면 쉽게 이르지 못할 것이니, 그대들은 모름지기 스스로 헤아려서 하라."
팔선녀가 물러나와 얼굴에 칠한 연지분을 씻어 버리고 각각 소매에서 금전도(金剪刀)를 내어 흑운 같은 머리를 깎아 버렸다. 그리고 다시 들어와 대사께 사뢰기를,
"제자들이 이미 얼굴을 고쳤사오니, 맹세코 사부의 가르침과 분부를 게을리하지 않겠나이다."   – 김만중, 〈구운몽〉

나 (해설자, 촌장이 되어 등장. 검은 옷차림. 이해심이 많아 보이는 얼굴과 정중한 태도. 낮고 부드러운 음성으로 말한다.)
촌장 수고하시는군요, 파수꾼님.
나 아, 촌장님, 여긴 웬일이십니까?
촌장 추억을 더듬으러 왔습니다. 이 황야는 내가 어린 시절 야생 딸기를 따러 오곤 했던 곳이지요. 그땐 이리가 무섭지도 않았나 봐요. 여기저기 덫이 깔려 있고 망루 위의 파수꾼이 외치는데도 어린 난 딸기 따기에만 열중했었으니까요. 그 즐거웠던 옛 추억, 오늘 아침 나는 그 추억을 상기시켜 주는 편지를 받았습니다. 그래 이곳엘 찾아온 겁니다.
– 이강백, 〈파수꾼〉

1 (가), (나)와 같은 역사적 갈래에서 나타나는 서술상 특징을 비교한 것으로 적절한 것은?
① (가)는 현재형으로, (나)는 과거형으로 서술된다.
② (가)는 허구성을 바탕으로, (나)는 사실성을 바탕으로 서술된다.
③ (가)는 자유로운 형식으로, (나)는 엄격한 형식에 맞추어 서술된다.
④ (가)는 배경 설정에 제약 없이, (나)는 배경 설정에 제약을 두고 서술된다.
⑤ (가)는 인물의 대화와 행동을 중심으로, (나)는 해설자의 해설을 중심으로 서술된다.

2 (가)에 대한 이해로 적절한 것은?
① 우연적으로 일어나는 사건이 제시되어 있군.
② 권선징악의 결말을 통해 교훈을 전달하고 있군.
③ 태도의 변화를 보이지 않는 주인공이 등장하고 있군.
④ 인물 간의 갈등이 해소되는 요인이 뚜렷하게 나타나 있군.
⑤ 서술자의 입장에서 사건을 직접 평가하여 전달하고 있군.

3 〈보기〉를 참고하여 (나)에 나타난 실험극적 특징을 〈조건〉에 맞게 서술하시오.

보기
실험극이란 해설자가 극에 등장하여 극의 내용에 대해 설명하거나 한 배우가 여러 역을 맡거나 관객을 참여시키는 등 기존의 연극 방식과는 다른 제작 방법이 도입된 연극 양식을 뜻한다.

조건
1. (나)에서 실험극적 특징이 드러난 부분을 근거로 제시할 것.
2. '…에서 …을/를 확인할 수 있다.'의 문장 형식으로 쓸 것.

정답과 해설 103쪽

[4~5] 다음 글을 읽고 물음에 답하시오.

가 어린아이 관(棺) 같은 정방형의 트렁크를, 유리창 그림자가 환히 비치는 하물 쌓인 밑에다가 열어 놓고 들쑤시는 동안에, 그 옆에서 인버네스는 조그만 손가방을 조사하고 앉았다. 나는, 이편에 느런히 서 있는 학생복 입은 자와 함께, 두 사람의 네 손길만 내려다보고 섰다. 〈중략〉 조그만 트렁크 속에서 소득이 없었던지 그대로 뚜껑을 닫아서 옆에 놓고 인버네스도 다시 큰 가방으로 달려들어서 들여다보고 앉았다가, 양복쟁이의 분부대로, 서적을 하나씩 들어 보아 가며 일일이 책명을 수첩에 기입하며 앉았다. 가방 속에서 갈팡질팡하는 형사의 네 손은, 1분 2분 시간이 갈수록 가속도로 움직인다. 나는 또 무슨 망령이나 부리지 않을까 하는 불안과 의혹을 가지고, 전광에 벌겋게 번쩍이는 양복쟁이의 곁뺨을 노려보고 섰다. 〈중략〉

그러나 1분, 2분, 3분, 5분, 10분…… 시간이 갈수록, 나의 머릿속은 귀와 반비례로 욱신욱신해졌다. 그 세 사람이, 일부러 느럭느럭하는 것은 아니건만, 빼앗아 가지고, 내 손으로 하고 싶을 만치 초초했다.   – 염상섭, 〈만세전〉

나 패잔병 중 한 사람의 눈에 살기가 번뜩이는가 하는 순간 총이 그녀의 남편을 향해 난사됐다. 그녀의 남편은 처참한 모습으로 나동그라지고 그들도 어디론지 도망쳤다. 이런 일은 일순에 일어났다.

그 후 거의 실성하다시피 한 시어머니를 오랫동안 극진히 봉양한 끝에 어느 만큼 회복은 됐지만 그때 뒷간 모퉁이에서 죽길 기를 쓰고 흔들어 대던 도리질만은 그때 같은 박력만 가셨다 뿐 멈출 줄 모르는 고질병이 되고 말았다. 〈중략〉

아주머니는 이런 얘기를 조금도 수다스럽지 않고 담담하고 고즈넉하게 했다.

"이젠 고쳐 드려야겠다는 생각보단 도와드려야겠다는 생각뿐이에요." / "도와드리다니요? 어떻게요?"

"당신 임의로는 못 하시는 일이고, 얼마나 힘이 드시겠어요. 삼시 잡숫는 거라도 정성껏 잡숫게 해 드리고 몸 편케

보살펴 드리고, 뭐, 그런 거죠. 대사업을 완수하시고 돌아가시는 날까지 그거야 못 해 드리겠어요."

치매가 된 채 허구한 날 도리질이나 해 대는 걸 '대사업'이라고 하는 아주머니의 농담에 웃으려다 말고 입을 다물었다. 아주머니의 태도가 조금도 농담 같지 않아서였다. 정말 대사업을 힘껏 보필하는 이의 사명감과 긍지로 아주머니의 얼굴이 은은히 빛나 보이기까지 했다. 나는 어쩌면 이 아주머니야말로 대사업을 하고 있는 게 아닌가 하는 생각이 들면서 등골에 전율이 지나갔다.   – 박완서, 〈겨울 나들이〉

---

4 (가)와 (나)에 나타난 '나'의 심리로 가장 적절한 것은?

	(가)의 '나'	(나)의 '나'
①	불안함.	불쾌함.
②	긴장함.	애통함.
③	분노함.	난처함.
④	초조함.	감동함.
⑤	침울함.	감격함.

5 (가)와 (나)에 대한 감상으로 적절하지 않은 것은?

① 형준: (가)의 형사들은 나를 곤경에 빠트리려고 의도적으로 시간을 지체하고 있어.

② 정미: (가)의 검문을 당하는 '나'의 모습에서 당시 조선인들이 당한 수모가 짐작돼.

③ 은우: (나)에서 '시어머니의 도리질'은 전쟁이 남긴 상처를 의미하는 거 같아.

④ 나은: (나)의 아주머니가 시어머니를 대하는 태도에서 가족 간의 사랑이 느껴져.

⑤ 서준: (가)와 (나)는 모두 외부의 폭력성을 겪은 인간의 삶이 구체적으로 드러나.

[6~8] 다음 글을 읽고 물음에 답하시오.

말뚝이 (벙거지를 쓰고 채찍을 들었다. 굿거리장단에 맞추어 양반 삼 형제를 인도하여 등장.) 〈중략〉

말뚝이 (가운데쯤에 나와서) 쉬이, (음악과 춤 멈춘다.) 양반 나오신다아! 양반이라고 하니까 노론(老論), 소론(少論), 호조(戶曹), 병조(兵曹), 옥당(玉堂)을 다 지내고 삼정승(三政丞), 육판서(六判書)를 다 지낸 퇴로 재상(退老宰相)으로 계신 양반인 줄 아지 마시오. ㉠개잘량이라는 '양' 자에 개다리소반이라는 '반' 자 쓰는 양반이 나오신단 말이오.

양반들 야아, 이놈, 뭐야아!

말뚝이 아, 이 양반들, 어찌 듣는지 모르갔소. 노론, 소론, 호조, 병조, 옥당을 다 지내고 삼정승, 육판서 다 지내고 퇴로 재상으로 계신 이 생원네 삼 형제분이 나오신다고 그리하였소.

양반들 (합창) 이 생원이라네. (굿거리장단으로 모두 춤을 춘다. 도령은 때때로 형들의 면상을 치며 논다. 끝까지 그런 행동을 한다.)

말뚝이 쉬이. (반주 그친다.) ⓐ여보, 구경하시는 양반들, 말씀 좀 들어 보시오. 짤따란 곰방대로 잡숫지 말고 저 연죽전(煙竹廛)으로 가서 돈이 없으면 내게 기별이래도 해서 양칠간죽(洋漆竿竹), 자문죽(自紋竹)을 한 발가옷씩 되는 것을 사다가 육모깍지 희자죽(喜子竹), 오동수복(烏銅壽福) 연변죽을 사다가 이리저리 맞추어 가지고 저 재령(載寧) 나무리 거이 낚시 걸듯 죽 걸어 놓고 잡수시오.

양반들 뭐야아!

말뚝이 아, 이 양반들, 어찌 듣소. 양반 나오시는데 담배와 훤화(喧譁)를 금하라 그리하였소.

양반들 (합창) 훤화를 금하였다네. (굿거리장단으로 모두 춤을 춘다.)

– 작자 미상, 〈봉산 탈춤〉

6 이 글에 나타난 쉬이의 기능으로 적절한 것만을 〈보기〉에서 고른 것은?

┌─ 보기 ─────────────────
ㄱ. 흥겨운 분위기를 조성한다.
ㄴ. 관객의 시선을 집중시킨다.
ㄷ. 새로운 재담의 시작을 알린다.
ㄹ. 양반들의 어리석음을 부각한다.
ㅁ. 갈등을 일시적으로 해소시킨다.
└────────────────────────

① ㄱ, ㄴ 　② ㄱ, ㄹ 　③ ㄴ, ㄷ
④ ㄱ, ㄴ, ㄹ 　⑤ ㄴ, ㄷ, ㅁ

7 ㉠에 쓰인 표현 방식과 다른 것은?

① 우리 뺑파가 열녀도 더 되고 백녀다 백녀.
② 너의 서방인지 남방인지 걸인 하나가 내려왔다.
③ 정신이 없다 보니 말이 빠져서 이가 헛 나와 버렸네.
④ 거 신 것을 그리 많이 먹어 그 놈은 낯더라도 안 시건방질까 몰라.
⑤ 올라간 이도령인지 삼도령인지 그놈의 자식은 일거후 무소식하니

8 〈보기〉는 ⓐ의 장면을 나타낸 것이다. 이를 통해 알 수 있는 가면극의 특징을 서술하시오.

┌─ 보기 ─────────────────

여보, 구경하시는 양반들, 말씀 좀 들어 보시오.

└────────────────────────

┌─ 조건 ─────────────────
1. '극의 진행'과 관련 있는 내용을 쓸 것.
2. '…을/를 볼 때, … 특징이 있다.'의 문장 형식으로 쓸 것.
└────────────────────────

[9 ~ 10] 다음 글을 읽고 물음에 답하시오.

가 옛적에 우(禹)임금이 강을 건너는데, 황룡이 배를 등에 업는 바람에 몹시 위험하였다. 그러나 죽고 사는 문제에 대한 판단이 먼저 마음속에 분명해지자, 용이든 도마뱀붙이든 그의 앞에서는 대소(大小)를 논할 것이 못 되었다.

소리와 빛깔은 나의 외부에 있는 사물이다. 이러한 외부의 사물이 항상 귀와 눈에 누를 끼쳐서, 사람이 올바르게 보고 듣는 것을 이와 같이 그르치게 하는 것이다. 그런데 하물며 사람이 이 세상을 살아간다는 것은 강을 건너는 것보다 훨씬 더 위험할 뿐 아니라, 보고 듣는 것이 수시로 병폐가 됨에랴! 나는 장차 나의 산중으로 돌아가 대문 앞 계곡의 물소리를 다시 들으며 이와 같은 깨달음을 검증하고, 아울러 처신에 능란하여 제 귀와 눈의 총명함만 믿는 사람들에게도 경고하려다.   – 박지원, 〈일야구도하기〉

나 두 평쯤이나 될까 말까 한 좁은 감방 안에서 7, 8명의 식구가, 때로는 십여 명이 넘는 인구(人口)가 똥통과 동거 생활을 하면서 뒤를 볼 때에는 그래도 뒤지가 필요하였다. 〈중략〉

원래 뒤지감의 종이를 따로 만들어 한 움큼씩 묶어서 파는 것이 있었지만, 이 당시에는 전쟁 중의 일본이 경제적 파탄에 직면하고 있었으므로 뒤지조차 구하기 어려웠다.

그리하여 일반으로 신문지나, 읽어 넘긴 잡지 같은 것을 썰어서 뒤지로 쓰고 있는 형편이었다. 감방 안에서 이러한 뒤지의 공급을 받으면, 이것은 도서관에서 책을 대하듯이 귀중한 읽을거리였다. 그런데 경찰서나 형무소에서는 구속되어 있는 사람이 바깥세상의 소식을 아는 것을 지극히 꺼리고 있어서, 신문지 조각 같은 것은 좀체로 들여 주지를 않았다. 〈중략〉 혹시 신문지가 남아 있고, 그것을 뒤지로 쓰겠다고 청구하면 읽을거리가 없어지도록 잘게 썰어서 넣어 준다. 그리하여 대개는 한 장이나 두 장밖에는 더 주지 않는다.

그러면 뒤를 보기 전에 이 신문지 쪽을 한 줄 한 자도 빼놓지 않고 읽는다. 뒤지를 받고서 왜 뒤를 안 보느냐고 따지는 일도 있기 때문에, 똥통 위에 올라앉아서, 그것을 읽어 버리는 일도 있었다. 〈중략〉

이로써 미루어 보면, 사람이 하고 싶어 하는 의욕은 벌을 받거나 모욕을 당하는 것만으로 깨끗이 청산하여 버리지 못하는 것이 역시 인간인가 싶었다. 이런 것도 인력(人力)으로 좌우할 수 없는 본능의 소치인 듯하였다.

– 이희승, 〈뒤지가 진적〉

9 **(가)와 (나)를 비교한 내용으로 적절하지 않은 것은?**

① (가)는 (나)와 달리 고사를 활용하여 사물을 대하는 태도를 강조하고 있다.

② (가)는 (나)와 달리 설의적 표현을 통해 보고 듣는 것에 대한 병폐를 지적하고 있다.

③ (나)는 (가)와 달리 집필 의도를 직접적으로 제시하고 있다.

④ (나)는 (가)와 달리 시대적 배경을 짐작할 수 있는 내용이 제시되어 있다.

⑤ (가)와 (나)는 모두 글쓴이가 깨달은 바를 제시하고 있다.

10 **(가)와 (나)에 대한 이해로 가장 적절한 것은?**

① (가)는 우임금에 대한 평가를, (나)는 수감 생활의 심적 고통을 서술하고 있군.

② (가)는 강물의 다양한 소리를, (나)는 수감 생활의 비참한 상황을 생생하게 묘사하고 있군.

③ (가)는 올바른 삶의 자세에 대한 생각을, (나)는 전쟁 상황에 대한 견해를 나타내고 있군.

④ (가)는 사물의 본질에 대한 의혹을, (나)는 생활 터전의 열악함을 해학적으로 그리고 있군.

⑤ (가)는 마음가짐을 다스리는 것의 중요성을, (나)는 수감 생활에서의 의욕을 드러내고 있군.

[11 ~ 13] 다음 시를 읽고 물음에 답하시오.

가 평상이 있는 국숫집에 갔다
붐비는 국숫집은 삼거리 슈퍼 같다
평상에 마주 앉은 사람들
세월 넘어온 친정 오빠를 서로 만난 것 같다
국수가 찬물에 헹궈져 건져 올려지는 동안
쯧쯧쯧쯧 쯧쯧쯧쯧,
손이 손을 잡는 말 / 눈이 눈을 쓸어 주는 말
병실에서 온 사람도 있다
식당 일을 손 놓고 온 사람도 있다
사람들은 평상에만 마주 앉아도
마주 앉은 사람보다 먼저 더 서럽다
세상에 이런 짧은 말이 있어서
세상에 이런 깊은 말이 있어서
국수가 찬물에 헹궈져 건져 올려지는 동안
쯧쯧쯧쯧 쯧쯧쯧쯧, / 큰 푸조나무 아래 우리는
모처럼 평상에 마주 앉아서   – 문태준, 〈평상이 있는 국숫집〉

나 오늘, 북창(北窓)을 열어,
㉠장거릴 등지고 ㉡산을 향하여 앉은 뜻은
사람은 맨날 변해 쌓지만
태고(太古)로부터 푸르러 온 산이 아니냐.
고요하고 너그러워 수(壽)하는 데다가
보옥(寶玉)을 갖고도 자랑 않는 겸허한 산.
마음이 본시 산을 사랑해 / 평생 산을 보고 산을 배우네.
그 품 안에서 자라나 거기에 가 또 묻히리니
내 이승의 낮과 저승의 밤에
아아(峨峨)라히 뻗쳐 있어 다리 놓는 산.
네 품이 내 고향인 그리운 산아
미역취 한 이파리 상긋한 산 내음새
산에서도 오히려 산을 그리며
꿈 같은 산정기(山精氣)를 그리며 산다. – 김관식, 〈거산호·Ⅱ〉

11 (가)와 (나)의 시상 전개 방식에 대한 설명으로 적절하지 **않은** 것은?

① (가)는 국숫집에 모인 사람들을 묘사하는 방식으로 전개하였다.
② (가)는 비유를 통해 시적 분위기를 형성하는 방식으로 전개하였다.
③ (나)는 산에 대한 애정과 그리움을 중심으로 전개하였다.
④ (나)는 산을 의인화하여 그 특성을 나열하는 방식으로 전개하였다.
⑤ (가)와 (나)는 모두 공간의 변화에 따른 화자의 태도 변화를 나타내며 전개하였다.

12 〈보기〉의 ㄱ~ㄷ에 들어갈 말로 적절하게 짝 지어진 것은?

> **보기**
> **선생님:** (가)의 '쯧쯧쯧쯧'은 (ㄱ)적 의미를 지닌 음성 상징어예요. (가)에서는 이를 통해 '평범한 사람들이 주고받는 (ㄴ)와/과 교감'이라는 시의 주제를 인상적으로 드러내고, (ㄷ)의 정겨운 분위기를 보여 주기도 한답니다.

	ㄱ	ㄴ	ㄷ
①	상징	공감	국숫집
②	중의	위로	국숫집
③	상징	반성	푸조나무
④	중의	치유	삼거리슈퍼
⑤	함축	후회	삼거리슈퍼

13 ㉠과 ㉡의 상징적 의미를 〈조건〉에 맞게 서술하시오.

> **조건**
> '㉠은 …을/를 상징하는 반면, ㉡은 …을/를 상징한다.'의 문장 형식으로 쓸 것.

[14~16] 다음 글을 읽고 물음에 답하시오.

가 묏버들 갈히 것거 보내노라 님의손디
　자시는 창(窓)밧긔 심거 두고 보쇼셔
　밤비예 새닙곳 나거든 날인가도 너기쇼셔

– 홍랑, 〈묏버들 갈히 것거〉

나 꽃잎은 하염없이 바람에 지고　　風花日將老(풍화일장로)
　만날 날은 아득타, 기약이 없네.　　佳期猶渺渺(가기유묘묘)
　무어라, 맘과 맘은 맺지 못하고　　不結同心人(불결동심인)
　한갓되이 풀잎만 맺으려는고.　　空結同心草(공결동심초)

– 설도, 〈춘망사〉

다 [아니리] 〈중략〉 흥보가 읍내를 갈랴고 관망 의복을 채리는디,

[자진모리] 흥보 모냥을 볼작시면, 편자 떨어진 헌 망건, 물렛줄 당줄에다가 박 쪼각으로 관자 달아서 두통 나게 졸라 쓰고, 철대 부러진 헌 파립 버릿줄 총총 매어 노갓끈 달아 쓰고, 다 떨어진 고의적삼 살점이 울긋불긋, 목만 남은 질 보신에 짚 대님이 별조로구나. 헐고 헌 베 도복에 열두 도막 이은 띠 흉당 눌러 고이 매고, 한 손에다가 곱돌 조대를 들고, 또 한 손에다 떨어진 부채 들고, 죽어도 양반이라고 여덟 팔 자 걸음으로 어식비식 내려간다.

– 작자 미상, 〈흥보가〉

14 (가)~(다)에 대한 설명으로 적절하지 않은 것은?

① (가)는 도치법을 사용하여 화자의 마음을 강조하고 있다.
② (나)는 자연물을 통해 시간의 흐름을 드러내고 있다.
③ (다)는 인물의 행색을 과장되고 자세하게 묘사하고 있다.
④ (가)와 (나)는 자연물을 매개하여 화자의 마음을 표현하고 있다.
⑤ (가)~(다)는 모두 한국어를 사용하여 한민족의 정서를 표현하고 있다.

15 (가)와 (나)에 드러난 공통적인 화자의 태도로 적절한 것은?

① 임이 떠난 상황을 자책하고 있다.
② 임에 대한 그리움을 표현하고 있다.
③ 임과 다시 만날 것을 소망하고 있다.
④ 임에 대한 원망과 인생의 허무함을 나타내고 있다.
⑤ 임에게 자신의 마음을 적극적으로 드러내고 있다.

16 〈보기〉는 학생들이 (다)를 읽고 나눈 대화이다. 〈보기〉에서 적절한 의견을 제시한 학생을 모두 골라 묶은 것은?

> **보기**
>
> **영서** 흥보가 망건, 갓, 고의 적삼 등을 모두 갖추어 입는다는 점에서 양반으로서의 체면에 집착한다는 것을 알 수 있어.
>
> **선희** 흥보는 팔 자 걸음으로 걸으며 양반처럼 행동하려 하지만 초라하고 남루한 행색으로 인해 웃음을 유발하고 있어.
>
> **형준** 흥보가 자신의 가난한 처지를 감추고 양반의 흉내를 내려 양반의 행색을 따라하는 모습을 묘사하고 있어.
>
> **주아** 흥보는 양반이지만 검소한 의복을 입는다는 점에서, 청빈을 실천하는 사대부의 모습을 엿볼 수 있어.

① 영서, 선희　　　　　② 형준, 주아
③ 영서, 선희, 주아　　④ 영서, 형준, 주아
⑤ 선희, 형준, 주아

Memo

7일 끝!

정답과 해설

 정답과 해설 활용 만내

◆ 정답 박스로 빠르게 정답 확인하기!

◆ 정답과 오답의 이유, 한 번 더 짚고 넘어가기!

◆ 서술형 답안의 **평가 요소**를 직접 **체크**해 보며,
주관식 문제 꼼꼼히 **대비하기!**

7일 끝! 기말고사 대비

1일 기초 확인 문제   7쪽

1 구운몽

1 (1) ㉠ (2) ㉣ (3) ㉢ (4) ㉡   **2** (1) ○ (2) × (3) ○   **3** 세속
4 (1) 용궁 (2) 언어 (3) 부귀   **5** ⑤   **6** (1) ㉡ (2) ㉢ (3) ㉠

2 (2) 이 글은 중국 당나라 때를 시간적 배경으로 하며, 현실에서는 중국 남악 형산 연화봉, 꿈에서는 당나라의 수도인 장안 등을 공간적 배경으로 한다.

5 성진은 꿈을 꾼 이후 자신이 욕망하던 부귀와 남녀의 정욕이 덧없다는 깨달음을 얻게 되었다. ⑤의 '동상이몽'은 같은 자리에 자면서 다른 꿈을 꾼다는 뜻으로, 겉으로는 같이 행동하면서도 속으로는 각각 딴생각을 하고 있음을 이르는 말이다. 따라서 성진이 얻은 깨달음과 관련성이 없다.

오답 풀이
①, ②, ③, ④ '노생지몽', '일장춘몽', '일취지몽', '한단지몽'은 모두 인생과 영화의 덧없음을 이르는 말이다.

1일 교과서 기출 베스트   8~11쪽

1 구운몽

1 ④   **2** ②   **3** ②   **4** ③   **5** 입신양명(立身揚名)   **6** ①
7 ④   **8** 손에 잡고 있던 석장을 들어 돌난간을 두어 번 두드렸다.
9 백팔 염주   **10** ①   **11** ②

1 이 글은 3인칭 전지적 시점으로 이야기가 서술되고 있으며, 장면에 따른 시점의 변화가 일어나지 않는다.

오답 풀이
① 성진이 물결을 헤치고 수정궁에 들어가는 등의 전기적 요소를 통해 사건이 전개되고 있다.
③ '만일 얼굴이 붉으면 … 꾸짖지 않으리오.'와 같이 인물의 내적 독백을 통해 심리가 드러난다.

2 용왕은 '부처가 … 술을 경계하는 줄을 내 어찌 모르리오만'이라 말하며 술을 마시지 못하는 성진의 입장을 이해하고 있음을 밝히고 있다(ⓑ). 또한 '궁중에서 쓰는 술은 … 사람의 기운을 화창케 하고'와 같이 말하며 자신이 권하는 술은 일반적인

술과는 다름을 밝히고 있다(ⓓ). 이는 모두 성진을 회유하기 위한 말하기 방식으로 볼 수 있다.

3 ㉠에서 팔선녀가 성진을 막아서자 성진은 웃으며 길값을 치르겠다고 답한다. 따라서 성진이 팔선녀의 태도를 못마땅하게 여긴다고 보기는 어렵다.

4 [A]에서 성진은 승려로서 실행할 수 없는 세속적 삶에 대한 욕망을 느끼면서 법문의 적막함에 회의를 느끼고 있다. 즉, [A]에서는 승려로서의 삶(현실)과 세속적인 삶에 대한 욕망(이상) 사이에서 벌어진 성진의 내적 갈등이 나타난다.

5 ⓐ는 '공을 세워서 자기의 이름을 널리 전하여 후세에 자취를 남기다.'라는 의미이다. 이는 '사회적으로 인정을 받고 출세하여 이름을 세상에 드날림.'을 뜻하는 사자성어인 입신양명과 어울린다.

오답 풀이
'명재경각'은 거의 죽게 되어 곧 숨이 끊어질 지경에 이름을 이르는 말, '공평무사'는 공평하여 사사로움이 없음을 이르는 말, '금의환향'은 출세하여 고향에 돌아옴을 이르는 말이다.

6 양소유는 육관 대사를 보고, 지난날의 꿈에 나타난 노화상이 아니냐고 묻고 있다. 즉, 양소유는 꿈에서 육관 대사를 만난 일을 기억하고 있지만 그가 현실 속의 자신의 스승이라는 것은 알아채지 못한 것이다.

7 ㉠, ㉡, ㉢, ㉤은 육관 대사를 지시하는 반면, ㉣은 양소유를 가리키는 말이다.

8 육관 대사는 양소유에게 춘몽을 깨게 하는 것이 어렵지 않다며 석장(지팡이)을 들어 돌난간을 두드린다. 그러자 '갑자기 네 골짜기에서 구름이 일어나 … 지척을 분변하지 못하'는 전기적 요소가 나타나는데, 이는 성진이 꿈에서 깨어나게 됨을 암시한다고 볼 수 있다. 따라서 이 글에서 주인공의 꿈을 깨우는 등장인물의 특정한 행위는 육관 대사가 돌난간을 두드리는 것임을 알 수 있다.

9 육관 대사의 도술로 꿈에서 깬 성진은 자신의 몸에 백팔 염주가 걸려 있는 것과 갓 깎은 머리털이 가칠가칠한 것을 보고 자신이 꿈에서 깨어났음을 깨달았다. 이 중 2어절로 이루어진 소재는 '백팔 염주'이다.

10 [A]의 '장주(莊周)가 꿈에서 … 다시 나비가 장주가 되었다.'라는 내용은 《장자》에 나오는 '호접지몽(胡蝶之夢)' 고사를 인용한 것이다. 육관 대사는 이를 통해 꿈과 현실의 구분이 모호하

고 무의미함을 이야기하며 꿈과 현실을 다르다고 생각하는 성진의 깨달음이 부족함을 지적하고 있다.

11 육관 대사는 성진에게 '이제 성진과 소유에 있어 어느 것이 참이며 어느 것이 꿈이냐?'라고 물어봄으로써 현실과 꿈에 대한 구분이 무의미하고, 삶도 꿈과 같은 것이므로 헛된 욕망에 집착할 필요가 없음을 깨우치게 하고자 하였다. 따라서 적절한 것은 ②이다.

1일 기초 확인 문제　　　　13쪽

2 만세전

1 ㉠ 개화기 소설, ㉡ 현대 소설　　2 (1) 일제 강점기 (2) 자기반성
(3) 현실　　3 여로 구조　　4 ②　　5 (1) ○ (2) × (3) ○　　6 ㉠,
㉡, ㉢

4 일본 동경에서 유학 중이었던 '나'는 아내가 위독하다는 전보를 받고 귀국하면서 여러 일을 겪게 되고, 이를 통해 식민지 조선의 현실을 알게 되어 분노한다.

5 (2) '나'는 자신이 조선인임이 탄로날까 조심스러워 하는 궐자의 모습을 보고 불쌍하고 가여운 마음이 들었다.

1일 교과서 기출 베스트　　　　14~17쪽

2 만세전

1 ④　　2 ④　　3 요보　　4 ⑤　　5 ③　　6 ⑤　　7 ④
8 ⑤　　9 ⑤　　10 무력감　　11 ②

1 '일이 고되거나 품이 헐하긴 고사하고 굶어 뒈진다기루 하는 수 있나'에서 일본에 간 조선인 노동자들이 저임금으로 힘겹게 일했음을 알 수 있다. 조선인 노동자들 중 일부가 고임금을 받으며 일했다는 내용은 이 글에서 찾아볼 수 없다.

2 이 글에서 '그자'와 시골자가 동업을 하기로 했다는 내용은 확인할 수 없다.

3 '요보'는 일제 강점기에 일본인들이 조선인들을 얕잡아 부르던 말이다. 이는 이 글이 창작된 당시인 일제 강점기의 시대 상황을 반영하고 있다.

4 이 글에서는 새롭게 알게 된 식민지 현실과 개인의 의식 사이에서 '나'가 겪는 심리적 갈등이 나타난다. 일본인과 조선인들 간의 직접적인 갈등이 드러난다고 보기는 어렵다.

5 〈보기〉는 농촌의 참혹한 실상을 몰랐던 과거의 '나'가 농촌을 낭만적인 곳으로 인식하고 썼던 산문시이다. ㉡에는 조선의 비참한 현실을 깨달은 뒤, 지식만으로는 현실을 제대로 이해할 수 없다는 것을 깨달은 '나'의 심리적 갈등이 나타나는데, 이와 같은 갈등을 겪은 후의 '나'는 〈보기〉에 대해 ③과 같은 반응을 보일 것임을 추측할 수 있다.

6 이 글은 작품 속의 주인공인 '나(이인화)'가 자신의 심리를 직접 드러내는 1인칭 주인공 시점으로 서술되고 있다.

7 '나'는 자신과 궐자가 조선인이라는 사실을 알게 된 일본인들의 시선에 불쾌감을 느끼고 있다. 궐자는 '나'를 경멸하는 듯이 보고 있지 않으며, '나'는 그의 시선에 불안감을 느끼고 있지도 않다.

오답 풀이
⑤ '나'는 궐자의 오만한 언사에 '다소 불쾌한 어조'로 답하여, 궐자의 태도에 대한 불쾌감을 노골적으로 표현했다.

8 ㉠은 조선인이라는 이유로 경멸하는 시선을 참아낼 수밖에 없는 식민지인으로서의 무력감을 나타낸다.

9 '비록 독립사상을 가진 나의 뇌 속을 … 소용이 무엇인가.'에서 독립사상을 지니고 있더라도 그에 대한 행동을 실행한 것이 아니라면 체포가 불가능했으리라는 사실을 유추할 수 있다.

오답 풀이
① "사회주의라는 '사' 자나 레닌이라는 '레' 자는 물론이려니와, 독립이라는 '독' 자도 없을 것"이라는 말에서 형사 일행이 '나'의 가방을 뒤지는 까닭을 짐작할 수 있다. 이는 즉, 사회주의나 독립운동에 대한 감시가 심했음을 보여 준다.
②, ③, ④ '나'는 조선인이라는 이유만으로 불시에 조사를 당하는 수모를 겪게 된다. 이는 국가 권력에 의한 검열이 일상화되어 있었음을 보여 준다.

10 이 글에서 '나'는 조선인이라는 이유로 마땅한 증거나 혐의 없이 검문을 받아야 했다. 이후 '나'가 흘리는 '뜨끈뜨끈한 눈물'은 이러한 상황에서 아무런 조치를 취할 수 없는 자신의 처지에 대한 무력감에서 비롯된 것이라 할 수 있다.

11 '쾌락하다'는 '남의 부탁이나 요청 따위를 기꺼이 들어주다'라는 뜻이다. 가방 안에 문제가 될 만한 물건이 없다고 생각하는 '나'는 배 시간에 늦지 않게 배로 돌아가고자 형사의 요구를 바로 수락하고 있다. ②는 '거부하다'의 뜻이다.

2일 기초 확인 문제 21쪽

1 겨울 나들이

1 (1) 분단, 상처 (2) 여로 구조 (3) 도리질　**2** 여행, 온양, 가족, 서울,
아주머니　**3** (1) × (2) × (3) ○　**4** 측은함, 연민　**5** 액자식 구성
6 ㉠ 오해, ㉡ 이해

3　(1) 노파의 도리질은 6·25 전쟁 때 아들을 잃은 충격으로 생긴
고질병이다. (2) 아주머니는 노파를 정성껏 보살피고 있다.

2일 교과서 기출 베스트 22~25쪽

1 겨울 나들이

1 ②　**2** ④　**3** ①　**4** ④　**5** 시어머니에게 '모른다'를 가르
쳤다.　**6** ④　**7** ①　**8** ⑤　**9** ⑤　**10** 가족의 소중함

1　이 글은 서사 갈래 중 현대 소설에 해당한다. 서사 갈래는 서술
자를 통해 이야기를 전달하는 '이야기하기'의 갈래이다. 이때
서술자는 자신의 관점에 따라 사건을 전달한다.

　오답 풀이
　①, ④는 교술 갈래, ③은 서정 갈래, ⑤는 극 갈래의 특성에 해당한다.

2　아주머니는 손님방이 따뜻한지를 먼저 확인한 뒤, '나'를 '구들
도 따뜻하고 난로도 있'는 안방으로 데리고 갔다. 이는 먼저 확
인한 손님방이 외풍이 셌기 때문에 추위에 떨고 있는 '나'를 좀
더 따뜻한 안방으로 데려간 것이지, 난방장치가 고장이 났기
때문이라고 보기 어렵다.

　오답 풀이
　① 아주머니는 '나'를 스스럼없이 안채로 잡아끌고 아랫목으로 끌어다 앉
　히는 등 추워 보이는 '나'를 배려하여 적극적으로 돕고 있다.
　② '뺨이 얼어붙어서 … 웃어지지 않았다.', '꼭 고드름 같아 보여요.'와 같
　은 표현을 통해 '나'가 추위에 떨고 있었음을 알 수 있다.

3　노파의 도리질은 바로 눈앞에서 벌어진 아들의 죽음에 충격을
받아 생겨난 고질병이다. 이는 6·25 전쟁에서 비롯된 충격으
로 생긴 상처라고 볼 수 있다.

　오답 풀이
　④ 인민군과 시어머니가 마주한 상황에서 아주머니의 남편이 뛰쳐나간
　것은 엉겁결에 벌어진 일이다. 따라서 시어머니의 도리질은 아들을 인
　민군에게 넘긴 죄책감에서 비롯된 것이 아니다.

4　이 글에 따르면 6·25 전쟁 때는 '서로 고자질하는 짓이 성행'
하는 '끔찍한 나날'이 이어지고 있었다. 아주머니는 이와 같이
전쟁으로 인한 비인간적인 상황이 만연한 때에 '어리숙하고 …

생전 남을 의심할 줄 모르는 시어머니' 같은 사람이 탈 없이 살
기는 어렵다고 생각하고 있다.

5　아주머니는 어리숙한 시어머니가 남들에게 속아 남편이 있는
곳을 말하게 될까 봐 '모른다'를 가르치며 철저하게 입단속을
시켰다.

6　'근데 오늘은 … 손님이 안 드셨으면 어쩔 뻔했을까 모르겠어
요.'를 통해 아주머니가 '나'에게 고마워하는 까닭이 따로 있음
을 추측할 수 있다. 아주머니가 '나'가 거스름돈을 받지 않아서
고마워했다는 것은 '나'의 단편적인 생각일 뿐, 아주머니의 비
굴한 듯한 태도에 대한 이유로 보기는 어렵다.

　오답 풀이
　⑤ '아주머니는 내가 불쾌할 만큼 굽실굽실 고마워했다.'와 같은 표현을
　통해 '나'가 굽실거리는 아주머니의 태도를 못마땅하게 여기고 있음이
　나타난다.

7　'나'는 서울로 가겠다는 아주머니가 걱정되어 '하필이면 이 추
운 날' 서울을 왜 가느냐고 묻는다. 그런 뒤 '나'는 남편도 '나'
에게 똑같은 말을 했음을 떠올리고 ㉠과 같이 느낀다. 이는
'나'가 남편이 자신을 걱정하는 마음에서 자신과 같은 말을 했
을 것이라는 점을 깨닫고 남편의 진심을 이해하게 되었기 때
문으로 볼 수 있다.

8　'나'는 아주머니가 지나치게 비굴한 태도로 돈을 받는 것을 탐
탁치 않아했지만 아주머니와의 대화 후 오해를 풀고 가족을
생각하는 아주머니의 마음을 이해하게 된다.

9　아주머니는 아들에 대한 걱정으로 잠을 이루지 못하고 뒤척인
것이다. 따라서 ㉠은 잠을 이루지 못함, 근심, 걱정 등과 관련
된 어휘로 표현하는 것이 적절하다. 와신상담은 '원수를 갚으
려고 온갖 괴로움을 참고 견딤.'을 이르는 말로 ㉠의 상황과는
관련이 없다.

　오답 풀이
　① '전전반측'은 누워서 몸을 이리저리 뒤척이며 잠을 이루지 못함을 뜻
　하는 말이다.
　② '노심초사'는 몹시 마음을 쓰며 애를 태움을 뜻하는 말이다.
　③ '좌불안석'은 앉아도 자리가 편안하지 않다는 뜻으로, 마음이 불안하
　거나 걱정스러워서 한군데에 가만히 앉아 있지 못하고 안절부절못하
　는 모양을 이르는 말이다.
　④ '전전긍긍'은 몹시 두려워서 벌벌 떨며 조심함을 뜻하는 말이다.

10　'나'는 아주머니와의 대화 후, 가려로 했던 온천장이 아닌 '서
울'로 행선지를 변경한다. 이는 '나'가 아들을 걱정하는 아주머
니의 마음을 이해하게 되면서 가족의 소중함을 깨달았기 때문
으로 볼 수 있다.

2일 기초 확인 문제

27쪽

2 일아구도하기 **3** 뒤지가 진적

1 (1) 경험, 알려 주기 (2) 개성 (3) 교훈 **2** (1) × (2) ○ (3) ×
3 몸, 추락 **4** (1) ○ (2) ○ (3) × **5** 조선어 학회 사건, 읽을거리,
본능 **6** ②

2 (1) '나'의 생각이 아닌 '어떤 이'의 생각이다. (3) 사람들은 강을 건널 때 낮에는 강물의 물살이 거센 모습에, 밤에는 강물의 요란한 소리에 현혹되어 강물을 건너기를 두려워하였다.

4 (3) '감방'이라는 단어에서 글쓴이가 감옥 생활 중임을 알 수 있을 뿐, 시대적 배경이 드러난다고 보기는 어렵다.

6 '우선 뒤를 자주 보기로 하였다. … 뒤지를 서로 돌려 가며 보는 것이었다.'와 같이 뒤지를 얻기 위한 노력을 표현한 부분에서 글쓴이가 지닌 해학적인 태도를 파악할 수 있다.

2일 교과서 기출 베스트

28~31쪽

2 일아구도하기 **3** 뒤지가 진적

1 ① **2** ⑤ **3** ④ **4** ③ **5** 보고 듣는 것이 자세하면 할수록 병폐가 됨. (보고 듣는 것이 수시로 병폐가 됨.) **6** ⑤ **7** ④
8 ② **9** ④ **10** 일제 강점기

1 이 글은 한문으로 창작된 고전 수필로, 교술 갈래에 속한다. 교술 갈래는 개인의 실제 체험을 서술하며, 글쓴이와 작품 속 자아가 일치하여 글쓴이가 자기 자신을 직접 드러낸다는 특성을 지닌다.

2 제시된 부분에서는 유사한 어구의 반복, 열거가 나타나지 않으며 글쓴이의 자연 친화적 태도 역시 드러나지 않는다.

오답 풀이
① '시뻘건 물결이 산더미같이 일어나 끝이 보이지 않았다.'에서 과장법이 사용되었다.
② '어느 겨를에 … 빌었겠는가.', '또 어디서 소리가 들렸겠는가?'에서 설의적 표현이 드러난다.
③ '시뻘건 물결이 산더미같이 일어나', '물이 소용돌이 치고 용솟음치니'의 표현에서 시각적 이미지를 통해 강물을 역동적이고 생동감 있게 묘사하고 있다.
④ '"요동 벌판이 … 않는 것이다."라고 모두들 말하였다.'에서 직접 인용이 나타나며, '나'는 '그러나 … 잘 모르고 한 말이다.'와 같이 그들의 생각에 반박하고 있다.

3 ㉠은 거센 물살 때문에 위태로운 상황에 있음을 강조하기 위

한 말이므로, ㉠에는 '존망이 달린 매우 위급한 처지'를 뜻하는 '풍전등화'가 어울린다.

오답 풀이
① '견강부회'는 이치에 맞지 않는 말을 억지로 끌어 붙여 자기에게 유리하게 함을 뜻하는 말이다.
② '안분지족'은 편안한 마음으로 제 분수를 지키며 만족할 줄을 앎을 뜻하는 말이다.
③ '임시변통'은 갑자기 터진 일을 우선 간단하게 둘러맞추어 처리함을 뜻하는 말이다.
⑤ '사상누각'은 모래 위에 세운 누각이라는 뜻으로, 기초가 튼튼하지 못하여 오래 견디지 못할 일이나 물건을 이르는 말이다.

4 ㉢은 '나'가 강물에 추락할 것을 각오함으로써 감각에서 오는 공포를 극복했음을 드러내는 부분이다. ㉢에서 '나'가 강물을 감각적으로 인식하였다고 볼 수 없으므로, ③의 이해는 적절하지 않다.

5 이 글에서 '나'는 귀와 눈, 즉 감각에 의존하는 것이 두려움에 빠지는 요인임을 인식하였다. 이에 '나'는 '마음을 차분히 다스린 사람'은 귀와 눈이 누를 끼치지 못하지만, '제 귀와 눈만 믿는 사람'은 보고 듣는 것이 수시로 병폐가 됨을 깨달았다고 이야기하며 사물의 본질을 보려고 노력하는 태도의 중요성을 강조하고 있다.

6 '우리 동지들의 가족'이 가져온 신문지가 잘게 썰려서 공급되는 경우가 있었으나, 제시된 내용만으로는 동지들의 가족이 신문지를 의도적으로 가져온 것으로 보기는 어려우며 그들의 도움으로 글쓴이와 동지들이 뒤지를 돌려 읽었다고 볼 수도 없다.

7 '똥통과 동거 생활', '똥통 위에 올라앉아서'와 같이 자신이 처한 열악한 상황을 해학적으로 표현하는 모습에서 힘든 상황을 해학적인 태도로 극복하려는 글쓴이의 성격을 파악할 수 있다.

8 글쓴이는 글을 읽고 싶은 욕구를 충족하기 위해 뒤지를 얻으려 갖은 방법을 이용한다. 그러나 그렇게 얻은 뒤지만으로는 글을 읽고 싶은 욕망을 충족할 수 없었기 때문에 ㉠과 같이 말한 것으로 볼 수 있다.

9 '걸터서'는 문맥상 '걸터듬어서'의 뜻으로 추정되며 이는 '무엇을 찾느라고 이것저것을 되는대로 마구 더듬다.'라는 뜻이다. ④는 '전하다'의 사전적 의미이다.

10 〈보기〉에서 《경무휘보》의 필자들이 '조선 총독부 사법 기관에 근무하는 판사', '경성 제국 대학 교수' 등임을 참고했을 때, 이 글의 시대적 배경이 일제 강점기임을 알 수 있다.

1 봉산 탈춤

1 (1) 존재하지 않는다 (2) 현재형 (3) 직접적　**2** (1) ㉠ (2) ㉢ (3) ㉣
(4) ㉤　**3** ㉣-㉡-㉢-㉠　**4** (1) ○ (2) × (3) ○　**5** 재담, 갈등
6 언어유희, 희화화

3 이 글에서는 '말뚝이의 조롱-양반의 호통-말뚝이의 변명-양반의 안심'의 재담 구조가 반복되어 나타난다. 일시적으로 위기를 모면하기 위한 말뚝이의 변명을 듣고 양반이 안심하는 모습을 통해 양반의 무지함이 드러나며, 이러한 구조의 반복은 양반에 대한 풍자라는 주제 의식을 강화한다.

4 (2) 말뚝이는 신분이 낮은 마부로, 평민 계층을 상징하는 인물이다.

1 봉산 탈춤

1 ⑤　**2** ⑤　**3** ⓐ 서방님, ⓑ 도련님, ⓒ 샌님　**4** ④　**5** ④
6 ③　**7** ④　**8** ③　**9** ②　**10** 특별한 무대 장치가 필요하지
않다.

1 말뚝이가 양반을 소개하며 '삼정승, 육판서를 다 지낸 … 양반인 줄 아지 마시오.'와 같이 말한 것은 '양반 삼 형제'가 그다지 권위 있는 존재가 아님을 나타냄으로써 그들을 조롱하기 위한 것이다. 그들을 예찬하려는 의도로 한 말이 아니다.

2 이 글에서는 하나의 재담이 끝난 뒤 인물들이 춤을 추면서 상황을 마무리하는 장면이 나타난다. 이때 춤은 양반들과 말뚝이의 일시적인 갈등 해소를 알리고, 극의 흥겨운 분위기를 조성하는 기능을 한다.

3 [A]에 따르면 샌님은 언청이 두 줄, 서방님은 언청이 한 줄이며 도련님은 입이 삐뚤어졌다. 따라서 ⓐ~ⓒ는 각각 ⓐ 서방님, ⓑ 도련님, ⓒ 샌님 탈에 해당한다.

4 이 글에서 말뚝이는 양반을 조롱하고 풍자하는 역할을 하고 있다. 양반들의 호통에 변명하기는 하나, 이는 말뚝이가 위기를 일시적으로 모면하기 위한 것이지 양반과 평민 사이의 균

형을 유지하기 위한 것으로 보기 어렵다.

5 ㉠ 말뚝이는 '님'과 '놈'자를 의도적으로 바꾸어 자신을 '말뚝이님'과 같이 높여 부르고, 샌님을 '샌님 비뚝한 놈'이라 낮춰 부르고 있다. ㉡ '동은 여울이요, 서는 구월이라.'에서 대구를 사용하고 있으며, '서양 영미, … 무른 메주 밟듯 하고', '동여울서구월 … 참나무 결결이'와 같이 말뚝이가 양반을 찾아다닌 곳을 열거하여 상황을 과장되게 표현하고 있다. ㉢ 노새 원님이 '노 생원님'과 발음이 유사한 것을 이용한 언어유희를 사용하고 있다.

오답 풀이

㉣ 말뚝이는 양반의 말에 대꾸하면서 '없었습니다' 대신 '없습디다'라고 함으로써 예의를 갖추지 않은 반항적인 표현을 사용하고 있다.
㉤ 사물을 의인화하고 있지 않다.

6 ③은 현대극에 대한 설명이다. 막은 연극 내용의 큰 단락을 세는 단위로, 한 막은 무대의 막이 올랐다가 다시 내릴 때까지를 말한다. 연극에서 막은 사건을 진행하는 데 있어 시간이나 공간의 변화를 표현할 때 활용되기도 한다. 한편 이 글은 가면극(탈춤)의 대본으로, 이와 같은 가면극에서는 공연 장소가 곧 무대가 되기 때문에 특별한 무대 장치를 활용한 막과 장의 구분을 필요로 하지 않는 것이 특징이다.

7 ㉣은 '총'과 '못'이라는 운자를 맞추기에 급급할 뿐, 한시라고 볼 수 없는 내용을 담고 있어 양반의 허위와 허세를 보여 준다. 양반이 교양이 있음을 드러내고 있다는 설명은 적절하지 않다.

오답 풀이

② ㉡에서 생원은 운자로 제시된 '산'과 '영'을 맞추어 한시를 짓기는 하였으나, 한시의 형태에 맞지 않고 황해도 지방의 지명을 단순히 나열한 것에 지나지 않는다. 이는 양반들의 학식과 교양이 허구적임을 폭로하는 역할을 한다.

8 취발이는 양반이 써 준 전령을 보자 아무 저항 없이 잡혀 온다. 이를 통해 당시 양반의 권위가 백성들에게 영향을 미쳤다는 것을 알 수 있다.

9 ㉡에서는 상스럽고 폭력적인 표현을 사용하는 모습을 통해 양반의 폭력성과 횡포를 고발하려는 의도가 드러난다. 취발이가 지은 죄에 대한 응당한 처벌이라고 보기 어렵다.

10 ⓐ에서는 다음 장면에 나올 취발이를 한쪽 구석에 있도록 하여 양반들과 다른 극 중 장소에 있는 것으로 설정하였음이 나타난다. 이는 특별한 무대 장치가 마련되어 있지 않고 열린 공간에서 진행되는 가면극(탈춤)의 특징을 보여 준다.

3일 기초 확인 문제

41쪽

2 파수꾼

1 (1) ○ (2) × (3) ○   **2** 실험극   **3** (1) 권력 (2) 교활함 (3) 위선적
4 편지, 흰 구름, 거짓말   **5** 마을 사람들   **6** ②

1 (2) 이 글은 1970년대의 정치 현실을 풍자한 희곡이다.

6 이 글에서 딸기는 이리 떼를 주의하라는 '팻말' 밑에 위치해 있다. 그래서 촌장을 제외한 마을 사람들은 이리 떼에 대한 공포 때문에 딸기가 있는 장소에 접근하기가 힘들다. 이로 볼 때, 딸기는 촌장이 거짓말로 얻은 이익, 즉 부정한 대가를 상징하는 것으로 볼 수 있다. 촌장은 이러한 딸기를 이용해 파수꾼 다를 회유하려 한다.

3일 교과서 기출 베스트

42~45쪽

2 파수꾼

1 ②   **2** ①   **3** ㉡, ㉢, ㉣, ㉤   **4** ③   **5** ⑤   **6** ①   **7** ④
8 ②   **9** 파수꾼 다가 진실을 폭로할 가능성을 차단하기 위해서
10 ④

1 이 글은 민중을 속이는 지배 이념을 상징하는 '이리 떼', 진실을 의미하는 '흰 구름' 등의 상징적 소재와, 각각 권력자와 나약한 지식인을 상징하는 '촌장'과 '파수꾼 다'를 등장시켜 거짓과 현실에 대한 비판, 진실을 밝히는 일의 소중함과 어려움이라는 주제를 형상화하고 있다.

오답 풀이
① 촌장과 파수꾼 다의 갈등을 중심으로 하여 극이 전개되고 있다.
③ 제시된 부분에서는 장면의 전환이 나타나지 않는다.
④ 촌장과 파수꾼 다의 현재 대화가 제시될 뿐, 과거와 현재의 교차는 나타나지 않는다.
⑤ 위선적인 촌장의 모습을 통해 당대의 현실에 대한 비판적 의식을 나타내고 있으나 비극적 상황을 희화화한 부분은 찾을 수 없다.

2 파수꾼 다는 마을의 안전을 위협하는 이리 떼가 존재하지 않는다는 사실과 촌장이 마을 사람들을 속이고 있다는 것을 알고 있다. 하지만 파수꾼 다가 촌장이 마을의 안전을 위협하고 있다고 생각한 부분은 드러나지 않는다. 따라서 ①의 이해는 적절하지 않다.

3 촌장은 존재하지 않는 ㉡(이리 떼)을 만들어 마을 사람들을 위협하고 공포심을 느끼게 하였다. 또한 ㉢(파수꾼)에게 ㉣(망

루) 위에서 ㉤(양철 북)을 두드리게 하여 거짓을 널리 알리게 하였다. 따라서 ㉡~㉤은 모두 촌장이 자신에게 유리한 방향으로 마을의 질서를 유지하여 권력을 공고히 하기 위해 활용한 소재로 볼 수 있다.

오답 풀이
㉠ '운반인'은 진실이 적힌 파수꾼 다의 편지를 읽어 진실을 알고 있는 인물이다. 촌장이 마을을 통제하기 위해 활용한 인물로 볼 수 없다.

4 촌장은 파수꾼 다가 사실을 말하게 되면 자신이 마을 사람들에게 도끼로 찍히고 망치로 얻어맞을 것이라고 과장하여 파수꾼 다의 동정심을 유발하고 있다. 이는 파수꾼 다가 사실을 말하지 않도록 하기 위한 회유 방식으로 볼 수 있다.

5 제시된 만화는 이솝 우화인 '양치기 소년'의 이야기를 다룬 것이다. 만화에서는 소년의 계속된 거짓말로 결국 마을 사람들이 소년을 도우러 오지 않아 소년의 양들이 늑대에게 잡아 먹혔으므로 소년 자신의 피해가 진실 왜곡의 결과라고 볼 수 있다. 반면 이 글에서는 촌장이 진실을 왜곡하여 마을 사람들이 공포심을 갖도록 조장하였으므로, 진실 왜곡의 결과는 마을 사람들의 피해라고 볼 수 있다.

6 ㉠은 무대 밖에 위치한 관객들을 '마을 사람들'로 설정한 실험극으로서의 특징을 보여 준다. 이 글에서는 이러한 설정을 통해 등장인물 수에 제한이 있는 희곡의 제약을 극복하고 관객의 흥미를 유발하여 극에 몰입할 수 있게 한다.

오답 풀이
③ 무대 밖에 있는 관객들을 마을 사람들이라 설정한 것이지, 무대 위로 끌어 올린 것은 아니다.
④, ⑤ 현대극에서는 무대와 관객석이 구분되므로, 관객들을 무대 안의 대상으로 볼 수 없다.

7 ⓓ에서는 촌장이 이리 떼가 없다는 사실이 적힌 편지를 공개한 식량 운반인을 처벌하려 하고 있음이 나타난다. 파수꾼 다와 운반인은 별개의 인물이다.

8 이 글에서는 '바람 부는 소리'를 활용하여 진실 드러내기에 실패한 파수꾼 다의 우울한 심리를 효과적으로 드러내고 있다.

9 촌장은 이리 떼가 존재하지 않는다는 사실을 폭로하려 했던 파수꾼 다와 마을 사람들의 접촉을 차단시켜 비밀을 유지하려 하고 있다.

10 [A]에는 존재하지 않는 이리 떼를 잡기 위해 '덫'을 놓는다고 하며, 북을 치던 자신의 모습을 뽐내는 파수꾼 나의 모습이 나타난다. 이는 촌장의 거짓말에 속아 진실을 모른 채 권력에 이용당하는 파수꾼 나의 무지한 모습을 나타낸다.

정답

4일 기초 확인 문제 49쪽

1 용소와 며느리바위

1 (1) ○ (2) × (3) ○　**2** (1) 전설, 구비 (2) 탐욕 (3) 방언　**3** 재앙
4 지상적, 용소　**5** (1) ㉡ (2) ㉢ (3) ㉠　**6** ④

1 (2) 한국 문학의 개념에서 한국어란 우리 민족이 사용해 온 언어를 말한다. 근대 이전의 문인들은 주로 한자와 한문으로써 문학 활동을 하였기 때문에 선인들이 창작한 한문 문학도 한국 문학에 포함된다.

6 이 글은 구비 문학을 채록한 것으로 '…단 말야'와 같이 일상 대화에서 들을 수 있는 구어체가 그대로 드러나는 것이 특징이다.

4일 교과서 기출 베스트 50~51쪽

1 용소와 며느리바위

1 ④　**2** ③　**3** 인색하고 악하다.　**4** ④　**5** ⑤　**6** 진실성(신빙성)

1 이 글은 구비 문학인 설화 중 전설에 해당한다. 이 글에서는 고사를 인용한 부분이 나타나지 않으며, 또한 이를 구비 문학의 특징으로 보기 어렵다.

오답 풀이
① '… 장재(長者) 첨지네 집터 자리라 그래. 장재 첨지네 집터 자린데'와 같이 앞서 한 말을 반복하고 있다.
② '그', '인지', '뭐'와 같은 군말을 사용하고 있다.
③ '…거든, …는데'의 구어체를 사용하고 있으며, '… 그것을 뭐이라구 하나, 부삽이라구 하나'와 같이 이야기 도중 머릿속에 떠오르는 내용을 부연하여 청자에게 구술하는 형식을 취하고 있다.
⑤ '열다(넣다)'와 같이 방언을 사용하고 있다.

2 중이 장재 첨지의 행위에 대해 불편함을 표현한 부분은 나타나지 않는다. 중은 장재 첨지가 자신의 바랑에다 소똥을 넣었음에도 낯색이 조금도 변하지 않았다.

오답 풀이
② 장재 첨지의 악행에도 중의 낯색이 조금도 변하지 않은 것으로 보아, 중은 장재 첨지의 악행을 예상하고 있었다는 것을 짐작할 수 있다.

3 ㉠에서는 시주를 받으러 온 중에게 쇠똥을 퍼 주는 장재 첨지

4 장재 첨지의 집이 없어진 이유는 장재 첨지의 악행에 중이 재앙을 내렸기 때문이다. 여인이 중의 주의를 어긴 결과라고 보기 어렵다.

5 '금기'는 중이 자신에게 인정을 베푼 며느리에게 재앙을 피할 수 있도록 알려준 것이다. 따라서 이 '금기'는 장재 첨지와 같은 이기적이고 탐욕스러운 악인이 아니라, 인정을 베푼 며느리가 구원 받을 수 있는 방도라고 할 수 있다.

6 전설은 구체적인 시간과 장소, 증거물을 제시하여 이야기의 진실성을 갖춘 것이 특징이다. 이 글에서는 '용소'와 '며느리바위'라는 구체적인 증거물을 제시하여 이야기의 진실성을 강조하고 있다.

4일 기초 확인 문제 53쪽

2 촉규화 3 평상이 있는 국숫집

1 (1) ○ (2) ×　**2** (1) 비유적 (2) 모습, 정서　**3** 고귀한 신분, 벼슬
4 (1) ○ (2) ×　**5** (1) 묘사 (2) 우리　**6** 국숫집, 공감

1 (2) 이 시의 화자는 자신이 인정받지 못하는 상황을 참고 견디는 체념의 태도를 보인다.

4 (2) 이 시에 쓰인 '친정 오빠'라는 표현은 평상에 모인 사람들이 친정 오빠와 같이 '친근하고 편안한 존재'라는 것을 비유적으로 나타낸 것이다.

4일 교과서 기출 베스트 54~55쪽

2 촉규화 3 평상이 있는 국숫집

1 ②　**2** ③　**3** ⓐ, ⓒ　**4** ④　**5** ④　**6** 마주 앉은 사람보다 먼저 더 서럽다

1 이 시의 8구에서 화자는 '참고 견디네'라는 표현을 통해 지체 높은 이들이 자신의 능력을 알아봐 주지 않는 상황에 대한 체

념적 태도를 드러내고 있다. 이때 역설적 표현은 사용되지 않았다.

오답 풀이

① '누가 보아 주리'라는 설의적 표현을 사용하여 지체 높은 이들이 화자를 봐 주지 않는 처지를 부각하고 있다.

③ '매화 비'와 '보리 바람'은 초여름의 계절감을 드러내는 시어로, 촉규화의 아름다움을 잘 보여 주는 풍경이다.

④ '벌 나비'는 화자가 벼슬에 진출하는 데 큰 도움이 되지 않는 사람을 뜻하는 시어로, '수레 탄 사람'과 대조적 의미를 지닌다. 이를 통해 수레 탄 사람들이 화자를 봐 주지 않고, 화자가 벼슬에 진출하는 데 큰 도움이 되지 않는 사람들만 주변에 있는 상황을 드러내고 있다.

⑤ 이 시에서는 1~4구에서 촉규화의 모습을 묘사하고, 5~8구에서 촉규화(화자)의 정서를 드러내는 선경후정의 방식을 사용하여 시상을 전개하고 있다.

2 ⓒ(보리 바람)은 초여름의 계절감을 드러내는 시어로, 촉규화의 아름다움을 보여 주는 풍경에 해당된다. 이러한 점으로 미루어 볼 때, ⓒ은 '황소의 난'이 아니라, 최치원이 당 전역에 문장으로 이름을 떨치는 상황에 상응될 수 있다.

3 근대 이전의 문인들은 주로 한자와 한문으로써 문학 활동을 하였기 때문에 선인들이 창작한 한문 문학도 한국 문학에 포함된다. 이 시는 신라 출신인 최치원이 쓴 한시이며, 신분의 한계로 사회에서 능력을 인정받지 못했던 한과 서러움을 담고 있다는 점에서 한국 문학으로 볼 수 있다.

오답 풀이

ⓑ 한국 문학의 개념이나 범위를 정하는 조건에 해당되지 않는다.

ⓓ '향찰'에 대한 설명에 해당한다. 향찰로 표기된 작품은 한국 문학으로 볼 수 있으나, 이 시는 오언 율시의 한시이다.

ⓔ 이 시에서 현실에 대한 화자의 비판적 사상은 드러나지 않는다.

4 이 시에서 사용된 음성 상징어는 '쯧쯧쯧쯧'이다. '쯧쯧쯧쯧'이 '상대방의 처지가 안타까울 때 가볍게 혀를 차는 소리'라고 할 때, 이는 평상에 마주 앉은 사람들이 나누는 위로와 공감이라는 주제 의식과 정서를 드러낸다고 볼 수 있다.

5 ㉠(평상이 있는 국숫집)은 평범한 사람들이 모여 북적이는 소박한 장소로, 사람들이 상대에 대한 연민과 위로의 말을 나누는 공간이다. 이 시에서는 ㉠에 모인 사람들이 타인과의 차이를 발견하고, 이를 극복해 가는 내용은 찾아볼 수 없다.

6 이 시에서는 '마주 앉은 사람보다 먼저 더 서럽다'라는 시구를 통해 국숫집에 모인 사람들이 이웃의 일을 마치 자기 일처럼 여기면서 서로 공감하고 연민을 느끼는 모습을 보여 준다. 이러한 모습에는 한국인의 공동체 의식이 잘 반영되어 있다고 볼 수 있다.

5일 기초 확인 문제 59쪽

❶ 흥보가

1 (1) × (2) ○ (3) ○ **2** (1) ㉡, ㉢ (2) ㉠, ㉣ **3** ㄱ, ㄷ, ㄹ
4 과장, 웃음 **5** 매품, 부패 **6** ⑤

1 (1) 갈래, 서사 구조, 율격 등은 문학의 형식적 측면에, 주제, 인물 유형, 미의식, 가치관 등은 내용적 측면에 해당한다.

3 ㄱ. 흥보는 몰락한 양반으로 가난하게 생활하고 있다.

ㄷ. 흥보는 환자를 얻으러 갈 때 의관을 챙겨 입고 팔 자 걸음으로 걷는 등 양반으로서의 체면을 중요시한다.

ㄹ. 흥보는 가장의 권위를 내세워 아내의 충고를 무시한다.

오답 풀이

ㄴ. 흥보는 생계를 위해 여러 일을 한다.

ㅁ. 흥보는 가난할 뿐, 재물에 인색하다는 내용은 찾을 수 없다.

6 '처먹다'와 같이 일상 대화에 쓰이는 비속어가 나타나는 것은 판소리의 특징 중 하나이다.

5일 교과서 기출 베스트 60~63쪽

❶ 흥보가

1 ① **2** ④ **3** 품을 팔아 가며 노력함에도 가난을 면치 못하고 있다. **4** ⑤ **5** ② **6** ④ **7** ⑤ **8** 신분제의 동요(신분제의 혼란) **9** ② **10** ①

1 (가)는 판소리의 장단에 맞추어 부르는 창에 해당된다. (가)에서는 조금 느린 장단인 중모리 장단을 사용하여 흥보와 흥보 아내가 생계를 위해 노력한 사연을 서술하고 있으므로, ①의 이해는 적절하다.

2 (나)에서 흥보는 가난 때문에 옷 대신 멍석에 구멍을 내어 자식들에게 씌워 주었다. '울어도 앉어 울고, 잠을 자도 앉어 자'의 내용에서 흥보의 자식들이 멍석 옷 때문에 앉아서 생활했음을 알 수 있다.

오답 풀이

① '누가 헌 줄 몰라 쓸어잡고 욕설을 허는구나.'는 멍석 차림이 불편한 흥보 자식들이 자기들끼리 일으킨 소동에 대한 서술이다. 흥보가 자식들에게 욕설을 한 것이 아니다.

③ '대글빡만 … 메주 넣어 논 뿐이 되었겄다.'는 멍석에 난 구멍에 자식들의 머리만 보이는 모습을 메주를 널어놓은 모양에 비유하여 표현한 것이다. 흥보가 메주를 멍석 위에 늘어놓은 것이 아니다.

3 ㉠과 ㉡에서는 흥보와 흥보 아내가 생계를 위해 품을 팔아 가며 노력하지만 가난을 면치 못하고 있음을 나타내고 있다. ㉠의 '생계 부지 되겠느냐?', ㉡의 '생불여사로 지내는구나.'와 같은 표현에서 흥보 가족의 형편이 어려움이 잘 드러난다.

4 흥보 아내는 '제발 덕분으 조르지를 말어라.'라는 만류의 표현을 통해 자식들이 원하는 것을 들어주지 못하는 아픔과 자식들에 대한 원망을 드러내고 있다. 반어적 표현은 나타나지 않는다.

> **오답 풀이**
> ① '내 도복이나 이리 내왜'와 같은 명령형 어조에서 흥보의 가부장적인 면모가 드러난다.
> ② '너는 왜 그리 목에 식구가 많으냐?'에서 수적 표현을 활용하여 변성기가 되어 갈라지는 아들의 목소리를 해학적으로 나타내고 있다.
> ③ '아궁이에서 … 문쥐 떼 노는 형상인디'에서 흥보 자식들의 지저분한 모습을 비유적으로 표현하고 있다.
> ④ '무슨 일을 … 구사일생(九死一生)으로 알고 가지.'에서 흥보는 환자를 빌릴 수 있다는 믿음이 없어도 한 번의 작은 기회라도 찾아봐야 한다는 입장을 드러내고 있다.

5 이 글에서 ㉡이 한 말 중 '육체'는 고기를 먹고 생긴 체증을 의미한다. 따라서 감기에 걸렸다는 내용은 적절하지 않다.

6 박 생원은 '이게 어쩐 걸음이시오?'라는 아전의 물음에 '가솔은 많고, 양도가 부족허여 환자 섬이나 얻을까 허고 왔지마는'과 같이 답하였다. 즉, 자신이 아전들에게 찾아온 목적을 밝히고 있다.

7 "흥보가 돈 말을 듣더니 대번에 '허시오'로 올라가는디"에서 아전에게 체면을 차리려던 흥보가 돈을 벌 수 있는 제안을 듣고 나서 높임말을 쓰기로 마음을 바꾸었음이 드러난다. 이를 고려했을 때, 양반이라 할지라도 체면보다 돈을 중요하게 여겼던 당대의 모습을 추측할 수 있다.

8 〈보기〉는 조선 후기에 나타난 신분제의 동요 현상에 대한 설명이다. 한편, A[ ]는 양반이지만 극빈층으로 전락한 흥보가 돈을 벌기 위해 중인 계층인 아전 앞에서 말을 높일지 말지를 고민하는 장면이다. 이는 중인과 양반의 실질적인 권력이 달라질 수도 있음을 보여 주며, 신분제가 동요하던 당시의 사회상을 드러낸다.

9 매를 맞기 위해 병영에 도착한 흥보는 대장기와 숙정패, 그리고 병영 영문을 지키는 군로 사령들을 보며 그 위용에 압도당하고 있다. '벌벌벌 떨면서 들어간다.'를 통해 흥보의 입장에서 병영이 두려운 공간임을 나타내고 있으며, 두려움에 떨고 있

는 흥보의 심리를 확인할 수 있다.

> **오답 풀이**
> ① 흥보는 꾀수애비가 매품을 가로채어 돈벌이할 기회를 잃게 되어 실망하고 있다.
> ④ 흥보는 볼기를 맞는 죄인들을 보고 매품을 파는 사람들이라 생각하여 큰돈을 버는 줄 알고 부러워하고 있다.

10 사령들은 매품을 팔러 온 흥보를 보고 '어떤 놈이 흥보 씨 대신이라고 곤장 열 개 맞고'라고 하였다. 흥보는 '어떤 놈'의 생김새를 듣고 그가 꾀수애비임을 알아챘다. 따라서 꾀수애비가 흥보 대신이라고 하여 매품을 가로챘음을 알 수 있다.

> **오답 풀이**
> ③ 꾀수애비는 흥보 대신이라고 하여 매품을 판 것이지 흥보 행세를 한 것은 아니다.

5^일 기초 확인 문제　　　　　65쪽

2 뭇버들 갈히 것거 / 춘망사　**3** 거산호 · Ⅱ

1 (1) 평시조, 이별 (2) 대화적, 사랑　　**2** (1) 이별, 분신 (2) 화자
3 (1) ○ (2) ○ (3) ×　**4** (1) ㉢ (2) ㉠ (3) ㉤ (4) ㉣　**5** 속세(세속), 겸허　**6** 지향

3 (3) 이 시에서는 자연의 순환 원리에 따라 때가 되면 꽃이 피고 지는 것과 달리 화자가 몹시 바라는데도 임이 돌아오지 않는 상황을 대조하여 그에 대한 안타까움을 강조하고 있다.

6 '등지고'라는 서술어를 통해 화자가 속세의 번잡함을 뒤로하고 자연 속에서의 삶을 지향함을 알 수 있다.

5^일 교과서 기출 베스트　　　　66~67쪽

2 뭇버들 갈히 것거 / 춘망사　**3** 거산호 · Ⅱ

1 ⑤　**2** ④　**3** ③　**4** ④　**5** 그리움　**6** ④　**7** ②
8 역설법, 사랑(애정)

1 (가)는 평시조, (나)는 오언 절구의 한시이다. 시조에서는 글자 수를 한두 글자 정도 어기는 것을 허용하나 한시는 글자 수와 운자의 위치에 대한 제한이 엄격하다. 또한 시조에는 시상의 흐름에 제한이 없으나 한시에는 '기 – 승 – 전 – 결'의 짜임과 같이 시상의 흐름에 제한이 있다.

2 이 시에서 화자는 '한갓되이 풀잎만 맺으려는고.'와 같이 풀을 뜯어 매듭을 짓고 있다. 이는 임과 맺어지지 못한 상황에 대한 안타까움을 드러내는 행위라고 볼 수 있다.

3 (가)에서 '묏버들'은 화자의 분신이다. ⓛ에서 화자는 임이 묏버들 가지를 창 밖에 두고 봐 주었으면 하는 바람을 드러내고 있는데, 이는 임이 화자의 마음을 느끼고 화자를 떠올렸으면 하는 염원과 관련이 있다. (나)에서 화자는 임을 만나지 못해 안타까운 마음을 드러내고 있으므로, 화자의 염원은 임과 '만날 날'이라고 할 수 있다. 따라서 ③의 설명은 적절하다.

4 ⓐ에서는 문장의 어순을 바꾸어 표현하는 도치법이 사용되었다. 이 시에서는 이러한 표현을 통해 묏버들의 좋은 가지를 공들여 골라 임에게 보내려는 화자의 애정 어린 마음을 강조한다.

> **오답 풀이**
> ① (가)는 평시조로 3·4조, 4·4조의 4음보의 율격으로 운율을 형성한다. ⓐ는 글자 수를 '4글자-4글자'로 하여 4·4조의 음수율을 맞춘 것이다. 대구법을 활용한 것이 아니다.

5 (가)의 화자는 이별한 임에게 자신의 분신과 같은 묏버들을 보내겠다고 표현함으로써 임에 대한 변치 않는 사랑과 그리움을 드러내고 있다. (나)의 화자는 피고 지는 꽃과 달리 돌아오지 않는 임에 대한 안타까움과 그리움을 드러내고 있다. (가)와 (나)의 화자가 이별에 대처하는 자세에는 차이가 있지만, 모두 이별한 임을 그리워하고 있다는 점에서 공통된 정서를 보인다.

6 감각의 전이란 하나의 감각적 이미지가 다른 감각적 이미지로 전이되어 나타나는 표현 방식을 말한다. 이 시에서는 감각의 전이가 나타나지 않는다.

> **오답 풀이**
> ① 이 시의 4~6행에서 산이 지닌 긍정적인 속성들을 열거하고 있다.
> ② 화자는 12행에서 '산아'와 같이 산을 의인화하여 부름으로써 산에 대한 그리움의 정서를 강조하고 있다.
> ⑤ 13행의 '미역취 한 이파리 상긋한 산 내음새'에서 후각적 심상을 사용하고 있다.

7 '북창'은 화자를 산과 연결해 주는 매개로, '북창을 연다'는 것은 산을 바라보고 가까이하고자 함을 나타낸다. 따라서 '북창'은 화자가 장거리를 등지고 향한 방향에 있는 긍정적인 대상에 해당된다고 볼 수 있다.

8 ⓐ에서는 산을 보고 있는데도 산을 그리워한다는 역설적 발상을 활용하고 있다. 이를 통해 산에 대한 애정, 그리움과 자연 속의 삶을 원하는 화자의 마음을 강조하고 있다.

6일 누구나 100점 테스트 1회 68~69쪽

• **범위** 3단원 (2) 서사 갈래의 흐름 ~ (4) 교술 갈래의 흐름

1 ④ **2** 전기(비현실) **3** ④ **4** 아들, 의지 **5** ③ **6** ⓛ
7 ④

1 개인의 여행 경험을 서술한 기행문은 사실을 바탕으로 하는 '알려 주기'의 갈래인 '교술 갈래'에 속한다. 서사 갈래는 서술자를 통해 이야기를 전달하는 '이야기하기'의 갈래로 허구성을 지닌 것이 특징이다.

> **오답 풀이**
> ①, ②, ③, ⑤ 신화, 판소리계 소설, 개화기 소설, 서사 무가는 모두 서사 갈래에 속한다.

2 일반적으로 고전 소설에서는 전기적 요소가 드러나는 것이 특징이다. 이 글에서 노승(육관 대사)이 석장을 돌난간에 두드리자 골짜기에서 구름이 일어나는 장면은 고전 소설의 전기적 요소를 잘 보여 준다.

3 이 글에서 양소유는 자신이 꾼 꿈의 내용을 제시하고, 옛 인물의 사례를 드는 등의 말하기 방식을 통해 불문에 귀의하겠다는 결심을 드러내고 있을 뿐이다. 자신의 실패 경험을 밝히고 있지 않으며, 또 이를 통해 유도의 단점을 제시하고 있지도 않다.

4 자신의 바로 앞에서 아들이 살해당하는 것을 목격한 충격이 컸던 시어머니는 그 이후 도리질을 멈추지 못하게 되었다. 이를 통해 시어머니의 도리질에는 아들을 지켜 내고 싶다는 의지와 책임감이 담겨 있음을 짐작할 수 있다.

5 희곡은 무대 상연을 전제로 하기 때문에 등장인물의 수에 제약이 있다. 그런데 ㉠에서는 객석의 관객들을 '마을 사람들'로 설정하여 극에 참여시킴으로써 등장인물 수의 제약을 극복하고 있다. 이러한 설정은 실험극으로서 이 극이 지닌 특징에 해당한다.

6 제시된 글은 극 중 말뚝이가 양반을 무시하며 조롱하는 장면이다. 이 부분에서는 언어유희가 드러나지 않는다.

> **오답 풀이**
> ㉠ '여보, 악공들 말씀 들으시오.'를 통해 무대와 악공 사이에 경계가 없음을 알 수 있다.
> ㉢ 말뚝이는 양반들에게 '바가지장단 좀 쳐 주오.'라고 조롱한 뒤, 양반들이 호통을 치자 '아, 이 양반들 … 건건드리게 치라고 그리하였소.'와 같이 변명하고 있다.

7 이 글에서는 의인법, 직유법, 열거법, 과장법을 사용하여 강물이 흐르는 모습과 그 소리를 다양하게 표현하고 있다. 겉 내용과 속마음에 있는 내용을 서로 반대로 말하는 반어법은 사용되지 않았다.

오답 풀이
① 이 글에서는 웅장한 강물의 모습과 요란한 물소리를 다양하게 표현하여 열거하고 있다.
② 강물의 소리를 '전거(戰車) 만 채', 전기(戰騎) 만 대(隊)' 등과 비교하여 과장되게 표현하고 있다.
③, ⑤ '화들짝 놀란 듯한 파도', '분노를 일으킨 듯한 물결'과 같은 표현에서 의인법과 직유법의 사용이 나타난다.

6일 누구나 100점 테스트 2회 70~71쪽

• **범위** 4단원 (1) 한국 문학의 개념과 범위 ~ (2) 한국 문학의 특성

1 ⓐ 금기, ⓑ (비극적) 한계 **2** ③ **3** ② **4** ⑤ **5** ② **6** ④
7 ㉠ 대조, ㉡ 안타까움

1 이 글에서 중이 여인에게 '절대로 뒤를 돌아보면 안 된다'고 한 것은 해서는 안 되는 행동인 금기에 해당한다. 그러나 여인은 금기를 어기고 재앙을 받는다. 이는 세속적 욕망과 미련을 버리지 못하는 인간의 비극적 한계를 보여 준다.

2 ㉢은 수레를 탈 만큼 높은 이, 즉 임금이나 고관대작 등을 의미한다. 이들은 화자와 경쟁, 대립하는 인물이 아니라 화자의 능력을 알아보거나 써 주지 않는 인물을 의미한다.

3 이 시의 1행에는 '평상이 있는 국숫집'이라는 배경이 제시되어 있다. 2행의 '삼거리 슈퍼'는 사람들이 항상 북적이고 쉽게 찾아갈 수 있는 공간인 '국숫집'을 비유한 표현이다. 따라서 '슈퍼'를 배경으로 삼아 대화하는 ②는 적절하지 않다.

오답 풀이
이 시의 시적 대상은 '평상에 마주 앉은 사람들'이다. 화자는 시적 대상을 관찰하며, 이들이 서로 위로와 공감을 나누는 모습을 그리고 있다. 따라서 상대방의 사연에 공감하고 위로를 전하는 ①, ③, ④, ⑤의 내용은 시적 대상들이 나눌 법한 대화로 적절하다.

4 판소리에서는 특정 상황을 아주 자세하고 장황하게 제시하는 '장면의 극대화'가 나타난다. 이 글에서는 흥보가 생계를 위해 했던 일들을 열거·반복하여 장황하게 제시하고 있으며, 이를 통해 흥보가 가난한 처지임을 드러내고 있다. 따라서 인물의 처지를 간결한 표현을 통해 드러내고 있다고 보기 어렵다.

오답 풀이
① '지내는구나'에서 현재형 시제를 사용하고 있음을 알 수 있다.

② 이 글은 노래로 부르는 '창'에 해당되는 부분이다. '새집에 앙토허고, 대장간 풀무 불기', '상하 전답 기음매고, 전세 대동 방애 찧기' 등에서 3·4조, 4·4조 율격의 운문체가 나타난다.
③ 이 글은 '중모리' 장단으로 불리는 대목이다. 판소리 장단 중 중모리는 조금 느린 장단에 해당된다. 주로 사연을 서술하는 대목이나 서정적 대목에 쓰인다.

5 이 시에서 화자는 속세를 멀리하고, 자연인 산을 가까이하려 한다. 이는 속세의 번잡함을 뒤로하고 자연 속에서의 삶을 지향한다는 의미로 해석할 수 있다. 산을 현실의 도피처로 삼고 있다고 보기는 어렵다.

6 (가)는 평시조, (나)는 오언 절구의 한시에 해당한다. 한시에서는 정형시 율격에 맞추기 위한 운자를 사용하는 것이 특징이다. 일반적으로 승구와 결구에 마지막 글자가 운자이나, (나)에서는 예외로 기구에도 운자를 사용하고 있다. 그러나 (가)와 같은 평시조에서는 운자를 사용하지 않는다.

7 (나)의 기구에서는 자연의 순환 원리에 따른 계절의 변화가, 승구에서는 화자가 몹시 바라는데도 임이 돌아오지 않는 인간사가 나타나 있다. (나)에서는 이 두 구의 의미상 대조를 통해 때가 되면 꽃이 피고 지는 자연과 달리, 임이 언제 돌아올지 알 수 없는 상황에 대한 안타까움을 강조하고 있다.

6일 창의·융합·코딩 서술형 테스트 72~75쪽

• **범위** 3단원 (2) 서사 갈래의 흐름 ~ 4단원 (2) 한국 문학의 특성

1 (가)와 (나)를 비교하여 서사 갈래와 극 갈래의 특성을 파악할 수 있는지를 확인하는 문제이다. (가) 서사 갈래에서는 서술자가 자신의 관점에 따라 이야기를 전달하는 반면, (나) 극 갈래에서는 서술자가 없이 인물의 대사와 행동을 통해 이야기를 전달하는 특성을 지닌다.

평가 요소	확인 ☑
①번에서 오류가 있는 부분을 찾고 서술자의 유무에 따른 이야기의 전달 방식에 차이가 있음을 밝혀 내용을 고쳐 썼다.	
〈조건〉에 제시된 문장 형식으로 썼다.	

✏️ 예시 답안
①번에서 '(가)와 (나)는 모두 서술자를 통해'의 내용을 '(가)는 서술자를 통해, (나)는 서술자가 없이 인물의 대사와 행동을 통해'로 고친다.

2 (나)의 등장인물의 행동에 담긴 의미를 파악했는지를 확인하는 문제이다. 파수꾼 다는 이리 떼의 정체가 흰 구름이라는 것을

알고, 마을 사람들에게 알리려 한다. 하지만 파수꾼 다는 망루 위에 올라 긴 침묵 끝에 '이리 떼가 몰려온다'고 외쳤다. 이는 파수꾼 다가 촌장의 권위에 굴복하고 말았음을 의미한다.

평가 요소	확인 ☑
'이리 떼가 몰려온다'고 외친 파수꾼 다의 행동을 근거로 하여 ㉠을 선택한 이유를 서술하였다.	
〈조건〉에 제시된 문장 형식으로 썼다.	

✍ 예시 답안
파수꾼 다는 이리 떼가 없다는 사실을 알면서도 진실을 밝히지 않고 이리 떼가 몰려온다고 외쳤기 때문에 ㉠이다.

3 학생들의 감상을 바탕으로 하여 수필의 특징을 파악할 수 있는지를 확인하는 문제이다. 지호는 (가)를 감상한 후 깨달은 점에 대해 말하고 있다. 이는 글쓴이가 독자에게 자신의 경험을 통해 얻은 깨달음이나 교훈을 전달한다는 수필의 특징과 관련이 있다. 정미는 (나)에 나타난 글쓴이의 경험을 통해 그의 성격을 파악해 보고 있다. 이는 글쓴이의 개성이 잘 드러나는 수필의 특징과 관련이 있다.

평가 요소	확인 ☑
㉠에 들어갈 말로 글쓴이의 경험을 통한 깨달음이나 교훈을 전달한다는 수필의 특징을 서술하였다.	
㉡에 들어갈 말로 글쓴이의 개성이 잘 드러난다는 수필의 특징을 서술하였다.	
㉠과 ㉡에 들어갈 말을 각각 썼다.	

✍ 예시 답안
㉠ 글쓴이의 경험을 통한 깨달음(교훈)을 전달한다. ㉡ 글쓴이의 개성이 잘 나타난다.

4 이 글에 나타난 낮과 밤의 강물을 인식한 방법과 인식의 결과를 파악하는 문제이다. 낮에는 강물을 눈으로 살펴볼 수 있는 까닭에 시각으로 위태로움을 느끼고, 밤에는 강물을 살펴볼 수 없기에 위태로움이 귀로 쏠린다고 하였다. 강물을 인식한 방법은 낮과 밤이 다르지만, 결과적으로 감각에 의존하여 두려움(걱정)이 생겼다는 점에서 공통점을 보인다.

평가 요소	확인 ☑
'감각'이라는 단어를 포함하여 이를 통해 강물을 인식함에 따라 두려움(걱정)이 생김을 서술하였다.	
〈조건〉에 제시된 문장 형식으로 썼다.	

✍ 예시 답안
감각에 의존하여 두려움(걱정)이 생긴다.

5 (가), (나)가 구비 문학임을 알고, 구비 문학으로서 지닌 특징을 파악할 수 있는지를 확인하는 문제이다. (가)에서는 '말야', '거를' 등의 구어적 표현, '그만 화석이 … 화석이 되구 말았다

는 게야.'와 같이 같은 말이 반복되는 부분, 방언('비슷하니')과 군말('뭐')의 사용에서 구비 문학의 특징이 나타난다. (나)에서는 '엇다', '원, 참!', '그', '거', '아이구' 등의 구어적 표현에서 구비 문학의 특징이 나타난다.

평가 요소	확인 ☑
(가), (나)에서 구비 문학적 특징이 드러나는 부분을 근거로 제시함이 적절함을 서술하였다.	
〈조건〉에 제시된 문장 형식으로 썼다.	

✍ 예시 답안
(가)의 '큰 소가 됐단 말야', (나)의 '거, 장안에 보오'를 참고할 때, 구어체를 사용하고 있다는 점에서 ㄴ의 특징이 공통적으로 나타난다.

6 해학의 표현 방법과 그 효과를 파악했는지를 확인하는 문제이다. ㉠은 '(옷)장'과 닭장의 '장', ⓐ는 '사람의 갈비뼈'와 '고기의 갈비'를 활용한 언어유희에 해당한다. ㉠, ⓐ에서는 이처럼 동음이의어를 활용한 언어유희를 통해 인물이 처한 상황을 해학적으로 표현하여 웃음을 유발하고 있다.

평가 요소	확인 ☑
㉠과 ⓐ에 언어유희가 사용되었음을 밝히고, '해학'을 답안에 포함하여 그 효과를 서술하였다.	
〈조건〉에 제시된 문장 형식으로 썼다.	

✍ 예시 답안
언어유희를 통해 인물이 처한 상황을 해학적으로 표현하여 웃음을 유발한다.

▶ **작품 더 보기**

● 작자 미상, 〈춘향전〉
– 갈래: 고전 소설, 판소리계 소설, 염정 소설
– 주제: 신분을 초월한 남녀 간의 사랑, 불의한 지배 계층에 대한 항거
– 해제: 이 작품은 판소리로 불리다가 소설로 정착된 판소리계 소설이다. 남원 부사의 아들 이몽룡과 기생의 딸 춘향의 신분을 초월한 사랑 이야기로, 해학적이고 풍자적이며 조선 후기 평민 의식을 담고 있다.

7 (가)~(다)에 쓰인 소재의 특성과 그 소재를 통해 드러내고 있는 것이 무엇인지를 파악하는 문제이다. (가), (나)는 자연물을 통해 멀리 떨어져 있는 임에 대한 그리움을 드러내고 있으며, (다)는 자연물을 통해 비천한 자신의 처지에 대한 한스러움을 나타내고 있다. 따라서 (가)~(다)에서는 자연물을 통해 화자의 처지와 심정을 드러내고 있다는 공통점을 발견할 수 있다.

평가 요소	확인 ☑
〈보기〉에 제시된 소재들이 자연물임을 언급하고, (가)~(다)에서 이를 통해 화자의 처지와 심정을 드러내고 있다는 점을 서술하였다.	
〈조건〉에 제시된 문장 형식으로 썼다.	

자연물을 통해 화자의 처지와 심정을 드러내고 있다.

8 한국 문학의 개념과 범위를 파악했는지를 확인하는 문제이다. (가)와 (다)는 모두 한민족이 창작한 작품이라는 점에서 한국 문학에 포함되며, 기록 문학 중 각각 국문 문학, 한문 문학에 해당된다. 반면 (나)는 중국의 시인 설도가 지은 한시이므로 한국 문학으로 볼 수 없다.

평가 요소	확인 ☑
ⓐ의 개념을 밝히고, (가)와 (다)가 기록 문학 중 각각 국문 문학, 한문 문학에 해당됨을 서술하였다.	
(다)가 ⓐ에 해당되지 않는 이유를 밝혀 썼다.	
〈조건〉에 제시된 문장 형식으로 썼다.	

ⓐ란 한민족의 정서와 사상을 한국어로 표현한 문학을 말한다. (가)는 기록 문학 중 국문 문학, (다)는 한문 문학에 해당하며, (나)는 중국의 시인이 쓴 한시이므로 ⓐ에 포함되지 않는다.

7일 기말고사 기본 테스트 1회
76~81쪽

• **범위** 3단원 (2) 서사 갈래의 흐름 ~ 4단원 (2) 한국 문학의 특성

1 ② **2** 꿈은 인물이 현실에서 이루지 못한 이상을 이루게 하여 인생무상이라는 깨달음을 얻게 한다. **3** ⑤ **4** ③ **5** ④
6 ⑤ **7** ③ **8** ⓐ가 망루 위에 올라 이리 떼의 정체를 밝히려 하는 것을 볼 때, ⓐ는 진실을 말하고자 하였던 지식인을 상징한다.
9 ③ **10** ③ **11** ② **12** ② **13** 며느리가 재앙을 피하기 위해 불타산으로 향했던 것으로 볼 때, ㉠은 구원을 받을 수 있는 초월적 세계를 의미한다. **14** ⑤ **15** ② **16** ①

1 육관 대사가 석장(지팡이)으로 돌난간을 두드리자 갑자기 구름이 사방을 뒤덮는 장면에서 비현실적인 요소가 드러난다. 이 장면을 계기로 성진은 꿈에서 현실로 돌아오게 된다. 이 글에서는 이와 같이 비현실적 요소를 통해 서사가 전개되고 있다.

2 두 작품에 활용된 '꿈'의 공통적인 기능을 파악하는 문제이다. 이 글의 성진은 승려로서 이루지 못할 유교적 이상을 꿈을 통해 이루게 되며 '조신의 꿈'의 주인공 조신은 꿈을 통해 사모하

던 여인과 혼인하게 된다. 그리고 성진과 조신은 모두 꿈에서 깨어난 뒤 인생이 덧없다는 것을 깨닫는다. 이처럼 '꿈'은 두 작품에서 모두 인물이 현실에서 이루지 못한 이상을 이루게 해 줌으로써 인생무상이라는 깨달음을 얻게 하고 있다.

평가 요소	확인 ☑
두 작품에서 공통적으로 드러난 '꿈'의 기능을 서술하였다.	
〈조건〉에 제시된 문장 형식으로 썼다.	

3 (가)는 일제 강점기, (나)는 6·25 전쟁이라는 우리 역사의 비극적 사건과 관련하여 인물이 겪는 사건을 중심으로 내용이 전개된다.

4 궐자의 말에 따르면 남선 지방의 농민들이 남만주로 가는 것은 일본 세력이 남선 지방에 많은 영향을 미치고 있어 살기가 어려워졌기 때문이다. 이 글에서 이것이 일본에 대항하기 위한 것이었다는 내용은 찾을 수 없다.

5 ㉠은 이 글의 이야기가 외화에서 내화로 전환됨을 알 수 있는 부분이다. ㉠의 앞부분에서 특정한 인물 간 갈등이 나타나지 않았으므로 ④는 적절하지 못한 설명이다.

6 (가)는 양반들이 무식을 스스로 드러내는 모습을 통해 양반을 풍자하는 가면극(탈춤)이고, (나)는 1970년대의 정치 상황을 우화 형식을 빌려 풍자한 희곡이다.

오답 풀이
① (가)와 (나) 모두 연행을 목적으로 한다.
③ (가)는 관객석과 무대가 엄격하게 구분되어 있지 않아 극의 전개에 관객의 참여가 가능하며, (나)는 작중 인물을 관객이 대신하게 함으로써 관객을 극에 참여시키는 실험극의 성격을 갖는다.

7 ㉠에서는 '산'과 '영'의 운자를 맞추기는 하였지만 한시라 볼 수 없는 내용을 담고 있으며, ㉡에서는 한자가 아닌 우리말을 사용하여 운자를 급급하게 맞추고 있다. 이를 통해 양반들은 스스로 저급한 학식과 허세를 드러내고 있다.

8 〈보기〉에 나타난 시대상을 바탕으로 하여 인물의 상징적 의미를 파악하는 문제이다. 파수꾼 다는 이리 떼의 정체가 흰 구름이라는 사실을 망루 위에 올라가 외치려고 한다. 이는 1970년대에 진실을 말하고자 했던 지식인과 유사하다. 따라서 ⓐ는 진실을 말하고자 하였던 지식인을 상징한다고 볼 수 있다.

평가 요소	확인 ☑
(나)에 나타난 내용을 근거로 제시하여 ⓐ가 진실을 말하고자 하였던 지식인을 상징함을 서술하였다.	
〈조건〉에 제시된 문장 형식으로 썼다.	

9 (가)는 고전 수필, (나)는 현대 수필로, 모두 글쓴이가 자신의 체험을 통해 얻은 깨달음을 서술한 교술 갈래에 속한다. 교술 갈래는 글쓴이와 작품 속 자아가 일치하기 때문에 다른 갈래에 비해 글쓴이의 개성이 잘 드러난다는 특징이 있다.

10 ㉠과 ㉡은 글쓴이의 깨달음이 드러난 부분이다. ㉠에서는 외물에 현혹되지 않아야 한다는 깨달음이 드러나 있으며, ㉡에서는 인간의 의욕은 본능의 소치이므로 인력으로 좌우할 수 없다는 깨달음을 드러내고 있다. 따라서 이를 모두 적절하게 나타낸 것은 ③이다.

11 이 글은 설화 중 전설에 해당한다. 전설에는 비범하거나 영웅적인 인간(이 글에서는 '중')이 등장하며, 구체적인 장소나 증거물을 제시하여 이야기에 신빙성을 더해 주는 것이 특징이다.

> **오답 풀이**
> ㄱ, ㅁ은 신화, ㄹ은 민담에 대한 설명이다.

12 중은 자신의 바랑에 쇠똥을 넣은 악행을 저지른 장재 첨지에게 벌을 내리고 있다. 반면, 자신에게 인정을 베푼 며느리에게는 재앙을 피해 구원에 이를 수 있는 방도를 알려 주고 있다. 따라서 중은 선악에 따라 인간의 행위를 심판하고 있다고 볼 수 있다.

13 '불타산'의 상징적 의미를 파악했는지를 확인하는 문제이다. 중은 며느리에게 재앙을 피할 방도로 불타산으로 향할 것을 알려 준다. 따라서 불타산은 며느리가 재앙을 피하고 구원에 이르고자 향했던 초월적 세계를 의미한다고 볼 수 있다.

평가 요소	확인 ✓
이 글에 나타난 내용을 바탕으로 하여 ㉠의 상징적 의미를 서술하였다.	
〈조건〉에 제시된 문장 형식으로 썼다.	

14 (나)의 '맹상군의 … 둥글둥글 도는 돈'은 이름난 부자였던 '맹상군'의 이름인 '전문(田文)'과 돈을 가리키는 말인 '전문(錢文)'의 음이 같다는 점을 활용함으로써 재미를 주는 표현이다. 반면 (가)의 '수레 탄 사람'은 신분이나 지체가 높은 이를 뜻하는 시구로, 중국의 고사와 관련된 표현이 아니다.

> **오답 풀이**
> ① (가)의 화자는 자신을 촉규화에 투영하여 자신의 처지와 심정을 비유적으로 드러내며 시상을 전개하고 있다.
> ② (가)의 화자는 '누가 보아 주리'와 같은 표현을 통해 자신을 알아봐 주는 이가 없음을 탄식하고 있다.
> ③ (나)에서는 '돈', '흥보 마누래 나온다.', '어디 돈?'과 같은 단어와 문장을 반복하여 운율을 형성하고 있다.

④ '중모리'는 조금 느린 장단으로 사연을 서술하는 대목이나 서정적 대목에 쓰이며, '중중모리'는 중모리 장단보다 조금 빠른 장단으로 흥겨운 대목에 주로 쓰인다. (나)에서는 내용과 분위기에 따라 어울리는 장단을 다르게 설정하여 대목을 서술하고 있다.

15 [A]에서 화자는 '수레 탄 사람 누가 보아 주리'와 같이 말하며 지체 높은 이들이 자신을 봐 주지 않는 것에 대한 한탄을 드러내고 있다. [B]는 돈을 벌어 온 흥보가 돈타령을 부르는 대목으로 '못난 사람도 잘난 돈. … 부귀공명이 붙은 돈.'과 같은 표현에서 돈이 최고의 가치가 된 시대상에 대한 풍자가 나타난다.

16 (나)에서 흥보는 아전들을 통해 받은 돈 닷 냥에 '얼씨구나, 좋네! 지화자자, 좋을시고.'와 같이 기뻐하고 있다. 따라서 흥보의 심리로 가장 적절한 것은 ①이다.

7일 기말고사 기본 테스트 2회 82~87쪽

• 범위 3단원 (2) 서사 갈래의 흐름 ~ 4단원 (2) 한국 문학의 특성

1 ④ **2** ① **3** '해설자, 촌장이 되어 등장.'이라는 지시문에서 한 배우가 여러 역을 맡는 실험극적 특징을 확인할 수 있다. **4** ④ **5** ① **6** ③ **7** ③ **8** 극 중 인물이 관객들에게 말을 건네는 것을 볼 때, 가면극에서는 관객이 극의 진행에 참여할 수 있다는 특징이 있다. **9** ③ **10** ⑤ **11** ⑤ **12** ② **13** ㉠은 속세의 공간(세속적인 공간)을 상징하는 반면, ㉡은 자연의 공간을 상징한다. **14** ⑤ **15** ② **16** ①

1 한국 문학의 역사적 갈래에서 (가)는 고전 소설, (나)는 현대 희곡에 해당한다. 고전 소설의 경우 배경 설정에 제약이 없는 반면, 현대 희곡은 무대 위에서 공연을 하는 것을 전제로 하여 쓰인 것이므로 배경을 설정하는 데 제약이 있다.

2 성진이 육관 대사의 가르침을 바란다고 하자 우연히 팔선녀가 등장하여 불교에 귀의하겠다는 뜻을 밝힌다. 이는 고전 소설의 특징인 우연성이 드러나는 부분이다.

3 (나)에 나타난 실험극적 특징을 파악했는지를 확인하는 문제이다. (나)에서 '해설자, 촌장이 되어 등장.'이라는 지시문을 토대로 할 때, 한 배우가 여러 역을 맡는 실험극적 특징을 확인할 수 있다.

평가 요소	확인 ☑
(나)에서 '해설자, 촌장이 되어 등장.'이라는 지시문을 제시하여 한 배우가 여러 역을 맡는다는 특징을 서술하였다.	
〈조건〉에 제시된 문장 형식으로 썼다.	

4 (가)에서는 '나'가 흐르는 시간을 분 단위로 자잘하게 세는 모습에서 초조해 하고 있음이 드러난다. (나)에서 아주머니의 이야기를 들은 나는 아주머니가 사명감과 긍지를 지니고 노파를 돕는 것이야말로 '대사업'이라고 생각하며 크게 감동받는다.

5 (가)의 형사들은 '나'의 가방에서 문제가 될 만한 게 없어 무엇이라도 찾아내기 위해서 시간을 지체하며 가방을 조사하고 있다. 형사들이 일부러 시간을 지체하고 있다는 감상은 적절하지 않다.

6 '쉬이'는 새로운 재담의 시작을 알리는 것과 동시에 춤과 음악이 멈추면서 관객의 시선을 집중시키는 역할을 한다.

7 ㉠에는 발음의 유사성을 활용한 언어유희가 사용되었다. ③에서는 '말'과 '이'의 순서를 바꾼 표현 방식을 사용하고 있으며, 이는 언어 도치를 이용한 언어유희에 해당한다.

오답 풀이
① '열녀가 더 되고 백녀다', ② '서방인지 남방인지', ④ '신 것을 그리 많이 먹어 … 안 시건방질까 몰라', ⑤ '이도령인지 삼도령인지'에서 발음의 유사성을 활용한 언어유희가 쓰였다.

8 이 글에서 드러나는 가면극의 특징을 파악했는지를 확인하는 문제이다. 관객들에게 말을 거는 말뚝이의 대사를 통해서 관객을 극의 진행에 참여시키는 가면극의 특징을 알 수 있다.

평가 요소	확인 ☑
ⓐ를 토대로 하여 극의 진행에 관객이 참여할 수 있다는 가면극의 특징을 서술하였다.	
〈조건〉에 제시된 문장 형식으로 썼다.	

9 (가)에서 글쓴이는 '처신에 능란하여 … 경고하련다.'를 통해 집필 의도를 직접적으로 드러낸 반면, (나)에서 글쓴이가 집필 의도를 직접적으로 제시한 부분은 나타나지 않는다.

10 (가)에서 '나'는 외부의 사물이 항상 귀와 눈에 누를 끼쳐 사물의 본질을 제대로 파악할 수 없음을 이야기하며, 마음가짐을 다스리는 것의 중요성을 드러내고 있다. (나)에서는 글쓴이가 수감 생활을 하는 열악한 처지에서도 글을 읽고자 하는 의욕이 강함을 드러내고 있다.

11 (가)에서 화자는 국숫집에서 사람들을 관찰하고 있으며, (나)에서 화자는 장거리를 등지고 앉아 산을 바라보고 있을 뿐, 공간의 변화가 나타난다고 볼 수 없다.

12 (가)에서 '쯧쯧쯧쯧'은 '안타까운 마음으로 혀를 차는 소리'와 '국수를 헹굴 때 나는 소리'의 중의적 의미를 지닌 음성 상징어이다. 전자의 경우 평범한 사람들이 주고받는 위로와 교감이라는 시의 주제를 인상적으로 드러내고, 후자의 경우 국숫집의 정겨운 분위기를 드러내는 역할을 한다.

13 ㉠과 ㉡의 상징적 의미를 파악했는지를 확인하는 문제이다. ㉠은 화자가 등지어 거리를 두고 멀리하려는 시끄럽고 번잡한 '속세의 공간(세속적인 공간)'인 반면, ㉡은 화자가 향하여 앉아 가까이 하려는 '자연의 공간'을 상징한다.

평가 요소	확인 ☑
㉠은 속세의 공간(세속적인 공간)을 상징하며, ㉡은 자연의 공간을 상징함을 서술하였다.	
〈조건〉에 제시된 문장 형식으로 썼다.	

14 (가)는 임에 대한 그리움을 나타낸 평시조, (다)는 당대 시대상을 풍자한 판소리 사설로 모두 한국어를 사용하여 한민족의 정서를 표현한 한국 문학에 해당된다. 한국 문학의 개념에서 한국어의 의미를 고려할 때, 과거 선인들이 창작한 한문 문학도 한국 문학에 포함되나 (나)는 인간의 보편적 정서인 '그리움'을 다루고 있을 뿐, 중국의 시인인 '설도'가 창작한 한시이므로 한국 문학으로 볼 수 없다.

오답 풀이
① (가)의 '보내노라 님의손디'에서는 도치법을 사용하여 묏버들의 좋은 가지를 공들여 골라 임에게 보내려는 화자의 애정 어린 마음을 강조하고 있다.

15 (가)의 화자는 묏버들이라는 상징적 소재를 사용하여 임에 대한 그리움을 표현하고 있으며, (나)의 화자는 자연과 인간사의 대조, 풀잎을 맺는 행위를 통해 임에 대한 그리움을 드러내고 있다.

16 (다)는 흥보가 환자를 빌리러 가는 대목이다. 흥보는 몰락하고 가난한 양반이지만 체면을 지키려 망건, 갓 등을 갖추어 입는다. 이는 흥보가 양반으로서의 체면에 집착하는 모습을 보여 준다. 또한 행색을 갖추고 죽어도 양반이라고 팔 자 걸음을 걷지만, 초라하고 남루한 행색으로 오히려 웃음을 유발하고 있다.

오답 풀이
(다)에서 흥보가 양반의 흉내를 내고 있다거나 청빈을 실천하고 있는 사대부로서의 면모를 드러낸다고 보기는 어렵다.

7일 끝!

필수 어휘
모아 보기

 필수 어휘 모아 보기 활용 안내

◈ 쉽고 재미있는 문제로 **단원별 필수 어휘** 익히기!

◈ 교과서에서 뽑은 예시 문장으로 **어휘 학습**에, **내용 학습**까지 한 번 더!

(2) 서사 갈래의 흐름

1 빈칸에 들어갈 문학의 역사적 갈래를 골라 ○표를 하시오.

1 설화 중에서 일정한 시간과 장소를 배경으로 하여 이야기가 펼쳐지며 구체적인 증거물과 결부되는 것은 ▢▢▢▢이다. 〔전설〕 〔서사 무가〕

2 사물을 의인화하여 전기 형식으로 서술하는 것으로 서사성과 교술성을 함께 지니고 있는 것을 ▢▢▢이라고 한다. 〔가전〕 〔우화 소설〕

3 〈춘향전〉, 〈흥부전〉, 〈심청전〉 등은 모두 ▢▢▢▢이다. 〔판소리 사설〕 〔판소리계 소설〕

4 ▢▢▢▢은 19세기 말까지 쓰인 소설의 전통을 이으면서 현대 소설로 나아가는 바탕을 마련하는 역할을 하였다. 〔고전 소설〕 〔개화기 소설〕

2 빈칸에 들어갈 단어를 〈보기〉에서 찾아 쓰시오.

┌─ 보기 ─────────────────────────────────┐
│ 반색 파계 출장입상 옥용화태 │
└──────────────────────────────────────┘

1 오십 대의 정갈한 아주머니가 안채에서 ▢▢▢을 하며 나타났다.
　　　　　　　　　　　　　　　　매우 반가워함. 또는 그런 기색.

2 "술은 마음을 흐리게 하는 광약(狂藥)이라 불가에서는 크게 경계하는 것이니 감히 ▢▢를 하지 못하겠나이다."
　　　　　　　　　　　　　　　　　　　　　　계(戒. 죄를 금하고 제약하는 것.)를 받은 사람이 그 계율을 어기고 지키지 아니함.

3 '여기는 옛날 양 승상이 여러 낭자로 더불어 놀던 곳이라. 승상의 부귀 풍류와 여러 낭자의 ▢▢▢▢는 이제 어디 갔느냐?'
　　　　　　　　　　　　　　　　　　옥과 같은 얼굴과 꽃과 같은 자태라는 뜻으로, 아름답게 생긴 여자를 이르는 말.

4 '장원급제를 하여 한림학사를 한 후 ▢▢▢▢, 공명 신퇴(功明身退)하여 두 공주와 여섯 낭자로 더불어 즐기던 것이 다 하룻밤 꿈이로다.' 나가서는 장수가 되고 들어와서는 재상이 된다는 뜻으로, 문무를 다 갖추어 장상(將相)의 벼슬을 모두 지냄을 이르는 말.

〔정답〕 **1** 1 전설 2 가전 3 판소리계 소설 4 개화기 소설 **2** 1 반색 2 파계 3 옥용화태 4 출장입상

3 다음 뜻풀이에 해당하는 단어를 찾아 연결하시오.

1 너절하고 염치가 없다.　　　　　　　　　　•　　　　　　　　•㉠ 복욱하다

2 풍기는 향기가 그윽하다.　　　　　　　　•　　　　　　　　•㉡ 허랑하다

3 남의 부탁이나 요청 따위를 기꺼이 들어주다.　•　　　　　　•㉢ 츱츱하다

4 춥거나 두려워 몸을 궁상맞게 몹시 움츠러들이다.　•　　　　　•㉣ 쾌락하다

5 언행이나 상황 따위가 허황하고 착실하지 못하다.　•　　　　•㉤ 웅숭그리다

6 일이 뜻대로 이루어져 기쁜 표정이 얼굴에 가득하다.　•　　　•㉥ 득의만면하다

부록

4 밑줄 친 부분의 뜻풀이에 해당하는 것을 고르시오.

1 이러한 의미로 올봄에 산문시를 쓰던, 자기의 공상과 <u>천려(淺慮)</u>가 도리어 부끄러웠다.
　① 깊이 잘 생각함.
　② 생각이 얕음. 또는 얕은 생각.

2 징 소리가, 교향적으로, <u>호젓이</u> 암흑에 싸인 부두 일판에 처량하고도 요란하게 울렸다.
　① 외롭고 적적하게.
　② 후미져서 무서움을 느낄 만큼 고요하게.

3 "상공께서 이번에 가시면 반드시 밝은 스승과 어진 벗을 만나 큰 도를 얻으시리니, 득도한 후에 부디 첩 등을 먼저 <u>제도(濟度)</u>해 주소서."
　① 자연적인 재해나 사회적인 피해를 당하여 어려운 처지에 있는 사람을 도와주다.
　② 미혹한 세계에서 생사만을 되풀이하는 중생을 건져 내어 생사 없는 열반의 언덕에 이르게 하다.

(3) 극 갈래의 흐름

① 빈칸에 들어갈 문학의 역사적 갈래를 찾아 바르게 연결하시오.

1 ⬚⬚⬚⬚은 떠돌아다니는 연예 집단인 남사당패가 공연한 것으로, 〈꼭두각시놀 •
음〉이 대표적이다.

　　　　　　　　　　　　　　　　　　　　　　　　　　　　　　　　• ㉠ 창극

2 〈하회 별신굿 탈놀이〉, 〈북청 사자놀음〉, 〈봉산 탈춤〉 등은 전통 연극인 •
⬚⬚⬚⬚⬚에 속한다.

　　　　　　　　　　　　　　　　　　　　　　　　　　　　　　　　• ㉡ 탈춤

3 현대 희곡은 초기에는 사실주의적인 특징을 지녔으나 점차 다양한 ⬚⬚⬚⬚⬚이 •
등장하면서 다채로워졌다.

　　　　　　　　　　　　　　　　　　　　　　　　　　　　　　　　• ㉢ 신파극

4 1910년대에 형성되어 1940년대까지 대중의 큰 인기를 끌었던 통속적인 대중오락 •
극을 ⬚⬚⬚⬚이라고 한다.

　　　　　　　　　　　　　　　　　　　　　　　　　　　　　　　　• ㉣ 실험극

5 판소리를 근간으로 1900년대 들어 등장한 무대 예술인 ⬚⬚⬚⬚은 판소리와 •
달리 여러 사람이 배역을 나누어 맡아 연기하면서 창을 한다.

　　　　　　　　　　　　　　　　　　　　　　　　　　　　　　　　• ㉤ 인형극

② 밑줄 친 부분의 뜻풀이에 해당하는 것을 고르시오.

1 촌장: 주민 여러분! 이것으로 <u>진상</u>은 밝혀졌습니다.
　① 사물이나 현상의 거짓 없는 모습이나 내용.
　② 순조롭지 아니하게 얽힌 이런저런 복잡한 사정이나 까닭.

2 나: 미안합니다. 이번에 잡았더라면 그 껍질을 촌장님께 <u>선사하구</u> 싶었는데……
　① 남에게 돈을 주거나 일을 도와주어서 혜택을 받게 하다.
　② 존경, 친근, 애정의 뜻을 나타내기 위하여 남에게 선물을 주다.

3 촌장: 만약 네가 새벽에 보았다는 구름만을 고집한다면, 이런 것들은 모두 <u>허사</u>가 된다.
　① 실속이 없이 겉으로만 꾸민 위세.
　② 보람을 얻지 못하고 쓸데없이 한 노력.

정답 **①** 1 ㉤ 2 ㉡ 3 ㉣ 4 ㉢ 5 ㉠ **②** 1 ① 2 ② 3 ②

3 빈칸에 들어갈 단어를 <보기>에서 찾아 쓰시오.

> **보기**
>
> 파자　　　　개잘량　　　　벙거지　　　　노랑돈　　　　무량대각　　　　효제충신

1 말뚝이: (　　　　　　　를 쓰고 채찍을 들었다.)
주로 병졸이나 하인이 쓰던 모자.

2 생원: 나랏돈 　　　　　　 칠 푼 잘라먹은 놈을 잡아 들여라.
누른 빛깔을 띤 엽전. 몹시 아끼던 돈.

3 말뚝이: 그놈이 심(힘)이 　　　　　　 이요, 날램이 비호(飛虎) 같습니다.
그 큼을 헤아릴 수 없음.

4 말뚝이: 　　　　　　 이라는 '양' 자에 개다리소반이라는 '반' 자 쓰는 양반이 나오신단 말이오.
털이 붙어 있는 채로 무두질하여 다룬 개의 가죽. 흔히 방석처럼 깔고 앉는 데에 쓴다.

5 생원: 그러면 이번엔 　　　　　　 나 하여 보자. 주둥이는 하얗고 몸뚱이는 알락달락한 자가 무슨 자냐?
한자의 자획을 나누거나 합하여 맞히는 수수께끼.

6 말뚝이: 남편을 바라보니 인의예지(仁義禮智)가, 북편을 바라보니 　　　　　　 이 분명하니, 이는 가위 양반의 새 처방이 될 만하옵니다.
효도, 우애, 충성, 믿음을 통틀어 이르는 말.

4 빈칸에 들어갈 단어를 골라 ○표를 하시오.

1 말뚝이: 샌님의 　　　　　　 이나 있으면 잡아 올는지 거저는 잡아 올 수 없습니다.
명령을 전함. 여기서는 명령을 알리는 증서.
전령　　칙령

2 말뚝이: 아, 이 양반들, 어찌 듣소. 양반 나오시는데 담배와 　　　　　　 를 금하라 그리하였소.
시끄럽게 지껄이여 떠듦.
대화　　훤화

3 세 명의 　　　　　　 이 황야에 서 있는 망루의 위와 아래에서 이리 떼가 습격해 오는지 감시하고 있다.
경계하여 지키는 일을 하는 사람.
야경꾼　　파수꾼

4 촌장: 여기저기 덫이 깔려 있고 　　　　　　 위의 파수꾼이 외치는데도 어린 난 딸기 따기에만 열중했었으니까요.
적이나 주위의 동정을 살피기 위하여 높이 지은 다락집.
망루　　전망대

정답 **3** 1 벙거지 2 노랑돈 3 무량대각 4 개잘량 5 파자 6 효제충신 **4** 1 전령 2 훤화 3 파수꾼 4 망루

부록

3 **(4) 교술 갈래의 흐름**

① 빈칸에 들어갈 문학의 역사적 갈래를 찾아 바르게 연결하시오.

1 서양 곡에 맞추어 불린 개화기의 3음보 노랫말을 　　　　라고 한다. • • ㉠ 악장 •

2 고려 시대와 조선 시대에 두루 창작된 　　　　은 개인적인 체험의 기록 또는 • • ㉡ 창가
이를 바탕으로 한 주장을 담고 있다.

3 다른 갈래의 문학에 비해 상대적으로 형식이 자유롭다는 뜻에서 　　　　을 • • ㉢ 한문 수필
두고 '무형식의 형식'이라고 일컫기도 한다.

4 〈신도가〉, 〈용비어천가〉로 대표되는 　　　　은 개국을 찬양하고 나라의 번영 • • ㉣ 현대 수필
을 바라는 내용을 담고 있어 이념성과 교훈성이 뚜렷하다는 특성을 지닌다.

② 빈칸에 들어갈 말을 〈보기〉에서 찾아 쓰시오.

> **보기**
>
> 가상　　　안장　　　진적　　　차입　　　갈급질

1 다만 마음속으로 　　　　 한 바에 따라 귀가 소리를 지어낸 것일 뿐이다.
사실이 아니거나 사실 여부가 불분명한 것을 사실이라고 가정하여 생각함.

2 그러나 이렇게 들여 주는 뒤지만으로는 진정 　　　　 이 나서 못 견딜 지경이었다.
부족하여 몹시 바라는 짓.

3 제목 '뒤지가 　　　　'은 "화장실에서 사용하는 종이가 진귀한 책이다."라는 뜻이다.
진귀한 책.

4 만일 우리 동지들의 가족 중에서 음식물의 　　　　을 할 적에, 신문지로 싸개지를 삼은 것이 있으면, 대개는
난로에 넣어서 태워 버리는 것이 보통이었다. 교도소나 구치소에 갇힌 사람에게 음식. 의복, 돈 따위를 들여보냄. 또는 그 물건.

5 마음속으로 한번 추락할 것을 각오하자, 무려 아홉 번이나 강을 건너는 데도 아무런 걱정이 없어, 마치
　　　　 위에 앉거나 누워서 지내는 듯하였다.
벽에 세워 놓고 앉을 때 몸을 기대는 방석.

정답 **①** 1 ㉡ 2 ㉢ 3 ㉣ 4 ㉠ **②** 1 가상 2 갈급질 3 진적 4 차입 5 안장

③ 밑줄 친 부분의 뜻풀이에 해당하는 것을 고르시오.

1 나는 강을 대지처럼 여기고, 강을 내 옷처럼 여기고, 강을 내 몸처럼 여기고, 강을 내 <u>성정(性情)</u>처럼 여기었다.
  ① 타고난 본성.
  ② 다른 사람이나 개체와 구별되는 고유의 특성.

2 우리는 <u>문초</u>를 받는 일 외에는 열흘이 하루같이 아무것도 하는 일 없어 무료하기란 견주어 말할 데가 없었다.
  ① 알고 있는 사실을 캐어물음.
  ② 죄나 잘못을 따져 묻거나 심문함.

3 신문지 같은 것은 <u>천재일우(千載一遇)</u>의 좋은 기회를 얻어야만 볼 수 있었다.
  ① 운수가 나쁜 사람은 모처럼 좋은 기회를 만나도 역시 일이 잘 안됨을 이르는 말.
  ② 천 년 동안 단 한 번 만난다는 뜻으로, 좀처럼 만나기 어려운 좋은 기회를 이르는 말.

4 경찰서에서는 이 불가피한 <u>청구</u>에 응하기 위하여 뒤지를 공급하고 있었다.
  ① 남에게 돈이나 물건 따위를 달라고 요구함.
  ② 어떤 일이 원하는 대로 이루어지기를 바라면서 기다림.

④ 다음 뜻풀이에 해당하는 단어를 골라 ○표를 하시오.

1 익숙하고 솜씨가 있다. 능란하다 능통하다

2 어떤 까닭으로 생긴 일. 소치 수치

3 포나 기관총 따위를 세는 단위. 대 문

4 여러 사람이 같은 글이나 책을 돌려 가며 읽음. 묵독 윤독

5 병통(깊이 뿌리박힌 잘못이나 결점)과 폐단(어떤 일이나 행동에서 나타나는 옳지 못한 경향이나 해로운 현상)을 아울러 이르는 말. 병폐 우환

[정답] ③ 1 ① 2 ② 3 ② 4 ① ④ 1 능란하다 2 소치 3 문 4 윤독 5 병폐

(1) 한국 문학의 개념과 범위

1 빈칸에 들어갈 문학의 역사적 갈래를 찾아 바르게 연결하시오.

1 ⬚⬚⬚ 은 한민족의 사상과 정서를 한국어로 표현한 문학을 가리킨다.　　　　　•

　　　　　　　　　　　　　　　　　　　　　　　　　　　　　　　　　　　•　ⓒ 구비 문학

2 ⬚⬚⬚ 은 한글의 창제와 함께 나타나 한문 문학과 경쟁하며 전개되었다.　　　　•

　　　　　　　　　　　　　　　　　　　　　　　　　　　　　　　　　　　•　ⓛ 국문 문학

3 민중이 창작하고 향유한 설화, 민요, 무가, 판소리, 민속극 등은 ⬚⬚⬚ 에 해　•
당한다.

　　　　　　　　　　　　　　　　　　　　　　　　　　　　　　　　　　　•　ⓒ 기록 문학

4 북한에서 생산된 한국어 문학이나 선인들이 한자와 한문으로써 창작한 　•
⬚⬚⬚ 도 한국 문학에 포함된다.

　　　　　　　　　　　　　　　　　　　　　　　　　　　　　　　　　　　•　ⓔ 한국 문학

5 문학은 전승 방식에 있어서 말로 된 것과 글로 된 것으로 나눌 수 있으며, 이 중　•
글로 된 문학을 ⬚⬚⬚ 이라 한다.

　　　　　　　　　　　　　　　　　　　　　　　　　　　　　　　　　　　•　ⓜ 한문 문학

2 빈칸에 들어갈 단어를 <보기>에서 찾아 쓰시오.

> **보기**
>
> 수레　　　용소　　　천생　　　평상　　　매화 비

1 ⬚⬚⬚ 그쳐 향기 날리고

매실이 익을 무렵에 내리는 비라는 뜻으로, 해마다 초여름인 6월 상순부터 7월 상순에 걸쳐 계속되는 장마를 이르는 말.

2 ⬚⬚⬚ 탄 사람 누가 보아 주리

바퀴를 달아서 굴러가게 만든 기구. 사람이 타거나 짐을 싣는다.

3 ⬚⬚⬚ 이 있는 국숫집에 갔다

나무로 만든 침상의 하나. 밖에다 내어 앉거나 드러누워 쉴 수 있도록 만든 것.

4 옛날에 그 지금 ⬚⬚⬚ 있는 자리가 장재(長者) 첨지네 집터 자리라 그래.

폭포수가 떨어지는 바로 밑에 있는 깊은 웅덩이.

5 "우리 아버지 ⬚⬚⬚ 이 고약해서 그런 일이 있으니까. 조금두 나쁘게 생각하지 말라구."

하늘로부터 타고남. 또는 그런 바탕.

정답　**1** **1** ⓔ **2** ⓒ **3** ⓒ **4** ⓔ **5** ⓒ　**2** **1** 매화 비 **2** 수레 **3** 평상 **4** 용소 **5** 천생

3 밑줄 친 부분의 뜻풀이에 해당하는 것을 고르시오.

1 벌 나비만 <u>부질없이</u> 찾아드네.
① 아무런 까닭도 없이.
② 대수롭지 아니하거나 쓸모가 없이.

2 그때까지 아주 <u>명랑하던</u> 하늘이 갑자기 흐리면서 뇌성벽력을 하더니 말야.
① 유쾌하고 활발하다.
② 흐린 데 없이 밝고 환하다.

3 그 영감이 아주 <u>깍쟁이</u>가 돼서, 뭐 다른 사람 도무지 뭐 도와두 주지 않구, 돈만 모으던 그런 유명한 영감이야.
① 이기적이고 인색한 사람.
② 쌀쌀맞게 시치미를 떼는 태도를 지닌 사람.

4 그 여자가 인지 명지를 짜던 그 명지 <u>도토마리</u>를 끊어서 이구 나오다가, 그 또 자기네 집에서 개를, 귀엽게 기르던 개를 불러 가지구서 나왔어.
① 가로로 길게 이어 돌돌 둥글게 만 종이.
② '도투마리'의 옛말. 베를 짜기 위해 날실을 감아 놓은 틀.

4 빈칸에 들어갈 단어를 골라 ○표를 하시오.

1 [   ]에 그림자 흔들리네.   [보리 바람] [높새바람]
보리 위를 스치는 바람이라는 뜻으로, 초여름의 훈훈한 바람.

2 소리를 질러두 그대루 그 중은 이제 가지를 않구섬날 [   ]을 하구 있었어.   [독경] [독송]
불경을 소리 내어 읽거나 욈.

3 물 나오는 소리가 쿵쿵쿵쿵쿵 하면서 그 곁에 가면 이제 [   ]이 울린단 말야.
땅의 표면.   [지각] [지반]

4 이 여인이 가는데 갑자기 [   ]을 하면서 그 벼락 치는 소리가 나니까, 깜짝 놀래서 뒤를 돌아봤단 말야.
천둥소리와 벼락을 아울러 이르는 말.   [뇌성벽력] [청천벽력]

5 (2) 한국 문학의 특성

1 빈칸에 들어갈 말을 찾아 바르게 연결하시오.

1 한(恨)의 정서, 자연 친화의 태도와 가치관, 풍자와 해학 등은 한국 문학의 대표 •

적인 ⬚⬚⬚⬚ 이라고 할 수 있다.

특별한 기질이나 성질.

• ㉠ 특질

2 서정, 서사, 교술, 극의 네 가지 기본 갈래를 지니고 있는 점은 한국 문학이 세계 •

문학의 하나로서 가지는 ⬚⬚⬚⬚ 에 해당한다.

모든 것에 두루 미치거나 통하는 성질.

• ㉡ 보편성

3 향가, 시조, 가사 등의 역사적 갈래와 우리 시가의 오랜 전통인 3음보와 4음보의 •

정형 율격 등은 한국 문학의 ⬚⬚⬚⬚ 에 해당한다.

일반적이고 보편적인 것과 다른 성질.

• ㉢ 특수성

2 밑줄 친 부분의 뜻풀이에 해당하는 것을 고르시오.

1 묏버들 갈히것거 보내노라 <u>님의손딕</u>

① 임에게.

② 임의 근처에.

2 만날 날은 아득타, <u>기약</u>이 없네.

① 우연히 서로 만남.

② 때를 정하여 약속함. 또는 그런 약속.

3 내 이승의 낮과 저승의 밤에 / <u>아아(峨峨)</u>라히 뻗쳐 있어 다리 놓는 산.

① 산이나 큰 바위 같은 것이 아슬아슬하게 치솟은 모양.

② 해로움이나 손실이 생길 우려가 있음. 또는 그런 상태.

4 고요하고 너그러워 <u>수(壽)</u>하는 데다가 / 보옥(寶玉)을 갖고도 자랑 않는 겸허한 산.

① 오래 살다.

② 생각한 대로 일을 이루어 내다.

정답 **1** 1 ㉠ 2 ㉡ 3 ㉢ **2** 1 ① 2 ② 3 ① 4 ①

3 빈칸에 들어갈 단어를 〈보기〉에서 찾아 쓰시오.

┌─ 보기 ───┐
│   형세   환자   발등거리   구사일생   생불여사   생살지권   인사불성   │
└───┘

1 "그, 무슨 일을 꼭 믿고만 다니나?　　　　　　　으로 알고 가지."
　　　아홉 번 죽을 뻔하다 한 번 살아난다는 뜻으로, 죽을 고비를 여러 차례 넘기고 겨우 살아남을 이르는 말.

2 "　　　　　　섬이나 얻어 와야 저 자식들을 구원하지 않겠소?"
　　　옛날에 관가에서 가을에 이자를 붙여 갚는 조건으로 백성에게 꾸어 주던 곡식.

3 "만일 뒷집 꾀수애비란 놈이 알면　　　　　　　를 할 터이니, 쉬!"
　　　　　　　　　　남이 하려는 일을 앞질러서 함.

4 한시 반 때 놀지 않고, 이렇듯 품을 팔아　　　　　　　로 지내는구나.
　　　　　　살아 있음이 차라리 죽는 것만 못하다는 뜻으로, 몹시 어려운 형편에 있음을 이르는 말.

5 "잘난 사람은 더 잘난 돈.　　　　　　을 가진 돈. 부귀공명이 붙은 돈."
　　　　　　　　살리고 죽일 수 있는 권리.

6 "어따, 이놈아! 야, 이놈아, 말 들어라. 우리가　　　　　　　가 있고 보면, 네 장개가 여태 있겠느냐?"
　　　　　　　　　살림살이의 경제적 형편.

7 "여편네가 집 안에서 고 방정을 떨었으니, 무슨 놈의 재수가 있어? 내가 매를 맞었으면　　　　　　　이여!"
　　　　　　　　　　　　　제 몸에 벌어지는 일을 모를 만큼 정신을 잃은 상태.

4 다음 뜻풀이에 해당하는 말을 골라 ○표를 하시오.

1 가장 느린 장단. 슬프거나 애절한 대목에 쓰임.　　　　　　　　　[진양조]　[휘모리]

2 매우 빠른 장단. 연이어 벌어지는 사건을 서술하는 대목에 쓰임.　　[엇모리]　[자진모리]

3 조금 느린 장단. 사연을 서술하는 대목이나 서정적 대목에 쓰임.　　[중모리]　[중중모리]

4 판소리에서, 창을 하는 중간중간에 가락을 붙이지 않고 이야기하듯 엮어 나가는 사설.
　　　　　　　　　　　　　　　　　　　　　　　　　　　　　　[발림]　[아니리]

〔정답〕 **3** 1 구사일생 2 환자 3 발등거리 4 생불여사 5 생살지권 6 형세 7 인사불성　**4** 1 진양조 2 자진모리 3 중모리 4 아니리

Memo

서정·서사 갈래의 개념과 역사적 갈래

[관련 단원] 3단원 (1) 서정 갈래의 흐름 ~ (2) 서사 갈래의 흐름

◎ 서정 갈래

- **개념**: 화자를 통해 작가의 생각과 정서를 ❶ㅈㄱㅈ 으로 표현하는 '노래하기'의 갈래.
- **역사적 갈래**: 고대 가요, 향가, 한시, 고려 속요, 시조, 가사, 신체시, 현대 시

◎ 서사 갈래

- **개념**: ❷ㅅㅅㅈ 를 통해 이야기를 전달하는 '이야기하기'의 갈래.
- **역사적 갈래**: 설화, 서사 무가, 가전, 고전 소설, 판소리계 소설, 개화기 소설, 현대 소설

답 ❶ 주관적 ❷ 서술자

극·교술 갈래의 개념과 역사적 갈래

[관련 단원] 3단원 (3) 극 갈래의 흐름 ~ (4) 교술 갈래의 흐름

◎ 극 갈래

- **개념**: 극적 사건을 서술자를 통하지 않고 인물의 ❶ㄷㅅ 와 행동을 통해 직접적·현재적으로 표현하는 '보여 주기'의 갈래.
- **역사적 갈래**: 탈춤, 인형극, 창극, 신파극, 현대 희곡, 드라마 대본, 영화 시나리오, 뮤지컬 대본

◎ 교술 갈래

- **개념**: 실재하는 사실을 바탕으로 하여 ❷ㄱㅎㅈ 이거나 이념적인 내용을 기록하고 경험을 서술하는 '알려 주기'의 갈래.
- **역사적 갈래**: 한문 수필, 악장, 창가, 현대 수필, 편지, 일기, 기행문

답 ❶ 대사 ❷ 교훈적

구운몽 (김만중)

[관련 단원] 3단원 (2) 서사 갈래의 흐름

◎ 제재 개관

갈래	고전 소설, 장편 소설, 몽자류 소설
성격	환상적, 불교적
배경	• 시간: 중국 당나라 때 • 공간: 현실-중국 남악 형산 연화봉 　　　　꿈속-장안(당나라의 수도), 변방 지역 등
시점	3인칭 전지적 시점
제재	연화봉 승려 성진이 꿈속에서 양소유가 되어 겪는 다양한 일과 깨달음
주제	꿈을 통해 부귀영화의 덧없음을 깨닫고 삶의 진정한 가치를 추구함.
특징	① 꿈과 현실을 오가는 ❶ㅎㅁㄱㅈ 를 지님. ② 현실 공간과 꿈속 공간이 모두 환상적으로 그려짐. ③ 조선 시대 사대부의 입신양명에 대한 욕망이 투영됨. ④ ❷ㅂㄱ 적 색채가 두드러짐.

답 ❶ 환몽 구조 ❷ 불교

만세전 (염상섭)

[관련 단원] 3단원 (2) 서사 갈래의 흐름

◎ 제재 개관

갈래	현대 소설, 중편 소설
성격	사실적, 비판적, 자기반성적
배경	• 시간: 만세(3·1 운동) 전해의 겨울, 1918년 • 공간: 일본과 식민지 조선
시점	1인칭 주인공 시점
제재	식민지 조선의 지식인이 동경에서 서울로 오는 과정에서 겪은 일
주제	일본 식민 지배의 폭력성에 대한 비판과 ❶ㅅㅁㅈ 조선 지식인의 자기 성찰
특징	① 주인공이 겪은 일, 보고 들은 것을 사실적으로 그리고 있음. ② 여러 가지 에피소드를 통해 식민 지배의 ❷ㅍㄹㅅ 을 비판하고 있음. ③ 주인공의 반성적 자기 성찰이 뚜렷함. ④ 지금은 거의 쓰이지 않는 어려운 한자어가 많이 쓰임.

답 ❶ 식민지 ❷ 폭력성

극 갈래의 특성

• 서술자가 없음.

• 사건을 현재적으로 표현함.

• 인물의 대사와 행동을 통해 사건을 **❶** ㅈㅈㅈ 으로 전달함.

교술 갈래의 특성

• 글쓴이와 작품 속 자아가 **❷** ㅇㅊ 함.

• 개인의 실제 체험을 다루고 경험한 사실을 서술·전달함.

답 ❶ 직접적 ❷ 일치

서정 갈래의 특성

• **❶** ㅇㅇ 을 통해 리듬감 있는 언어로 표현함.

• 비유와 상징 등을 이용하여 압축적인 언어로 표현함.

서사 갈래의 특성

• 인간의 삶을 구체적으로 보여 줌.

• 인물, 사건, **❷** ㅂㄱ 의 3요소로 구성됨.

• 서술자가 자신의 관점에 따라 사건을 전달함.

• 현실에 있을 법한, 글쓴이의 상상이 더해진 허구의 이야기임.

답 ❶ 운율 ❷ 배경

이것만은 꼭!

이 글에 나타난 자기반성의 정신

• '나'는 일본에서 유학하는 동안 평온하게 지내면서 **❶** ㅈㅅ 의 현실, 우리 민족에 대한 관심이 적었음.

• '나'는 밭을 가는 것도 '시'이며 행복한 일이라고 하는 등 실상과 관계없는 시를 썼음.

↓

목욕탕에서
일본인들의 대화를
듣고 조선인의
실상을 알게 됨.

↓

• 자신이 '책상 도련님'에 지나지 않는다는 사실을 똑바로 보고 자신에 대한 근본적인 **❷** ㅂㅅ 에 나아감.

• 중노동에 시달리는 가난한 농민의 삶과 같은 실제 현실을 문제 삼아야 한다고 생각함.

답 ❶ 조선 ❷ 반성

이것만은 꼭!

이 글의 환몽 구조

현실 (외화)
천상계 (초월적 공간)
성진이 불도를 닦다가 팔선녀를 만난 후에 부처의 법문에 회의를 느끼며 **❶** ㄲ 을 꿈.

↓

꿈 (내화)
인간계 (현실적 공간)
성진이 **❷** ㅇㅅㅇ 로 환생하여 부귀영화를 누리다가 문득 인생무상을 느낌.

↓

현실 (외화)
천상계 (초월적 공간)
성진이 꿈에서 깨어나 팔선녀와 함께 불도에 정진함.

답 ❶ 꿈 ❷ 양소유

겨울 나들이 (박완서)

[관련 단원] 3단원 (2) 서사 갈래의 흐름

○ 제재 개관

갈래	현대 소설, 단편 소설, 전쟁 분단 소설
성격	사실적, 비극적, 심리 성찰적
배경	• 시간: 현재 – 1970년대 중반 겨울 　　　　　과거 – 1950년대 초반 한국 전쟁 때 • 공간: 서울, 온양
시점	1인칭 주인공 시점
제재	전쟁과 분단의 상처, 겨울 여행
주제	전쟁과 분단의 상처에 대한 증언과 그 상처로 고통받는 사람들에 대한 이해, 따뜻한 애정의 소중함.
특징	① 사건 및 인물의 말과 행동 등을 ❶ ㅅㅅㅈ 으로 그림. ② 여행을 떠났다가 깨달음을 얻은 뒤 다시 돌아오는 '여로 구조'의 작품임. ③ '오해 – ❷ ㅇㅎ '의 과정을 반복함으로써 진실을 드러냄.

🔲 답 ❶ 사실적 ❷ 이해

일야구도하기 (박지원)

[관련 단원] 3단원 (4) 교술 갈래의 흐름

○ 제재 개관

갈래	고전 수필, 한문 수필, 기행 수필
성격	체험적, 분석적, 교훈적, 설득적
제재	하룻밤에 강을 아홉 번 건넌 경험
주제	외부의 ❶ ㅅㅁ (외물)에 현혹되지 않는 삶의 자세
특징	① 자신의 체험을 바탕으로 주장하고자 하는 바를 뒷받침함. ② 치밀한 관찰력으로 사물의 본질을 꿰뚫어 보는 사색적이고 ❷ ㄱㅈㅈ 인 태도를 보임.

🔲 답 ❶ 사물 ❷ 관조적

뒤지가 진적 (이희승)

[관련 단원] 3단원 (4) 교술 갈래의 흐름

○ 제재 개관

갈래	현대 수필
성격	사실적, 해학적, 회고적
제재	일제 강점기의 감옥 생활
주제	❶ ㅇㅈ ㄱㅈㄱ 감옥 현실의 폭로, 글을 읽고 싶은 욕구의 강함.
특징	① 겪은 일을 사실적으로 그림. ② 일제 강점기 감옥의 현실을 잘 보여 줌. ③ 글쓴이의 ❷ ㅎㅎㅈ 태도가 돋보임.

🔲 답 ❶ 일제 강점기 ❷ 해학적

봉산 탈춤 (작자 미상)

[관련 단원] 3단원 (3) 극 갈래의 흐름

○ 제재 개관

갈래	가면극(탈춤) 대본
성격	풍자적, 해학적, 서민적
제재	양반과 말뚝이의 대결
주제	무능하고 탐욕스러운 양반 계층에 대한 풍자와 조롱
특징	① 익살, 과장, ❶ ㅇㅇㅇㅎ 등을 사용하여 풍자가 이루어짐. ② ❷ ㅁㄷ 와 객석, 배우와 관객이 엄격하게 구분되지 않음. ③ 재담마다 한데 어울려 추는 춤과 음악으로 긴장과 갈등이 해소됨. ④ 서민적인 비속어와 양반 투의 한자어를 동시에 사용하여 언어 사용의 양면성을 보임.

🔲 답 ❶ 언어유희 ❷ 무대

이것만은 꼭!

○ '낮'과 '밤'의 강물에 대한 인식과 글쓴이의 깨달음

구분	'낮'의 강물	'밤'의 강물
인식 방법	강물의 위태로움을 눈(시각)으로 봄.	강물의 위태로움을 **①**ㄱ(청각)로 느낌.
결과	강물을 보고 두려워하느라 소리가 들리지 않음.	듣는 것에 신경이 쏠려 강물 소리가 두려움을 자아냄.

글쓴이의 깨달음

눈과 귀에 의존한다면 보고 듣는 것에 **②**ㅎㅎ되어
사물을 제대로 인식할 수 없게 됨.
➡ 모든 일은 마음먹기에 달려 있음.

○ 외물(外物)의 특성

: 귀와 눈에 누를 끼쳐 올바르게 보고 듣는 것을 그르치게 함.

답 ❶ 귀 ❷ 현혹

이것만은 꼭!

○ 한국 전쟁이 등장인물의 삶에 미친 영향

'나'

전쟁 중 이북에 아내와 노부모를 두고 어린 딸 하나만 업고 내려온 지금의 남편과 결혼함.

아주머니

전쟁 중 인민군의 총에 **①**ㄴㅍ이 죽고 홀로 시어머니를 모시며 외아들을 키워 옴.

전쟁이 삶에 미친 영향

가족의 사망 또는 이산으로 가족이 해체되고
깊은 정신적 **②**ㅅㅊ를 입게 됨.

답 ❶ 남편 ❷ 상처

이것만은 꼭!

○ 이 글에 나타난 사회상

양반들의 권위 실추	양반들이 신체적 결함을 지녔으며, 풍자와 조롱의 대상이 됨.
양반의 위력	종잇조각에 불과한 **①**ㅅㄹ으로 힘세고 날랜 취발이를 잡아들임.
황금만능주의 시대	말뚝이가 돈을 받고 취발이를 풀어 주자고 제안하고, 양반들은 이를 묵인함.

○ 이 글에 드러난 가면극(탈춤)의 특징

- **②**ㅇㄱ이나 관객이 극의 진행에 참여할 수 있는 여지가 마련되어 있음.
  - ⓔ "여보, 악공들 말씀 들으시오.", "여보, 구경하시는 양반들, 말씀 좀 들어 보시오."
- 특별한 무대 장치나 소품이 필요하지 않고 무대와 극중 장소가 엄격하게 나뉘지 않음.
  - ⓔ "(채찍을 가지고 원을 그으며 한 바퀴 돌면서) 예에, 이마만큼 터를 잡고 … 문을 하늘로 낸 새처를 잡아 놨습니다."

답 ❶ 전령 ❷ 악공

이것만은 꼭!

○ 글쓴이의 경험과 깨달음

글쓴이의 경험

뒤지를 입수하기 위해서 뒤를 자주 보고, 설사 핑계를 대거나 헛뒤를 봄.
➡ 감옥살이 하는 가운데에서도 글을 읽고자 노력함.

글쓴이의 깨달음

인간의 **①**ㅇㅇ은 본능의 소치이므로 인력으로 좌우할 수 없음.

○ 이 글에 나타난 글쓴이의 개성

감옥 생활을 하며 읽을거리를 구하기 위해
어떤 노력을 기울였는지 회고함.

뒤를 자주 봄, 설사 핑계를 댐, 헛뒤를 봄.

매우 고통스럽고 비참한 체험인데도 불구하고
이를 회상하여 그리는 글쓴이의 태도는 해학적이어서
읽는 이로 하여금 웃음을 짓게 만듦.

➡ 글쓴이의 개성인 **②**ㅎㅎㅅ을 잘 보여 줌.

답 ❶ 의욕 ❷ 해학성

[관련 단원] 3단원 (3) 극 갈래의 흐름

◎ 제재 개관

갈래	현대 희곡, 단막극
성격	풍자적, 우화적, 상징적
제재	촌장과 파수꾼 이야기
주제	거짓 현실에 대한 ❶ ㅂㅍ , 진실을 밝히는 일의 소중함과 어려움
특징	① 널리 알려진 이솝 우화 '양치기 소년'을 바탕으로 현실을 우화적으로 다룸. ② 상징적인 의미를 띠고 있는 인물들과 소재를 다룸. ③ 해설자가 극에 등장하여 작품 내용을 설명하고, 한 명의 배우가 여러 역을 맡으며, 관객들이 작중 인물을 대신하는 등 ❷ ㅅㅎㄱ 의 성격을 보여 줌.

답 ❶ 비판 ❷ 실험극

[관련 단원] 4단원 (1) 한국 문학의 개념과 범위

◎ 제재 개관

갈래	설화, 전설
성격	전기적, 교훈적, 불교적
제재	용소, ❶ ㅁㄴㄹㅂㅇ
주제	탐욕에 대한 경계(인과응보, 권선징악)
특징	① 방언(사투리)을 사용하여 토속적인 정감과 현장감을 나타냄. ② 같은 말이 반복되고 군말의 사용이 나타남. ③ 과장되고 ❷ ㅂㅎㅅㅈ 인 내용이 나타남. ④ 화자(제보자)가 청자(채록자)에게 구술하는 형식을 취함.

답 ❶ 며느리바위 ❷ 비현실적

[관련 단원] 4단원 (1) 한국 문학의 개념과 범위

◎ 제재 개관

갈래	한시, 오언 율시
성격	비유적, 체념적, 애상적, 탄식적
제재	❶ ㅊㄱㅎ
주제	자신을 알아주지 않는 시대에 대한 개탄
특징	① 자연물을 통해 자신의 처지와 심정을 비유적으로 드러냄. ② ❷ ㅅㄱㅎㅈ 의 방식으로 시상을 전개함.

답 ❶ 촉규화 ❷ 선경후정

[관련 단원] 4단원 (1) 한국 문학의 개념과 범위

◎ 제재 개관

갈래	자유시, 서정시
성격	묘사적, 서정적, 교훈적
제재	소박한 국숫집 손님들의 이야기
주제	평범한 사람들이 주고받는 위로와 교감
특징	① ❶ ㄱㅅㅈ 에 모인 사람들을 묘사하며 시상을 전개함. ② 열린 공간과 소박한 소재를 통해 평범한 사람들의 인정을 표현함. ③ '❷ ㅉㅉㅉㅉ '이라는 음성 상징어에 중의적 의미를 부여하여 주제 의식과 정서를 드러냄.

답 ❶ 국숫집 ❷ 쯧쯧쯧쯧

이것만은 꼭!

이 글에 나타나는 구비 문학·전설의 특징

구비 문학	전설
• 구어체를 그대로 사용하여 구연 상황을 드러냄. • 방언, 군말, 불필요한 부연, 같은 말의 반복이 나타남.	• 비범한 인물(도승)과 사건(재앙)이 등장함. • 구체적인 장소(장연읍)가 제시됨. • 이야기의 **❶ㅈㄱㅁ**(용소, 며느리바위)이 제시됨.

증거물에 따른 글의 주제

증거물	원인	주제
용소	'장재 첨지'가 인색하여 벌을 받음.	인간의 탐욕에 대한 경계 (인과응보, 권선징악)
며느리바위	'며느리'가 '금기'를 어겨 벌을 받음.	인간의 **❷ㄱㅅㅎ**에 대한 경계

답 ❶ 증거물 ❷ 경솔함

이것만은 꼭!

이 글에 나타난 소재들의 의미

이리 떼	꾸며 낸 거짓, 사람들을 위협하고 **❶ㄱㅍㅅ**을 느끼게 하는 지배 이념
흰 구름	진실, 이리 떼의 실체
망루, 양철 북, 팻말	꾸며 낸 거짓을 널리 알려 불안감을 조성함으로써 민중을 통제하기 위한 수단
딸기	부정한 권력으로 얻은 이익, 상대방을 설득하기 위한 회유책

이 글에 반영된 시대 상황

1970년대의 시대 상황	〈파수꾼〉
안보를 위협하는 북한의 위험성을 과장하여 독재 정권을 유지하려 함.	촌장은 실재하지 않는 적인 이리 떼를 이용하여 자신의 **❷ㄱㄹ**을 공고히 하려 함.

답 ❶ 공포심 ❷ 권력

이것만은 꼭!

소재·공간의 의미와 기능

평상	• **❶ㅍㄷ**적이고 수평적인 공간 • 눈을 맞추며 인정을 나누는 공간 • 화자의 긍정적인 체험을 풀어낸 공간 ➡ 정겹고 소박한 느낌을 줌.
푸조나무	그늘을 만들어 휴식과 위안을 주는 유익한 소재 ➡ 푸근한 느낌을 연상시키고 주제 의식을 강조함.
삼거리 슈퍼	소박하고 친근한 느낌을 주는 소재
국수	일상적으로 먹는 소박한 음식 ➡ 친근하며 따뜻한 느낌을 줌.

'쯧쯧쯧쯧'의 중의적 의미

쯧쯧쯧쯧
- 국수가 찬물에 헹궈질 때 나는 소리
- 상대방의 처지가 안타까울 때 가볍게 **❷ㅎ**를 차는 소리

답 ❶ 평등 ❷ 혀

이것만은 꼭!

시적 대상을 통한 화자 이해

	시적 대상(촉규화)	화자
1, 2구	거칠고 쓸쓸한 곳에 탐스럽게 핌.	어려운 환경 속에서 뛰어난 학문적 경지에 이름.
3, 4구	향기를 날리며 피어 있음.	완숙한 학문적 경지에 이름.
5, 6구	**❶ㅅㄹㅌㅅㄹ**이 알아봐 주지 않음.	임금, 고관대작 등이 자신의 능력을 알아주지 않음.
7, 8구	천한 땅에서 태어나 버림받음.	신라의 6두품 출신인 것을 부끄러워하고 **❷ㅌㅅ**함.

답 ❶ 수레 탄 사람 ❷ 탄식

13 흥보가(작자 미상)

[관련 단원] 4단원 (2) 한국 문학의 특성

제재 개관

갈래	❶ ㅍㅅㄹ 사설
성격	풍자적, 해학적, 교훈적, 서민적
제재	(교과서 수록 부분) 가난한 흥보의 가련한 삶의 모습
주제	(교과서 수록 부분) 가난한 이들의 삶의 애환
특징	① 3·4조, 4·4조의 운문과 산문이 혼합됨. ② 흥보의 가난한 상황을 ❷ ㅎㅎㅈ 으로 표현함. ③ 양반의 허위의식, 부패한 관리, 물질 만능주의 등을 풍자함.

답 ❶ 판소리 ❷ 해학적

---

14 묏버들 갈히 것거(홍랑)

[관련 단원] 4단원 (2) 한국 문학의 특성

제재 개관

갈래	평시조
성격	감상적, 애상적
제재	❶ ㅁㅂㄷ , 이별
주제	임에 대한 그리움과 사랑의 다짐
특징	① 상징적 소재가 사용됨. ② ❷ ㄷㅊㅂ 이 사용됨. ③ 임에게 말을 거는 듯한 대화적 어조가 드러남.

답 ❶ 묏버들 ❷ 도치법

---

15 춘망사(설도)

[관련 단원] 4단원 (2) 한국 문학의 특성

제재 개관

갈래	한시, 오언 절구
성격	애상적, ❶ ㅊㄴ 적
제재	꽃잎, 풀잎
주제	임에 대한 ❷ ㄱㄹㅇ
특징	① 정형시 율격에 맞추기 위한 운자가 사용됨. ② 기승전결의 구조로 전구와 결구가 대구됨.

답 ❶ 체념 ❷ 그리움

---

16 거산호·Ⅱ(김관식)

[관련 단원] 4단원 (2) 한국 문학의 특성

제재 개관

갈래	자유시, 서정시
성격	상징적, 의지적, 자연 친화적
제재	산
주제	산에 기거하며 산을 닮고자 함.
특징	① 속세와 ❶ ㅈㅇ 의 대비가 뚜렷하게 드러남. ② 산의 장점을 ❷ ㅇㄱ 하였음. ③ 역설적 표현을 통해 산에 기거하고자 하는 마음을 강조함.

답 ❶ 자연 ❷ 열거

이것만은 꼭!

◎ '묏버들'의 상징적 의미

묏버들

- **❶** ㅇㅂ 의 정표
- 임에 대한 사랑의 마음
- 임을 그리워하는 화자의 분신
- 임이 자신을 잊지 않기를 바라는 마음

◎ 평시조의 형식적 특징

- 초장, 중장, 종장의 3장으로 이루어져 있음.
- 3장 6구 45자 내외로 구성되어 있음.
- **❷** ㅈㅈ 첫 구는 3음절로 고정되어 있음.
- 3·4조, 4·4조의 4음보의 율격을 띠고 있음.

답 ❶ 이별 **❷** 종장

이것만은 꼭!

◎ 현실을 풍자하고 있는 부분과 당대의 현실

• 흥보가 자식에게 밥을 먹이기 위해 **❶** ㅁㅍ 을 팔려고 함. • 흥보가 꾀수애비에게 선수를 빼앗겨 매품팔이에 실패하고 돌아옴.	많은 민중이 극심한 가난을 겪음.
아전이 범죄를 저지른 관리를 위해 대신 매품을 팔 사람을 찾음.	관리들이 범죄에 연루되고 부패함.
흥보가 아전 앞에서 말을 높이지도 낮추지도 못하고 어색한 말투로 말하다가 매품팔이 제안에 갑자기 말을 높임.	신분제의 동요가 일어남.
매품을 팔아 노잣돈을 벌어 온 흥보가 **❷** ㄷㅌㄹ 을 부름.	물질 만능주의의 풍조가 생겨남.

답 ❶ 매품 **❷** 돈타령

이것만은 꼭!

◎ '장거리'와 '산'에 대한 화자의 태도

장거리 (**❶** ㅅㅅ) ← 부정적 태도 / 거리를 두어 멀리함. — 화자 — 긍정적 태도 / 가까이 마주하려 함. → 산 (자연)

◎ 이 시에 나타 난 '산'의 속성

- 태고로부터 푸르러 옴.
- **❷** ㄱㅇ 하고 너그러워 오래 삶.
- 보옥을 갖고도 겸허함.

답 ❶ 속세 **❷** 고요

이것만은 꼭!

◎ 자연과 인간사의 대조

❶ ㄲㅇ (자연) : 자연의 순환 원리에 따라 때가 되면 꽃이 피고 짐.	↔	임 (인간) : 화자가 몹시 바라는데도 화자에게로 돌아오지 않음.

임이 언제 돌아올지 알 수 없는 상황에 대한 안타까움을 강조함.

◎ 한시 오언 절구의 형식적 특징

- 각 행의 글자 수가 모두 다섯 글자로 같음.
- **❷** ㄱㅅㅈㄱ 의 짜임을 갖추며 네 행으로 구성되어 있음.
- 승구(承句)와 결구(結句)의 마지막 글자가 운자이며, 예외로 기구(起句)에 압운하는 경우도 있음.

답 ❶ 꽃잎 **❷** 기승전결